단번에 축약된 키워드로 합격하는

빅데이터 분석기사

필기 | 3 과목 빅데이터 모델링
4 과목 빅데이터 결과해석

김계철 지음

데이터 분석 전문교육 기업
에이아이 에듀

차 례

2025 단·축·키 빅데이터 분석기사 필기

1과목 빅데이터 분석 기획

CHAPTER 01 빅데이터의 이해

01 빅데이터 개요 및 활용 ... 26
1. 빅데이터의 특징 ... 26
2. 빅데이터의 가치 ... 36
3. 데이터 산업의 이해 ... 47
4. 빅데이터 조직 및 인력 ... 49

02 빅데이터 기술 및 제도 ... 61
1. 빅데이터 플랫폼 ... 61
2. 빅데이터와 인공지능 ... 69
3. 개인정보 법·제도 ... 74
4. 개인정보 활용 ... 80

03 CHAPTER 01 예상문제 ... 88

CHAPTER 02 데이터분석 계획

01 분석방안 수립 ... 103
1. 분석 로드맵 설정 ... 103
2. 분석문제 정의 ... 113
3. 데이터 분석 방안 ... 123

02 분석작업 계획 · 135
1. 데이터 확보 계획 · 135
2. 분석절차 및 작업계획 · 140

03 CHAPTER 02 예상문제 · 144

CHAPTER 03 데이터 수집 및 저장 계획

01 데이터 수집 및 전환 · 152
1. 데이터 수집 · 152
2. 데이터 유형 및 속성 파악 · 159
3. 데이터 변환 · 165
4. 데이터 비식별화 · 171
5. 데이터 품질검증 · 175

02 데이터 적재 및 저장 · 183
1. 데이터 적재 · 183
2. 데이터 저장 · 186

03 CHAPTER 03 예상문제 · 197

차 례

2과목 빅데이터 탐색

CHAPTER 01 데이터 전처리

01 데이터 정제 — 206
1. 데이터 정제(Data Cleansing) — 206
2. 데이터 결측값 처리 — 209
3. 데이터 이상값 처리 — 213

02 분석 변수 처리 — 221
1. 변수 선택 — 221
2. 차원축소(Dimensionality Reduction) — 226
3. 파생변수 생성 — 233
4. 변수 변환 — 235
5. 불균형 데이터 처리 — 244

03 CHAPTER 01 예상문제 — 251

CHAPTER 02 데이터 탐색

01 데이터 탐색 기초 — 260
1. 데이터 탐색의 개요 — 260
2. 상관관계 분석 — 263
3. 기초통계량 추출 및 이해 — 268
4. 시각적 데이터 탐색 — 276

02 고급 데이터 탐색   281
    1. 시공간 데이터(Spatio-Temporal Data) 탐색   281
    2. 다변량 데이터 탐색   284
    3. 비정형 데이터 탐색   291

03 CHAPTER 02 예상문제   303

CHAPTER 03 통계기법 이해

01 기술통계   309
    1. 데이터 요약   309
    2. 표본추출   311
    3. 확률분포   317
    4. 표본분포   330

02 추론통계   334
    1. 점추정   335
    2. 구간추정   338
    3. 가설검정   344

03 CHAPTER 03 예상문제   359

3과목 빅데이터 모델링

CHAPTER 01 분석모형 설계

01 분석절차 수립   12
  1. 분석모형 선정   12
  2. 분석모형 정의   21
  3. 분석모형 구축 절차   23

02 분석 환경 구축   27
  1. 분석 도구 선정   27
  2. 데이터 분할   28

03 CHAPTER 01 예상문제   34

CHAPTER 02 분석기법 적용

01 분석기법   39
  1. 회귀분석(Regression Analysis)   39
  2. 로지스틱 회귀분석(Logistic Regression)   52
  3. 의사결정나무   57
  4. 인공신경망(Artificial Neural Network)   64
  5. 서포트 벡터머신(SVM, Support Vector Machine)   73
  6. 연관성분석   78
  7. 군집분석   81

02 고급 분석기법   97
1. 범주형 자료분석   97
2. 다변량 분석   103
3. 시계열 분석(Time Series Analysis)   114
4. 베이지안 기법   123
5. 딥러닝 분석   129
6. 비정형데이터 분석   141
7. 앙상블분석   144
8. 비모수 통계   153

03 CHAPTER 02 예상문제   157

4과목 빅데이터 결과 해석

CHAPTER 01 분석모형 평가 및 개선

01 분석모형 평가   182
1. 평가지표   183
2. 분석모형 진단   202
3. 교차 검증(Cross Validatiion)   204
4. 모수 유의성 검증   210
5. 적합도 검정   214

| 02 | 분석모형 개선 | 218 |

1. 과대적합 방지　　218
2. 매개변수 최적화(Parameter Optimization)　　223
3. 분석모형 융합(Aggregation)　　233
4. 최종 모형 선정　　236

| 03 | CHAPTER 01 예상문제 | 239 |

CHAPTER 02　분석결과 해석 및 활용

| 01 | 분석결과 해석 | 255 |

1. 분석모형 해석　　255
2. 비즈니스 기여도 평가　　257

| 02 | 분석결과 시각화 | 259 |

1. 데이터 시각화　　259
2. 정보 시각화　　265
3. 인포그래픽　　279

| 03 | 분석결과 활용 | 284 |

1. 분석모형 전개　　284
2. 분석결과 활용 시나리오 개발　　285
3. 분석 모형 모니터링　　287
4. 분석 모형 리모델링　　288

| 04 | CHAPTER 02 예상문제 | 291 |

기출문제 및 실전모의고사

빅데이터분석기사 필기 기출문제 및 실전모의고사

- 01 빅데이터분석기사 필기 실전모의고사 1회　　304
- 02 빅데이터분석기사 필기 실전모의고사 2회　　324
- 03 8회 빅데이터 분석기사 필기 기출문제　　343

3 과목

빅데이터 모델링

CHAPTER 01 분석모형 설계
CHAPTER 02 분석기법 적용

CHAPTER 01 분석모형 설계

01 분석절차 수립

1 분석모형 선정

학습 목표
1. 데이터의 형태와 구조에 따른 분석 모형을 학습한다.

출제 KEYWORD
① 데이터 마이닝 기반의 분석모형 ★★
② 머신러닝 기반의 분석모형 ★★
③ 지도 vs 비지도 vs 강화 vs 준지도 정의 ★★

1. 데이터 유형 파악
- 데이터 분석 모형을 선정하기 전에 데이터 유형(정형, 반정형, 비정형)을 파악하여야 한다.
- 분석하고자 하는 데이터가 독립 또는 종속변수인지, 연속형 또는 범주형인지를 파악하고 분석 모형을 선정한다.

2. 데이터 속성 파악
- 분석하고자 하는 목적과 데이터의 속성에 맞게 분석하고자 하는 모형을 선택해야 한다.

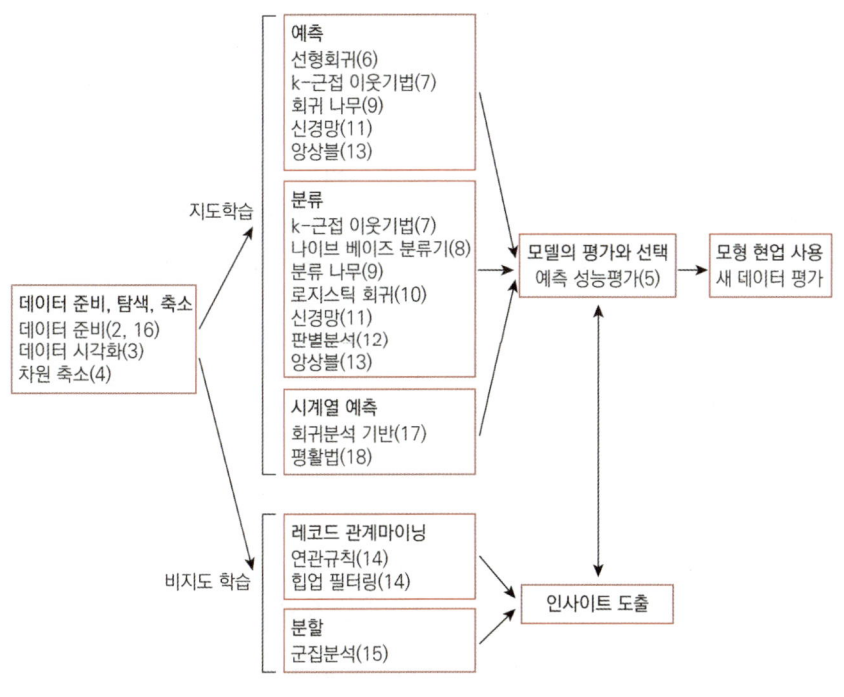

[데이터의 형태와 구조에 따른 분석 모형 분류]

• 데이터 속성에 따른 분석 모형 분류

	지도		비지도
	연속형 목표변수	범주형 목표변수	목표변수 없음
연속형 독립변수	• 선형회귀 • 인공신경망 • KNN	• 로지스틱회귀 • 판별분석 • 인공신경망	• 주성분 분석 • 군집분석
범주형 독립변수	• 선형회귀 • 인공신경망 • 앙상블모형 • 회귀나무	• 로지스틱회귀 • 앙상블모형 • 인공신경망 • 분류나무 • 나이브 베이즈	• 연관규칙

3. 통계분석기반 분석모형

확률·통계적 기법을 적용하여 어떤 현상을 추정, 예측을 검정하는 기법들로, 가장 단순한 기술통계를 비롯하여 상관분석, 회귀분석, 분산분석, 주성분 분석 등이 있다.

① 기술통계
- 데이터 분석의 목적으로 수집된 데이터를 확률·통계적으로 정리·요약하는 기초적인 통계를 말한다.
- 평균, 분산, 표준편차, 왜도와 첨도, 빈도 등 데이터에 대한 대략적인 통계적 수치를 계산하고 도출하거나 막대그래프, 파이 그래프 등 그래프를 활용하여 데이터에 대한 전반적인 이해를 돕는데 목적이 있으며 더욱 심도 있는 통계적 분석을 위한 척도로 활용한다.
- 이러한 기술통계는 분석의 초기 단계에서 데이터 분포의 특징을 파악하려는 목적으로 주로 이용한다.

② 상관분석(Correlation Analysis)
- 하나의 변수가 다른 변수와 어떤 선형성을 가지고 변화하는가를 측정하여 분석하는 방법이다.
- 두 변수 사이의 연관정보를 알아내는 것을 단순 상관분석이라고 하며, 셋 또는 그 이상의 변수들 사이의 연관 정도를 분석하는 것을 다중 상관분석이라고 한다.
- 데이터의 속성에 따라서 수치적, 명목적, 순서적 데이터 등을 가지는 변수 간의 상관분석이 있다.

③ 회귀분석(Regression analysis)
- 연속형 변수들에 대해 종속변수와 독립변수 간의 상관관계에 따른 수학적 관계식을 도출하여 어떠한 독립변수들의 값이 주어졌을 때 이에 따른 종속변수 값을 예측하고 이 수학적 관계식이 얼마나 관계를 잘 설명하고 있는지를 판별할 때도 활용되는 분석방법이다.

④ 분산분석(ANOVA, Analysis of Variance)
- 두 집단 이상의 집단 간 비교를 수행하고자 할 때 집단 내의 분산, 총 평균과 각 집단의 평균 차이에 의해 생긴 집단 간 분산 비교로 얻은 분포를 이용하여 가설검정을 수행하는 방법이다.
- 이때, 검정 통계량인 F검정 통계량 값은 집단 내 분산 대비 집단 간 분산이 몇 배 더 큰지를 나타내는 값으로 해석된다.
- 따라서 분산분석은 복수의 집단을 비교할 때 분산을 계산함으로써 집단 간에 통계적인 차이가 있다고 할 수 있는지, 혹은 차이가 없다고 할 수 있는지를 판정하는 분석방법이다.

- 분산분석은 독립변수와 종속변수의 수에 따라서 일원 분산분석, 이원 분산분석, 다변량 분산분석, 공분산분석으로 나눌 수 있다.

⑤ 주성분 분석(PCA, Principal Component Analysis)
- 많은 변수의 분산방식(분산·공분산)의 패턴을 간결하게 표현하는 주성분 변수를 원래 변수의 선형결합으로서 추출하는 통계기법이다.
- 주성분 변수는 원래 변수 정보를 축약한 변수이며, PCA는 일부 주성분에 의해 원래 변수의 변동이 충분히 설명되는지 알아보는 분석방법이다.

⑥ 판별분석(Discriminant Analysis)
- 집단에 대한 정보로부터 집단을 구별할 수 있는 판별규칙 혹은 판별함수를 만들고, 다변량 기법으로 조사된 집단에 대한 정보를 활용하여 새로운 개체가 어떤 집단인지를 탐색하는 통계기법이다.

4. 데이터마이닝 기반의 분석모형

- 대용량 데이터로부터 데이터 내에 존재하는 패턴, 관계 혹은 규칙 등을 탐색하고 통계적인 기법들을 활용하여 모델화하며 이를 통해 데이터 분석 및 더 나아가 유용한 정보, 지식 등을 추출하는 과정을 데이터마이닝이라 한다.
- 데이터마이닝은 기존 통계적 기법에서 주로 다루던 가설의 검정에 머무르는 것이 아니고, 더욱 확장하여 데이터로부터 의미 있는 새로운 가설 혹은 규칙 등을 찾아내는 통계기반 분석기법들이라 볼 수 있으며, 데이터마이닝 기법들은 예측, 분류, 군집화, 연관규칙 추출 등의 목적에 따라 구분할 수 있다.

1) 분류(Classification) 및 분류모델

- 분류는 범주형 변수 혹은 이산형 변수 등의 범주를 예측하는 것이다.
- 즉, 다수의 속성 혹은 변수를 가지는 객체들을 사전에 정해진 그룹이나 범주 중의 하나로 분류하는 것을 말한다.
- 이러한 분류규칙을 생성하기 위해서는 훈련데이터를 바탕으로 규칙을 생성하고 새로운 객체를 범주 중에 하나로 분류하는 데 있어 생성된 분류규칙에 따르게 된다.
- 효과적인 분류를 위한 분류모델은 크게 다음과 같이 구분할 수 있다.

① 통계적 방법
- 로지스틱 회귀분석, 판별분석 등과 같은 다변량 통계이론에 근거한 방법

② 트리기반 기법
- 트리형태의 분석방법을 이용하는 기법인 의사결정트리는 의사결정규칙에 따라 관심 대상이 되는 집단을 몇 개의 소집단으로 분류하는 분석기법으로, 대표적으로 CART(Classification and Regression Trees) 알고리즘 등이 있다.

③ 최적화 기법
- 최적화(Optimization) 문제란 어떤 목적함수(Objective Function)의 함수값을 최적화(최대화 또는 최소화)시키는 파라미터(변수) 조합을 찾는 문제를 말한다.

④ 기계학습(Machine Learning) 기법
- 인공 신경망 모델은 분류와 예측을 할 때 사용하는 분석방법으로, 인간의 뇌가 신경망의 신호전달 체계를 통해 학습하는 방식을 모사한 데이터마이닝 기법의 일종이다.
- 이 방법은 기대 출력값과 실제 출력값 간의 비교를 통해 계산된 오차를 시냅스 역할을 하는 노드에 가중치 조정으로 모델에 반영한다.
- 이와 같은 일련의 과정을 신경망 구조가 안정화될 때까지 반복함으로써 예측 혹은 분류모델을 구축해간다.

≫ 기출유형 따라잡기

[02회] 아래 그림과 같이 손글씨로 쓰인 숫자에 라벨링해서 학습시키고, 손글씨 이미지가 어떤 숫자인지 맞히는 분석 방법을 무엇이라 하는가?

① 분류 ② 군집
③ 예측 ④ 회귀

정답 ①

해설
- MNIST 데이터셋은 28 X 28 사이즈의 손글씨 데이터셋이다. 0~9까지 총 10개의 클래스를 가지고 있으며, 색상 채널이 없는 흑백 이미지이다. 비교적 단순한 예제이기 때문에 머신러닝, 딥러닝 기초 예제로 많이 출제된다.
- 입력변수는 픽셀 데이터, 목표변수는 이미지가 나타내는 숫자로 분류하는 분석방법이다.

> **기출유형 따라잡기**
>
> [06회] 머신러닝기반의 분석과 통계분석기반 분석에 대한 내용 중 옳지 않은 것은?
> ① 머신러닝은 통계분석과 다르게 결과물에 대한 공식을 도출할 수 없다.
> ② 머신러닝은 주어진 데이터로부터 패턴을 학습하고 예측하는 모델을 개발하는 것이 주요 목적이다.
> ③ 통계분석은 데이터를 통해 추론과 결론을 도출하는 것을 주요 목적으로 한다.
> ④ 통계분석은 가설설정, 검정 및 신뢰구간 추정을 통해 모델을 선택하고 결과를 해석한다.
>
> **정답** ①
>
> **해설**
> - 머신러닝 모델들은 학습 데이터로부터 학습된 파라미터를 사용하여 입력 데이터에 대한 예측을 수행하는데, 이러한 예측은 모델의 수학적인 공식으로 표현된다.
> - 통계분석은 종종 데이터의 분포를 가정하고, 이 가정에 기반을 둔 통계 모델을 사용하여 결과를 해석한다. 반면 머신러닝은 데이터에서 패턴을 학습하는 모델을 구축하고 예측을 수행한다.

2) 예측(Prediction) 및 예측모델

- 분류와 예측은 모델을 추출하여 앞으로 데이터의 추세를 예측할 수 있게 해준다는 공통점을 가진다. 단지 분류는 범주형 목표변수를 대상으로 하지만 예측은 연속형 값에 대한 함수 형태의 모델설정을 한다는 점에 차이가 있을 뿐이다.
- 즉, 분류는 이산치나 명목형 값을 예측하는 반면 예측모델은 연속적이거나 정렬된 데이터 값을 예측하는 데 사용한다.
- 예를 들어 분류모델에서는 은행이 대출심사를 하면서 대출해도 안전한지를 구분하는 것이라면, 예측모델에서는 특정 고객에 대해 주택소비가 앞으로 어떻게 변화할 것인지를 예측하는 방법이라 할 수 있다.

3) 군집화(Clustering)

- 이질적인 집단을 몇 개의 동질적인 소집단으로 세분화하는 작업을 군집화라 한다.
- 유사한 속성들을 갖는 집단 내 객체들을 모아서 하나의 소집단을 구성하여 전체 집단을 몇 개의 군집으로 나누는 작업을 일컫는다.
- 군집화가 사전에 정의된 집단과 이들의 구분을 위한 사전정보가 존재하지 않는다는 점에서 분류와 구분된다.
- 군집방법은 크게 계층적 방법과 비계층적 방법으로 구분한다.

- 계층적 방법은 사전에 군집 수를 정하지 않고 단계적으로 단계별 군집결과를 산출하는 방법으로, 각 객체를 하나의 소집단으로 간주하고 단계적으로 유사한 소집단들을 합쳐 새로운 소집단을 구성해가는 응집분석법과 그 반대로 전체 집단으로부터 시작하여 유사성이 떨어지는 객체들을 분리해가는 분할분석법이 있다.
- 비계층적 방법은 군집을 위한 소집단의 개수를 정해놓고 각 객체 중 하나의 소집단으로 배정하는 방법이다. 군집화모델로 인공 신경망 모델, K 평균 군집화 등이 있다.

≫ 기출유형 따라잡기

[02회] 학생들의 교복을 새로 선정할 때, 교복 사이즈 세분화를 위해 학생들의 신체 치수를 측정하여 키와 무게를 수집했다면 이 상황에 올바른 분석 방법은 무엇인가?
① 분류
② 군집
③ 예측
④ 회귀

정답 ②

해설 군집분석은 데이터 마이닝에서 중요한 비지도학습의 한 방법으로 상호 연관성에 근거하여 서로 동질적인 집단으로 분류하는 기법이다.

≫ 기출유형 따라잡기

[07회] 종속변수가 없을 때 사용하는 모델 유형으로 적절한 것은?
① 나이브 베이즈 분류기
② 의사결정나무
③ k-최근접 이웃
④ k-평균 군집

정답 ④

해설 k-평균 군집(K-Means Clustering)은 종속 변수가 없는 비지도 학습 알고리즘 중 하나이다.

[07회] 분류모형에 대한 설명 중 알맞은 것은?
① 고등학생 내신점수로 수능점수 예측
② 빵집에서 날씨, 요일, 공휴일, 계절별로 분석해 판매를 예측
③ 배우, 감독, 배급사, 투자비 정보로 이익 예측
④ 카드사에서 가입정보로 신용등급 예측

정답 ④

해설 분류 모델은 입력 데이터를 여러 범주 중 하나로 분류하는 모델이다. 신용등급 예측에서는 보통 고객의 다양한 정보를 입력으로 받아 해당 고객이 어떤 신용등급 범주에 속하는지를 예측하는 것이 목표이다.

5. 머신러닝 기반의 분석 모형

- **머신러닝** 기반의 데이터 분석기법을 분류하는 기준은 다양한 관점에서 여러 가지 기준이 있을 수 있으나, 일반적으로 목적변수(혹은 반응변수, 목표변수, 출력 목표값 등으로 표현) 존재 여부 등에 따라, 지도 학습(Supervised Learning)과 자율학습 혹은 비지도 학습(Unsupervised Learning)으로 분류하며, 추가적으로 강화학습(Reinforcement Learning), 준지도 학습(Semi-Supervised Learning) 등으로 구분하기도 한다.

> **용어정리**
> - 데이터마이닝과 머신러닝
>   머신러닝은 데이터로부터 유용한 규칙, 지식표현 혹은 판단 기준 등을 추출한다는 점에서 데이터마이닝과도 관련이 깊다. 데이터마이닝이 주로 대규모로 저장된 데이터 안에서 체계적이고 자동적으로 의미 있는 규칙이나 패턴을 발견하고 이를 지식화하는 과정이라고 한다면, 머신러닝은 주어진 입력 데이터를 컴퓨터 프로그램이 학습하여 예측을 수행하고 스스로의 예측 성능을 향상시키는 과정과 이를 위한 알고리즘을 연구하고 구축하는 기술이라는 점에서 다소 차이가 있다고 할 수 있다.

1) 지도학습(Supervised Learning)

- 지도학습은 설명변수(혹은 독립변수, 특성(Feature) 등으로 표현)와 목적변수(혹은 반응변수, 종속변수, 목표변수, 출력값 등으로 표현) 간의 관계성을 표현해내거나 미래 관측을 예측해 내는 것에 초점이 있으며 주로 인식, 분류, 진단, 예측 등의 문제 해결에 적합하다.

2) 자율학습 혹은 비지도 학습(Unsupervised Learning)

- 자율학습 혹은 비지도 학습은 목적변수(혹은 반응변수, 종속변수, 목표변수, 출력값)에 대한 정보 없이 학습이 이루어지는 형태를 말하며, 예측의 문제보다는 주로 현상의 기술(Description)이나 특징 도출, 패턴 도출 등의 문제에 많이 활용된다.
- 일반적으로 명확하고 뚜렷한 예측 목적이 있는 지도학습 기법과 비교해 자율학습 기법은 사전정보가 없는 상태에서 유용한 정보나 패턴을 탐색적으로 발견하고자 하는 데이터마이닝의 성격이 더 강하다고 볼 수 있다.

3) 강화학습(Reinforcement Learning)

- 주어진 입력값에 대한 출력값의 정답이 주지 않은 상태에서 일련의 행동의 결과에 대한 보상(Reward)이 주어지게 되며, 시스템은 선택 가능한 행동들 중 보상을 최대화하는 행동 혹은 행동순서를 선택하며 학습을 진행한다.

- 경험과 시행착오를 통해서 얻은 데이터를 기반으로 알고리즘이 모델을 지속적으로 개선하는 방식이다.

4) 준지도 학습(Semi-Supervised Learning)
- 준지도 학습은 기계학습(Machine Learning)의 한 범주로 목표값이 표시된 데이터와 표시되지 않은 데이터를 모두 훈련에 사용하는 것을 말한다.
- 대부분 이러한 방법에 사용되는 훈련 데이터는 목표값이 표시된 데이터가 적고, 표시되지 않은 데이터를 많이 갖고 있다.
- 이러한 준지도 학습은 목표값이 충분히 표시된 훈련 데이터를 사용하는 지도 학습과 목표값이 표시되지 않은 훈련 데이터를 사용하는 자율학습 사이에 위치한다.

》 기출유형 따라잡기

[02회] 다음 중 비지도학습(Unsupervised Learning)에 해당되는 것은?
① 다음날 비가 올 것인지 관한 예측
② 아파트 관련 변수를 통해 집값이 상승한지에 대한 예측
③ SNS 사진 중 유사한 사진 그룹으로 묶기
④ 품질검사를 통해 제품에 대한 정상과 불량 판정

정답 ③

해설 지도 학습과 비지도 학습의 구분은 목표변수의 존재 여부이다. 보기 ③은 비지도학습의 군집분석에 대한 예이다.

2 분석모형 정의

학습 목표

1. 분석 모형의 고려사항을 이해한다.

출제 KEYWORD

① 하이퍼 파라미터 ★★
② 과대적합 vs 과소적합 ★★
③ 편향 vs 분산 ★★

1. 분석모형의 정의

- 분석 모형을 선정하고 모형(Model)에 적합한 변수를 선택하여 모형의 사양(Specification)을 작성하는 기법
- 선택한 모델에 가장 적합한 변수를 선택하기 위해 파라미터(Parameter)와 하이퍼 파라미터(Hyper Parameter)를 선정한다.

2. 분석모형의 고려사항

- 지도 학습에서는 훈련 데이터로 학습한 모델이 훈련 데이터와 특성이 같다면 처음 보는 새로운 데이터가 주어져도 정확히 예측할 것이라 기대하게 된다.
- 모델이 처음 보는 데이터에 대해 정확하게 예측할 수 있으면, 이를 훈련 세트에서 테스트 세트로 일반화(Generalization) 되었다고 한다. 따라서 모델을 만들 때는 최대한 정확하게 일반화되도록 해야 한다.
- 훈련 세트와 테스트 세트는 모델의 과대적합(Overfitting), 과소적합(Underfitting) 문제와 깊은 연관이 있다.
- 과대적합이란 모델이 훈련 세트에서는 좋은 성능을 내지만, 테스트 세트에서는 낮은 성능을 내는 경우를 말한다.
- 훈련 세트와 테스트 세트에서 측정한 성능의 간격이 크다. 그래서 과대적합된 모델을 '분산이 크다(High Variance)'라고도 표현한다. 과대적합의 주요 원인 중 하나는 훈련 세트에 충분히 다양한 패턴의 샘플이 포함되지 않은 경우이다.
- 훈련 세트에 다양한 패턴의 샘플이 없을 경우 테스트 세트에서도 제대로 적응하지 못한다. 이런 경우에는 더 많은 훈련 샘플을 모아 테스트 세트의 성능을 향상시킬 수 있다.

- 과소적합은 모델이 충분히 복잡하지 않아 훈련 데이터에 있는 패턴을 모두 잡아내지 못하는 현상이다. 훈련 세트와 테스트 세트에서 측정한 성능의 간격은 점점 가까워지지만 성능 자체가 낮다. 그래서 과소적합된 모델을 '편향이 크다(High Bias)'라고도 표현한다.
- 과소적합된 모델(편향)과 과대적합된 모델(분산) 사이의 관계를 편향-분산 트레이드오프(Bias-Variance Tradeoff)라고 한다.
- 트레이드오프는 '하나를 얻기 위해서는 다른 하나를 희생'한다는 뜻이다. 즉, 편향-분산 트레이드오프란 편향을 줄이면(훈련 세트의 성능을 높이면) 분산이 커지고(테스트 세트와 성능 차이가 커지고), 반대로 분산을 줄이면(테스트 세트와 성능 차이를 줄이면) 편향이 커지는(훈련 세트의 성능이 낮아진다는)것을 말한다. 따라서 분산이나 편향이 너무 커지지 않도록 적절한 중간 지점을 선택해야 한다.

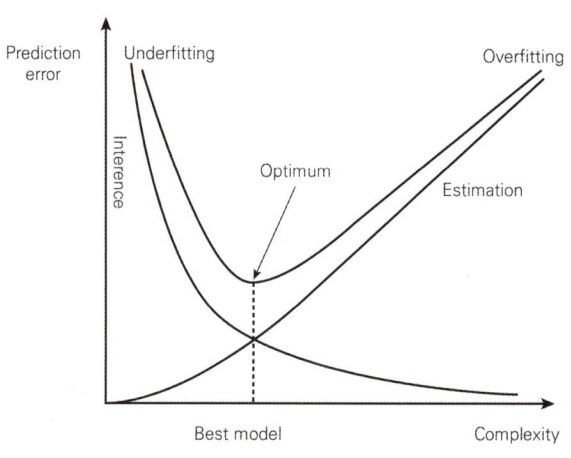

[과소적합과 과대적합]

≫ 기출유형 따라잡기

[02회] 다음 중 데이터 분석 모형의 분산과 편향에 대한 설명 중 올바르지 않은 것은?
① 복잡한 데이터 분석모형일수록 상대적으로 분산은 높고, 편향은 낮다.
② 단순한 데이터 분석모형일수록 상대적으로 분산은 낮고, 편향은 높다.
③ 우수한 데이터 분석모형의 분산과 편향은 서로 트레이드 오프 관계라 할 수 있다.
④ 데이터 분석모형의 과대적합(Overfitting)을 방지하려면 분산은 높이고, 편향은 낮게 만들어야 한다.

정답 ④

해설 과대적합(overfitting)은 머신러닝에서 자주 발생하는 문제이다. 모델이 훈련 데이터로는 잘 동작하지만 본 적 없는 데이터(테스트 데이터)로는 잘 일반화되지 않는 현상이다. 모델이 과대적합일 때 분산이 크다고 말한다. 모델 파라미터가 너무 많아서 주어진 데이터에서 너무 복잡한 모델을 만들기 때문이다.

용어정리

- **과대적합(OverFitting)**
  - 과대적합(OverFitting)은 모델이 훈련데이터에 너무 잘 맞지만 일반성이 떨어진다는 의미이다. 훈련데이터에 잘 맞으면 좋은 것이 아닐까라고 생각할 수도 있지만, "너무 잘 맞는 것"이 문제가 되는 것으로 이 모델은 평가용 데이터에 대해서는 높은 성능을 보여줄 확률이 낮아 일반화 성능에 문제가 발생하는 것으로 이와 같은 모델을 과대적합이 되었다고 한다.
- **파라미터와 하이퍼 파라미터**
  - 파라미터는 매개변수라고도 한다. 파라미터는 모델 내부에서 결정되는 변수이다. 또한 그 값은 데이터로부터 결정된다. 예를 들어 한 클래스에 속하 있는 학생들의 키에 대한 정규분포를 그린다고 할 때, 정규분포를 구하면 평균(μ)과 표준편차(σ) 값을 알 수 있다. 여기서 평균과 표준편차는 파라미터(Parameter)이다. 파라미터는 데이터를 통해 구해지며, 모델 내부적으로 결정되는 값이다. **사용자에 의해 조정되지 않는다.**
  - 하이퍼 파라미터는 모델링할 때 사용자가 **직접 조정해주는 값을 뜻한다.** 특히 인공신경망의 경우 분석자가 조정해야 할 하이퍼 파라미터가 많이 존재한다. 분석자는 하이퍼 파라미터를 분석자 직접 설정하여 최적의 모델 성능을 선택하게 된다. 파라미터와 하이퍼 파라미터를 구분하는 기준은 사용자가 직접 설정하느냐 아니냐이다. 사용자가 직접 설정하면 하이퍼 파라미터, 모델 혹은 데이터에 의해 결정되면 파라미터이다.

3 분석모형 구축 절차

📝 학습 목표

1. 분석모형 구축 절차를 이해한다.

🔍 출제 KEYWORD

① 데이터 분석모형 구축 프로세스 ★★

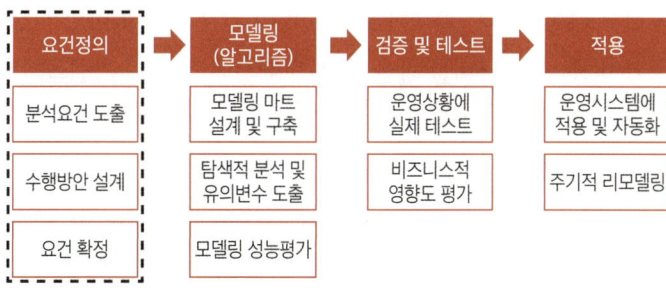

[데이터 분석모형 구축 절차]

1. 요건정의

- 요건정의 프로세스에서 나오는 내용은 기획단계에서 분석 과제 정의를 통해 도출된 내용이다.
- 요건정의는 분석 요건을 구체적으로 도출·선별·결정하고, 분석과정을 설계하고, 구체적인 내용을 실무 담당자와 협의하는 업무다.

① 분석 요건도출
- 요건은 비즈니스 이슈로부터 도출된다.
- 우선 이슈 정의를 해본다면 업무를 수행하는 데 있어서 수익 증가나 비용 증가, 상황의 변화, 처리 속도의 지연 등을 발생시키는 항목들로 전사적 측면에서 개선돼야 할 사항이다.
- 요건을 정의하는 단계에서는 상세한 분석보다는 문헌조사 및 이해와 간단한 기초 분석을 수행할 수 있다.
- 요건으로 제시된 내용에 대한 사실을 확인하고 통찰을 도출해 방향성을 설정하는 데 필요한 수준이면 된다.
- 따라서 요건정의에 너무 많은 시간을 할당하면 전체 업무진행에 차질이 따를 수 있다.

② 수행방안 설계
- 정의한 분석요건에 따라 구체적인 수행방안을 설계한다.
- 수행방안은 분석요건이 정해졌다고 해서 확정되는 것은 아니다.
- 분석을 구체적으로 수행하기 위해서는 간단한 탐색적 분석을 수행하면서 미리 가설을 수립해 어떤 분석을 수행할지 틀을 잡아야 한다.
- 이런 절차와 방안을 수립해야 하는 이유가 있다.
- 탐색적 분석을 하면서 분석 자체가 의미 없다는 것을 미리 파악할 기회를 얻을 수 있다.
- 결국 자원과 비용, 시간 낭비를 막을 수 있기 때문이다. 미리 가설을 수립해 수행방안을 설계하지 않고 진행하면 분석 필수항목과 선택항목, 어떠한 일정으로 어느 정도의 자원이 필요할지에 대한 계획 수립이 어려워진다.

③ 요건확정
- 요건도출과 분석계획을 수립하면, 요건에 어떻게 접근하고 어떤 정량적·정상적 효과가 나올지 기획안이 나온다.
- 이를 통해 분석요청 부서와 IT 부서, 기타 연관부서와 공유해 최종요건을 확정한다. 이 단계에서는 기획단계에서 나온 분석 과제가 기각될 수도 있다.

2. 모델링

- 모델링은 요건정의에 따라 세분적 분석기법을 적용해 모델을 개발하는 과정이다.

① 모델링 마트 설계와 구축
- 어떤 모델링 기법을 사용하든 모델링을 위한 데이터를 시스템에 체계적으로 미리 준비해 놓으면 모델링이 용이해진다.
- 모델링 도구에 따라 DBMS에서 직접 값을 가져와 반영할 수 있는 기능도 제공한다.
- 특히 데이터마이닝에서 지도학습(Supervised Learning)은 모델링 마트를 직접 이용해 모델을 개발할 수 있다.

② 탐색적 분석과 유의변수 도출
- 데이터마이닝에 해당하는 업무로 해당 비즈니스 이해와 분석요건에 대한 구체적인 사실(Fact)을 발견해 통찰을 얻기 위해 수행하는 업무로 흔히 EDA(탐구 데이터 분석, Exploratory Data Analysis)라고 한다.
- EDA는 시간을 매우 많이 필요한 일로 최근에는 EDA를 자동으로 신속하게 수행해 유의미한 값만 파악해 데이터 마트로 만든 후 모델링 업무로 진행하는 게 일반적이다.
- 유의미한 변수를 파악하는 방안은 목표값(Target Value)별로 해당 변수가 분포된 값을 보고 해당 변수의 구간에서 차이가 큰지를 파악하게 된다.

③ 모델링
- 다양한 모델링 기법 중에서 업무특성에 적합한 기법을 선택하거나 여러 모델링 기법을 결합해 적용하게 된다.
- 모델의 시뮬레이션과 최적화를 결합해 적용한다.

④ 모델링 성능평가
- 모델링 성능을 평가하는 기준은 분석기법별로 다양하다.
- 데이터마이닝에서는 정확도(Accuracy), 정밀도(Precision), 리프트(Lift) 등의 값으로 판단한다.
- 시뮬레이션에서는 처리량(Throughout), 평균 대기시간(Average Waiting Time) 등의 지표가 활용된다.

> **기출유형 따라잡기**

[02회] 다음 중 데이터 분석 모델링 절차를 차례대로 작성한 것으로 올바른 것은?
① 모델링 성능평가 → 모델링 → 탐색적 분석 → 모델링 마트 설계
② 모델링 마트 설계 → 탐색적 분석 → 모델링 → 모델링 성능평가
③ 탐색적 분석 → 모델링 마트 설계 → 모델링 → 모델링 성능평가
④ 모델링 → 탐색적 분석 → 모델링 마트 설계 → 모델링 성능평가

정답 ②

해설 모델링은 요건정의에 따라 상세분석기법을 적용해 모델을 개발하는 과정이다.

3. 검증 및 테스트

- 모든 모델링에서는 반드시 검증 및 테스트를 거친다.
- 분석용 데이터를 학습용(Training)용과 테스트용으로 분리한 다음, 분석용 데이터를 이용해 자체 검증한다.
- 실제 테스트에서는 신규 데이터에 모델을 적용해 결과를 도출한다.

① 운영 시스템에 적용 및 자동화
- 운영상황에서 실제 테스트는 분석 결과를 업무 프로세스에 가상으로 적용해 검증하는 실무 적용 직전의 활동이다. 이를 자동화만 하면 실무에 언제든지 적용할 수 있다.

② 주기적 리모델링
- 한번 만든 모델이 영원히 동일한 성과를 낼 수 없다.
- 비즈니스 상황이 변하거나 분석결과 적용에 따른 주변 요인들이 관심의 대상으로 부각되기 때문이다.
- 때로는 분석결과를 고객에게 적용하는 경우 고객의 행동패턴이 변화하게 된다.
- 그래서 성과 모니터링이 지속적으로 돼야 하고, 일정 수준 이상으로 편차가 지속적으로 하락하는 경우 리모델링을 주기적으로 수행해야 한다.

02 분석 환경 구축

1 분석 도구 선정

학습 목표
1. 분석도구 R과 Python을 특징을 이해한다.

- 데이터 분석은 데이터를 올바르게 정렬하고, 설명하고, 표현 가능하게 만들고, 해당 데이터에서 결론을 찾는 목적으로 데이터에 대해 작업하는 프로세스이다.
- 분석을 위해서는 분석 툴을 알맞게 선정하여 사용하는 것이 중요하다.
- 빅데이터 분석을 위한 대표적인 도구로는 R과 파이썬(Python)이 있다.
- R과 파이썬 모두 오픈 소스 프레그래밍 언어이고 많은 사용자층을 형성하고 있으며 데이터 분석 분야에서 활발하게 사용되고 있는 대표적 분석 도구이다.

1. R

1) R의 특징
① 오픈소스 소프트웨어 : 무료로 사용할 수 있다.
② 인터프리터 언어 : R은 프로그램을 한 줄씩 해석하고 동시에 실행할 수 있다.
③ 객체지향 언어 : R은 객체의 구조에 의해 함수 기능이 결정된다.
④ 함수형 언어 : R은 함수의 매개변수로 함수를 쓸 수 있고, 함수의 반환 값으로 함수를 받을 수 있다.
⑤ 강력한 시각화 기능을 발휘할 수 있다.
⑥ 데이터의 우수한 핸들링 : 데이터의 수정, 삭제, 병합 등이 용이하다.

2. 파이썬(Python)

1) 파이썬의 특징
① 스크립트 언어이다.
② 높은 확장성과 이식성
③ C언어 기반의 오픈소스 프로그래밍 언어

3. R과 파이썬의 비교

구분	R	파이썬
범용성		○
학습의 난이도	○	
시각화	○	
통계분석 분야	○	
머신러닝 분야	○	
딥 러닝 분야		○
사용자 커뮤니티 활성화	○	○

2 데이터 분할

학습 목표
1. 데이터 분할의 필요성에 대해 학습한다.

출제 KEYWORD
① 홀드아웃 vs k-fold vs 붓스트랩 정의 ★★

1. 데이터 분할의 필요성

- 일반적으로, 머신러닝 기반 데이터 분석 진행시, 특히 지도학습 기반 모델 적용을 할 때는 전체 데이터 세트를 사용하여 한꺼번에 분석하지 않고, **학습용 데이터 세트와 평가용(테스트) 데이터** 세트로 분할하여 분석을 진행하게 된다.

① 모델링의 과적합 및 일반화
- 머신러닝 기반 데이터 분석을 진행함에 있어서, 머신러닝 기법이 주로 하는 역할은 주어진 데이터 세트를 학습하여 최적의 모수(파라미터)를 도출하는 것과 이를 바탕으로 특정 설명변수(혹은 특성(Feature))가 주어졌을 때 목적변수(혹은 반응변수)의 값을 예측하는 과정이라고 할 수 있다.
- 머신러닝 기반 모델을 학습하는 데 있어서, 훈련데이터 세트가 가지고 있는 특성을 너무 많이 반영하게 되면 훈련데이터 세트의 패턴만 잘 표현하게 되는 '과적합(OverFitting)'

이 발생하게 되고, 새로운 데이터가 주어졌을 때 정확하게 예측할 수 있는 '일반화 (Generalization)' 능력은 오히려 떨어지게 된다.
- 이러한 현상을 방지하고자 일반적으로 데이터 세트를 훈련용 데이터 세트와 평가용 데이터 세트로 분할하고 훈련용 데이터 세트로 학습한 머신러닝 모델이 평가용 데이터 세트의 목적변수(혹은 반응변수)를 얼마나 정확하게 예측하는지를 측정하여 이러한 기준치를 모델 성능의 평가 기준으로 삼게 된다.

2. 데이터 세트 분할 방법 및 절차

일반적으로 머신러닝 기반 분석수행 시 훈련데이터(혹은 학습 데이터)와 평가데이터를 나누어 모델링을 수행하는 과정은 다음과 같다.

① 홀드 아웃(Hold-out)
- 데이터의 일부를 훈련데이터, 나머지를 평가데이터로 분리한다. 특별한 경우가 아니라면 일반적으로 학습용과 평가용 데이터 각각의 분할은 전체 데이터에서 랜덤하게 특정 비율로 학습용 데이터를 추출하고, 학습용 데이터에 사용되지 않은 나머지 데이터를 평가용 데이터로 취하는 방법을 따른다.
- 훈련데이터(Training Dataset)는 모델 학습에 사용하고 테스트 데이터는 일반화 성능을 추정하는데 사용한다.
- 이때 훈련데이터와 평가데이터를 분할하는 비율은 정해진 원칙이 있는 것은 아니나, 모델을 훈련시키는 과정 자체에 더 많은 비중을 할당한다.
- 일반적으로 훈련데이터를 60%~80%, 평가데이터를 20%~40% 정도로 할당한다.
- 다만 데이터 세트 분할 시 중요한 점은 실제 훈련된 모델의 성능은 학습용 데이터 세트 크기가 작아질수록 나빠지게 되므로, 너무 많은 데이터를 평가용 데이터로 분할하는 것은 최종 성능에 오히려 나쁜 영향을 끼칠 수 있다는 점이다.

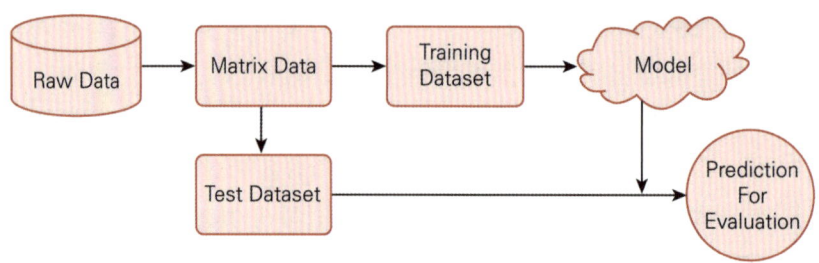

[홀드아웃 방법]

- 데이터셋을 훈련셋과 테스트셋으로만 나누기 보다는 훈련셋, 검증셋, 테스트셋 이렇게 세 개로 나누는 것을 권장한다.
- 훈련셋을 이용해서 모델을 훈련시키고, 검증셋으로 모델의 최적 파라미터들을 찾아가고, 그 다음에 테스트셋을 이용해서 모델의 성능을 평가한다.

≫ 기출유형 따라잡기

[02회] 다음 중 데이터를 학습세트, 검증세트, 평가세트로 분할하여 모델링을 수행하는 방법을 무엇이라 하는가?
① Holdout　　　　　　　　　② Cross Validation
③ k-fold　　　　　　　　　　④ Dropout

정답 ①

해설 모델이 너무 간단하면 과소적합(높은 편향)이 문제가 되기도 하고, 모델이 너무 복잡하면 훈련 데이터에 과대적합(높은 분산)이 일어나 문제가 발생할 수 있다.

[07회] 학습 데이터(training data)와 평가 데이터(test data)에 대한 설명으로 적절하지 않은 것은?
① 평가데이터를 학습에 사용해 모델의 성능을 높인다.
② 학습데이터와 평가데이터는 전체 데이터의 개수에 따라 나눈다.
③ 학습이 잘되었을 때 평가데이터와 학습데이터의 성능 차이가 작으면 모델이 적합하다고 할 수 있다.
④ 모델을 구축할 때 학습 데이터가 사용된다.

정답 ①

해설 평가 데이터를 학습에 사용하면 모델이 평가 데이터에 대해 과도하게 최적화될 수 있다. 이는 모델이 특정 데이터셋에만 과도하게 적합 되어 다른 데이터에 대한 일반화 성능이 떨어지는 과대적합을 초래할 수 있다.

② k-fold 교차검증(k-fold Cross Validation)
- 교차검증은 주어진 데이터를 가지고 반복적으로 성과를 측정하여 그 결과를 평균한 것으로 분류분석 모형을 평가하는 방법이다.
- 교차검증은 훈련 세트를 k개 폴드로 나누는 특징이 있으므로 k-폴드 교차검증이라 한다. k-폴드 교차 검증은 모든 훈련 세트가 평가에 1번씩 사용되므로 검증 점수가 안정적이다. 그리고 기존의 훈련 방법보다 더 많은 데이터로 훈련 할 수 있다. 예를 들어 k가 10이면 10개의 폴드가 생기므로 90% 샘플을 훈련에 사용하게 된다.
- 기존의 6 : 2 : 2로 훈련, 검증, 테스트 세트를 나누는 방법과 비교하면 약 30% 정도 더 많은 데이터로 훈련 할 수 있다. 즉 데이터 수가 적을 때 적합한 방법이라 할 수 있다.
- 대표적인 k-fold 교차검증은 전체 데이터를 사이즈가 동일한 k개의 하부집합(Subset)으로 나누고 k번째의 하부집합을 검증용 자료로, 나머지 k-1개의 하부집합을 훈련용 자료로 사용, 이를 k번 반복, 측정하고 각각의 반복측정 결과의 평균값을 최종 평가로 사용한다.
- 일반적으로 10-fold 교차검증이 사용된다.

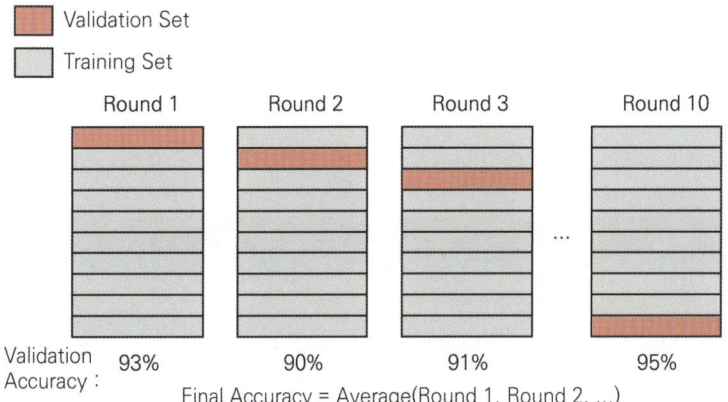

[k-fold 교차검증]

> **기출유형 따라잡기**

[02회] k-fold 교차검증에 대한 설명으로 옳지 않은 것은?
① 각각의 반복측정 결과의 평균값을 최종 평가로 사용
② k개의 데이터 셋을 사용한다.
③ (k-1)개의 데이터 셋을 학습 데이터 셋으로 사용한다.
④ 하나의 데이터셋은 검증용 데이터셋으로 나머지는 훈련 데이터 셋으로 하여 k-1번 반복 검증한다.

정답 ④
해설 k번 반복, 측정하고 각각의 반복측정 결과의 평균값을 최종 평가로 사용한다.

③ 붓스트랩(Bootstrap)
- 붓스트랩은 주어진 자료에서 단순 랜덤 복원추출 방법을 활용하여 동일한 표본의 크기의 표본을 여러 개 생성하는 복원추출법이다.
- 붓스트랩은 평가를 반복한다는 측면에서 k-fold 교차검증과 유사하나 훈련용 자료를 반복 재산정한다는 점에서 차이가 있다.
- 붓스트랩은 전체 데이터의 양이 크지 않은 경우의 모형 평가에 가장 적합하다.
- 전체 데이터 Sample이 N개이고 붓스트랩으로 N개의 Sample을 추출하는 경우 특정 샘플이 학습 데이터에 포함될 확률은 약 63.2%이다.
- 반대로 Sample에 한 번도 선택되지 않는 확률은 약 36.8%가 해당된다.
- 한 번도 포함되지 않는 Sample은 평가용 데이터로 사용한다.

> **기출유형 따라잡기**

[02회] 다음 중 데이터 분할과 관련한 설명 중 올바르지 않는 것은?
① 데이터 수가 적을 때 교차 검증하는 것이 적합하다.
② 교차검증을 통해 분석모형의 일반화 성능을 확인할 수 있다.
③ 데이터 수가 많으면 검증데이터로 충분하므로 별도의 평가용 데이터가 필요하지 않다.
④ k-fold 교차검증은 k번 반복, 측정하고 각각의 반복측정 결과의 평균값을 최종 평가로 사용한다.

정답 ③
해설 일반화 성능을 확인하기 위해서는 평가용 데이터셋이 필요하다.

> **용어정리**
> **Training Data vs Validation Data vs Test Data**
>
> - **Training Data**
>   가장 큰 data set으로 추정용 또는 구축용 데이터라고 한다.
> - **Validation Data**
>   구축된 모형의 과대추정 또는 과소추정을 미세조정 즉 모델의 하이퍼 파라미터를 조정할 때 사용하는 데이터 셋을 의미한다.
> - **Test Data**
>   Test 데이터셋은 모델을 평가하는 표준을 제공한다. 이 데이터셋은 완전하게 모델이 훈련되었을 때, 딱 한번만 사용된다. 완전하게 훈련되었다는 것은 훈련데이터셋과 검증 데이터셋을 둘 다 사용하여 최종적으로 학습된 모델을 의미한다.
>
>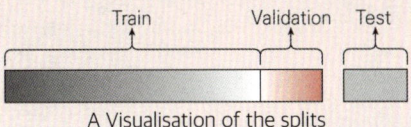
> A Visualisation of the splits

예상문제

CHAPTER 01 분석모형 설계

01 붓스트랩은 관측치를 한 번 이상 훈련용 자료로 사용하는 복원추출법에 기반한다. 훈련용 자료의 선정을 d번 반복할 때 하나의 관측치가 선정되지 않을 확률은 (1 - 1 / d)이며 d가 크다고 가정했을 때 관측치로 선정되지 않을 확률은?

① 36.8   ② 63.2
③ 25.4   ④ 95.0

해설_ N번의 Bootstrap Sampling에서 d개의 샘플에서 하나를 무작위로 추출했을 때 선택되지 않을 확률은 약 36.8%이다. 즉 샘플개수 d가 아주 클 때, 어떤 샘플이 무작위한 d번의 선택에 한 번도 포함되지 않을 확률은 36.8%라는 의미이다.

02 아래 그림을 통해 회귀분석의 어떤 가정조건에 위배되었는지 고르시오.

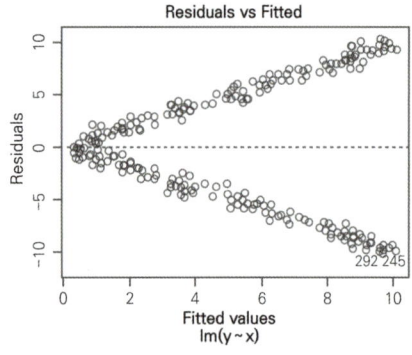

① 선형성   ② 정규성
③ 등분산성 ④ 정상성

해설_ X축은 Fitted value, Y축은 Residuals(잔차) 의미. 잔차가 추정값이 증가함에 따라 증가하는 패턴을 보이고 있는 경우 등분산성을 만족하지 못한다.

03 다음 특징을 가지는 성능평가 방법은?

- 전체 데이터셋를 모델 훈련용과 평가용으로 분할
- 전체 데이터를 K개로 분할, 차례를 검증용으로 사용
- 성능 평가를 K회 반복 수행, 성능 평가들에 대한 평균값 활용

① K-Fold 교차검증   ② ROC 곡선
③ 홀드아웃   ④ 향상도 곡선

해설_ k-Fold 교차검증은 전체 데이터를 사이즈가 동일한 k개의 하부집합(Subset)으로 나누고 k번째의 하부집합을 검증용 자료로, 나머지 k-1개의 하부집합을 훈련용 자료로 사용, 이를 k번 반복, 측정하고 각각의 반복측정 결과의 평균값을 최종평가로 사용한다.

04 데이터 분석을 통해 산출되는 값이 아닌 분석자가 설정하는 값을 무엇이라 하는가?

① 하이퍼파라미터   ② 파라미터
③ 마진   ④ 편향

해설_ 하이퍼파라미터(Hyperparameter)는 모델링할 때 사용자가 직접 세팅해주는 값을 뜻한다.
예 Learning Rate, Epoch, Iteration

정답 01 ①   02 ③   03 ①   04 ①

05 다음 중 분석모형 구축절차로 적절한 것은?

① 요건정의 → 모델링 → 검증 및 테스트 → 적용
② 모델링 → 요건정의 → 검증 및 테스트 → 적용
③ 적용 → 모델링 → 검증 및 테스트 → 요건정의
④ 검증 및 테스트 → 모델링 → 요건정의 → 적용

06 다음 중 비지도 학습 기법은?

① 판별분석
② 앙상블
③ 나이브 베이즈 분류
④ 연관규칙

07 다음 중 데이터 분할에 대한 설명으로 올바르지 않은 것은?

① 과적합을 방지하고 일반화 성능을 향상시키기 위한 과정이다.
② 일반적으로 학습데이터, 검증데이터, 테스트 데이터로 분할한다.
③ 학습데이터는 모델을 학습시키기 위해 사용한다.
④ 검증 데이터는 최종 모델을 평가하기 위해 사용한다.

> **해설_** 최종모델의 성능 평가에 사용하기 위한 것은 테스트 데이터이다.

08 반응변수가 범주형인 경우 적용하는 회귀분석 모형은?

① 로지스틱 회귀분석   ② 다중회귀분석
③ 판별분석   ④ 랜덤포레스트

> **해설_** 로지스틱 회귀모형은 반응변수가 범주형자료이며, 독립변수는 범주형 또는 연속형 모두 가능하다. 로지스틱 모형은 여러 설명변수들로부터 두 범주만을 가지는 반응변수를 예측하는데 사용한다.

09 데이터 분할에 관한 설명 중 적절하지 않은 것은?

① 훈련 데이터에 대한 학습만을 바탕으로 모델의 설정(Hyperparameter)을 튜닝하게 되면 과대적합(overfitting)이 일어날 가능성이 매우 크다.
② 모델이 너무 간단하여 정확도가 낮은 모델을 과소적합(Underfitting)되었다고 말한다.
③ 과대적합이나 과소적합의 문제를 최소화하고 모델의 정확도를 높이는 가장 좋은 방법은 더 많고 다양한 데이터를 확보하고, 확보한 데이터로부터 더 다양한 특징(Feature)들을 찾아서 학습에 사용하는 것이다.
④ 구축된 모형의 과대 추정 또는 과소추정을 위해 사용되는 데이터를 테스트 데이터라 한다.

> **해설_** 검증용 데이터(Validation Data) : 구축된 모형의 과대추정 또는 과소추정을 미세조정을 하는데 활용한다.

정답 05 ① 06 ④ 07 ④ 08 ① 09 ④

예상문제

10 과적합(Overfitting)을 방지하기 위해 주어진 데이터의 일정 부분을 모델 만드는 훈련 데이터로 사용하고, 나머지 데이터를 활용해 모델을 평가한다. 이렇게 데이터를 훈련, 테스트 데이터로 분리하여 검증하는 방법을 무엇이라 하는가?

① 홀드아웃(Hold-Out) ② 신경망 모형
③ 향상도 곡선 ④ 오분류표

> 해설_ 모델이 너무 간단하면 과소적합(높은 편향)이 문제가 되기도 하고, 모델이 너무 복잡하면 훈련 데이터에 과대적합(높은 분산)이 일어나 문제가 된다. 이런 현상을 피해 적절한 편향 - 분산 Trade-Off를 찾기 위해서는 모델을 잘 평가해야 하는데, 대표적인 교차 검증 기법인 홀드아웃 교차 검증과 k-fold 교차 검증이 있다.

11 데이터 분석 모형을 구축한 후 검증하기 위해 사용하는 검증기법 중 아래에서 설명하는 검증기법은 무엇인가?

> • 전제 데이터를 비복원 추출방법을 이용하여 랜덤하게 학습 데이터(Training Set)와 시험 데이터(Test Set)로 나누어 검증하는 기법이다.
> • 일반적으로 학습 데이터와 시험 데이터는 8:2, 또는 7:3로 비율로 분할한다.

① 홀드아웃 ② 붓스트랩
③ LOOCV ④ K-Fold 교차검증

12 종속변수가 성공 또는 실패인 이항변수로 되어 있을 때 종속변수와 독립변수 간의 관계식을 이용하여 두 집단 또는 그 이상의 집단을 분류하고자 할 때 사용되는 분석기법을 무엇이라 하는가?

① 로지스틱 회귀분석
② 다중 회귀분석
③ 의사결정나무
④ 앙상블모형

13 조건-결과(If-Then) 유형의 패턴을 발견하는데 사용하는 데이터마이닝 기법은?

① SOM ② 연관규칙
③ 다차원척도 ④ 의사결정나무

> 해설_ 연관규칙은 비지도학습으로 대규모 거래 데이터로부터 함께 구매될 규칙을 도출하여 고객이 특정 상품 구매 시 이와 연관성이 높은 상품을 추천하는 것을 말한다.

14 다음 설명에 해당하는 가설검정방법은 무엇인가?

> 두 개 이상의 집단들 사이의 비교를 수행하고자 할 때 사용하며, 집단 내의 분산, 총 평균과 각 집단의 평균 차이에 의해 생긴 집단 간 분산비교로 얻은 F분포를 이용하여 가설을 검정한다.

① 분산분석
② 요인분석
③ 주성분 분석
④ 카이제곱 분석

정답 10 ① 11 ① 12 ① 13 ② 14 ①

15 세 개 이상의 집단에 대하여 평균에 차이가 있는지를 분석하는 통계기법은 무엇인가?

① t-Test ② F-Test
③ ANOVA ④ Chisquare Test

> 해설_ ANOVA(Analysis of Variance, 분산 분석)는 3개 이상의 집단에 대해 평균값을 검정하는 모수적 통계 분석 기법이다.

16 다음 중 보기에서 비지도 학습에 해당하는 것끼리 짝지어진 것은?

> ㉠ 고객의 과거 거래구매패턴을 분석하여 고객이 구매하지 않은 상품을 추천
> ㉡ 우편물에 인쇄된 우편번호 판별분석을 통해 우편물 분류
> ㉢ 동일 차종의 수리보고서 데이터를 분석하여 차량 수리 소요시간 예측
> ㉣ 상품을 구매할 때 유사한 상품을 구매한 고객들의 구매 데이터를 분석하여 쿠폰 발행

① ㉠, ㉡ ② ㉠, ㉣
③ ㉡, ㉢ ④ ㉢, ㉣

> 해설_ ㉠, ㉣ 연관분석에 대한 설명이다. 지도학습과 비지도 학습의 차이는 목표변수 존재로 구분한다.

17 다음 중 과대적합(Overfitting)에 대한 설명 중 부적절한 것은?

① 필요 이상의 데이터를 발견하여 Training Data에서는 높은 정확도를 보이지만 Test Data에서는 정확도가 낮게 나오는 경우를 말한다.
② Test Data에서 작은 변화에도 민감하게 반응하지 않는다.
③ 과대적합의 반대로 소규모의 데이터로 Training Data를 학습을 시킬 때 정확도가 낮게 나오면 과소적합(Underfitting)이라고 한다.
④ 과대적합의 문제를 피하기 위해 모델에 규제를 가하는 정규화 과정을 이용한다.

> 해설_ 모델의 유연성(Flexibility)이 증가함에 따라 훈련 데이터가 잘 맞아 훈련 오차율은 감소하지만 (낮은 편향) 일반성이 떨어지는 경우를 과대적합(Overfitting)이라 한다. Training Data에 최적화되어 있기 때문에 Test Dataset의 작은 변화에도 민감하게 반응하게 된다.

18 분석모형 구축 절차 중 요건정의에 대한 설명 중 올바르지 않은 것은?

① 요건정의는 분석 요건을 구체적으로 도출·선별·결정하고, 분석과정을 설계하고, 구체적인 내용을 실무 담당자와 협의하는 업무다.
② 요건을 정의하는 단계에서는 상세한 분석보다는 문헌조사 및 이해와 간단한 기초 분석을 수행할 수 있다.
③ 요건정의 단계는 상세하고 구체화된 목표 정의서를 작성해야 한다.
④ 비즈니스 이슈로부터 도출되며 이슈 정의를 해본다면 업무를 수행하는 데 있어서 수익 증가나 비용 증가, 상황의 변화, 처리 속도의 지연 등을 발생시키는 항목들로 전사적 측면에서 개선돼야 할 사항이다.

정답 15 ③ 16 ② 17 ② 18 ③

해설_ 요건으로 제시된 내용에 대한 사실을 확인하고 통찰을 도출해 방향성을 설정하는 데 필요한 수준이면 된다. 따라서 요건정의에 너무 많은 시간을 할당하면 전체 업무진행에 차질이 따를 수 있다.

19 분석모형 구축 절차 중 모델링에 대한 설명 중 올바르지 않은 것은?

① 모델링은 요건정의에 따라 상세분석기법을 적용해 모델을 개발하는 과정이다.
② 데이터마이닝에서 지도학습(Supervised Learning)은 모델링 마트를 직접 이용해 모델을 개발할 수 있다.
③ 유의미한 변수를 파악하는 방안은 목표값(Target Value)별로 해당 변수가 분포된 값을 보고 해당 변수의 구간에서 차이가 큰지를 파악하게 된다.
④ 모델링 단계에서의 성능평가는 단 한 번의 성능평가 지표로 결정한다.

해설_ 모델링과 성능평가는 반복수행하여 최종 분석 모형을 수행한다.

20 분석모형 구축 절차에 대한 설명 중 올바르지 않은 것은?

① 모든 모델링에서는 반드시 검증 및 테스트를 거친다.
② 분석용 데이터를 학습(Training)용과 테스트용으로 분리한 다음, 분석용 데이터를 이용해 자체 검증한다. 실제 테스트에서는 신규 데이터에 모델을 적용해 결과를 도출한다.
③ 분석모형이 일정수준 이상으로 편차가 지속적으로 하락하는 경우라도 리모델링의 주기적 수행은 하지 않는다.
④ 모델링 성능을 평가하는 기준은 분석기법별로 다양하다.

해설_ 일정수준 이상으로 편차가 지속적으로 하락하는 경우 리모델링을 주기적으로 수행해야 한다.

정답 19 ④ 20 ③

CHAPTER 02 분석기법 적용

01 분석기법

1 회귀분석(Regression Analysis)

학습 목표
1. 회귀분석 모형에 대해 학습한다.

출제 KEYWORD
① 회귀분석 가정조건 ★★
③ 회귀분석 해석 ★
⑤ 다중공선성 ★
② 회귀분석 vs 상관분석 ★
④ 잔차분석 ★★
⑥ 전진선택법 vs 후진제거법 ★★

1. 회귀분석 개념
- 독립변수가 종속변수에 미치는 영향력을 분석하거나, 독립변수에 따라 종속변수의 변화를 예측하기 위해서 사용하는 통계기법이다.
- 독립변수는 종속변수에 영향을 주는 변수로 설명변수라고도 하며, 종속변수는 독립변수에 영향을 받는 변수로 반응변수라고도 한다.
- 영국의 유전학자 갈톤(Galton)이 두 변수 간의 상관과 회귀에 관한 분석방법을 처음 제시하였다. 세상의 많은 현상들이 평균으로 향하는 경향을 회귀라고 한다.

2. 회귀분석의 목적
① 종속변수와 독립변수들 사이에 존재하는 함수관계를 추정한다.
② 독립변수들이 종속변수에 미치는 효과를 검정한다.
③ 추정된 회귀함수를 이용하여 종속변수의 미래의 값을 예측하는데 있다.

3. 회귀분석과 상관분석의 차이점
- 상관분석은 둘 이상의 변수들이 어느 정도 상관성을 가지는지 분석하는 것이 주목적이다.
- 회귀분석은 둘 이상의 변수들간에 미치는 영향관계를 통한 예측을 목표로 한다.

4. 회귀분석을 사용하는 경우
- 회귀분석은 변수들 중 하나를 종속변수로 나머지를 독립변수로 하여 변수들 간에 상관관계가 존재할 때, 독립변수가 한 단위 변화함에 따라 종속변수가 어떻게 변화하는지를 분석하는 기법이다.
- 자료의 척도는 일반적으로 등간척도, 또는 비율척도이어야 한다.
- 독립변수가 범주형 척도이면, 이를 가변수(더미변수)를 만들어서 이용한다.
- 종속변수가 이변량 변수이면 로지스틱 회귀분석을 한다.

5. 최소제곱법 또는 최소자승법
- 실제 데이터를 측정하다 보면 독립변수에 따라 종속변수의 변화하는 정도가 다르게 나타나는 경우가 있는데, 이러한 개별 측정치들 간에 차이가 발생한다.
- 표본으로부터 도출된 회귀식을 $\hat{Y} = \hat{\beta_0} + \hat{\beta_1} X_i$, 미지의 모회귀식을 $Y_i = \beta_0 + \beta_1 X_i$일 때 표본에서의 $\hat{\beta}$를 모수 β에 가장 가깝게 추정한 회귀식을 도출하는 것이 가장 이상적 회귀식이다.
- $\hat{Y} = \hat{\beta_0} + \hat{\beta_1} X_i$에서 회귀식과 측정치의 간의 차이인 잔차($\hat{\epsilon_i}$)가 필연적으로 발생한다. 그러므로 추정회귀모형은 $\hat{Y} = \hat{\beta_0} + \hat{\beta_1} X_i + \hat{\epsilon_i}$, 잔차($\hat{\epsilon_i}$)의 모든 합이 최소가 되는 회귀식을 구한다.
- $\hat{Y} = \hat{\beta_0} + \hat{\beta_1} X_i$의 직선상에 위(+)와 아래(-)로 분포되어 합이 0이 되므로 모두 제곱하여 합을 구한다.
- 이와같이 구해진 회귀계수의 추정량을 최소제곱추정량(Least Squares Estimator, LSE)라고 한다.

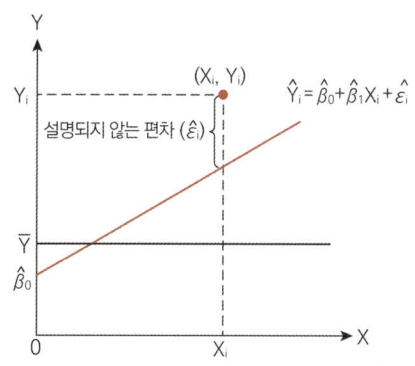

용어정리

- 잔차(Residual)

  만약 모집단에서 회귀식을 얻었다면, 그 회귀식을 통해 얻은 예측값과 실제 관측값의 차이가 오차이다. 반면 표본집단에서 회귀식을 얻었다면, 그 회귀식을 통해 얻은 예측값과 실제 관측값의 차이가 잔차이다. 둘의 차이는 모집단에서 얻은 것이냐 표본집단에서 얻은 것이냐 뿐이다.

6. 단순선형회귀모형

- $Y_i = \beta_0 + \beta_1 X_i + \varepsilon_i \ \ i = 1, 2 \ldots n$
- Y_i : i번째 종속변수의 값
- X_i : i번째 독립변수의 값
- β_0 : 선형회귀식의 절편(상수)
- β_1 : 선형회귀식의 기울기
- ε_i : 오차항으로 ε_i는 독립적, $N(0, \delta^2)$인 분포를 이룬다.

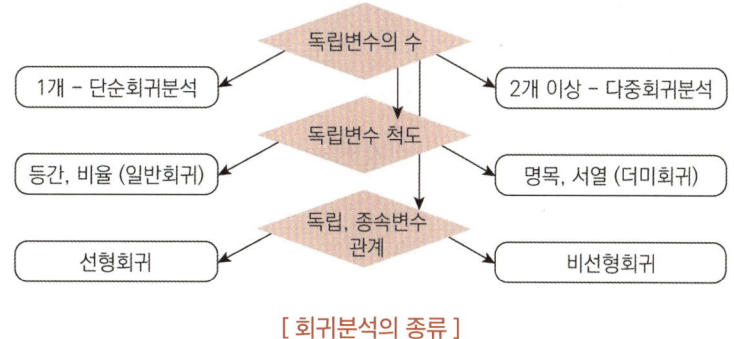

[회귀분석의 종류]

7. 회귀모형에 대한 가정

① 선형성(독립변수의 변화에 따라 종속변수도 변화하는 선형(Linear)인 모형이다.)
② 독립성(잔차와 독립변수의 값이 관련되어 있지 않다.)
③ 등분산성(오차항들의 분포는 동일한 분산을 갖는다.)
④ 비상관성(잔차들끼리 상관이 없어야 한다.)
⑤ 정상성(잔차항이 정규분포를 이뤄야 한다.)

8. 회귀분석 모형에서 체크해야 할 사항

구분	확인사항
• 회귀모형이 통계적으로 유의미한가?	• F통계량을 확인한다. • 유의수준 5%하에서 F통계량의 p값이 0.05보다 작으면 추정된 회귀식은 통계적으로 유의하다고 볼 수 있다.
• 회귀계수들이 유의미한가?	• 해당 계수의 t통계량과 p-값 또는 이들의 신뢰구간을 확인한다.
• 모형이 얼마나 설명력을 갖는가?	• 결정계수를 확인한다. 결정계수는 0~1의 값을 가지며, 높은 값을 가질수록 추정된 회귀식의 설명력이 높다.
• 모형이 데이터를 잘 적합하고 있는가?	• 잔차의 그래프로 그리고 회귀진단을 한다.
• 데이터가 아래의 모형가정을 만족시키는가?	• (선형성) 독립변수의 변화에 따라 종속변수도 일정크기로 변화 • (독립성) 잔차와 독립변수의 값이 관련돼 있지 않다. • (등분산성) 독립변수의 모든 값에 대해 오차들의 분산이 일정 • (비상관성) 관측치들의 잔차들끼리 상관이 없어야 한다. • (정상성) 잔차항이 정규분포를 형성해야 한다.

9. 회귀분석의 모형가정을 확인하는 방법

- 회귀모형에서 오차항에 대한 3가지 가정을 전제로 한다. 정규성, 등분산성, 독립성에 대한 가정이 필요하며 이런 가정이 성립해야 회귀분석 결과가 타당한 것이 된다.
- 잔차를 오차항의 관찰값으로 해석할 수 있으므로, 잔차들을 분석해 봄으로써 오차항에 대한 가정들의 성립 여부를 확인할 수 있다.
- 회귀분석 결과에 대한 이러한 분석을 잔차(Residual)분석이라 한다.

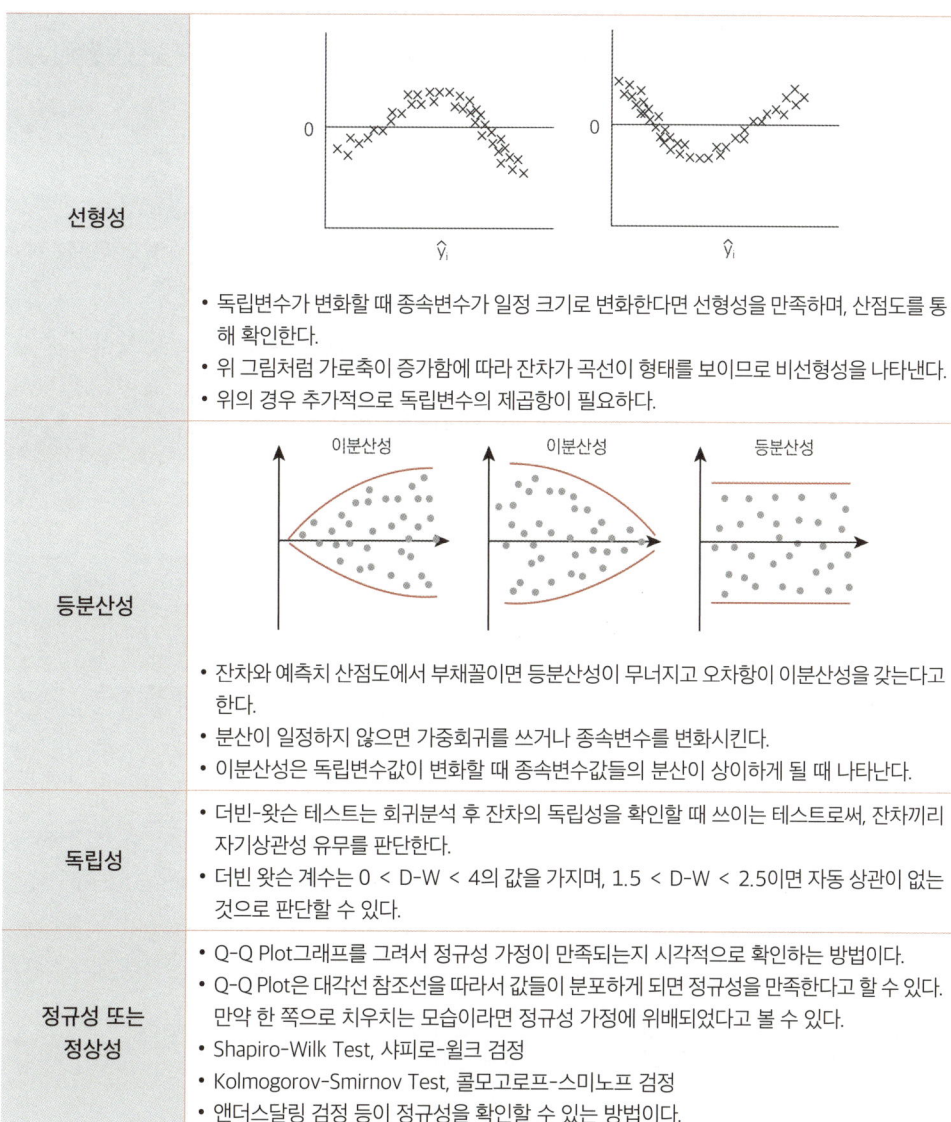

선형성	· 독립변수가 변화할 때 종속변수가 일정 크기로 변화한다면 선형성을 만족하며, 산점도를 통해 확인한다. · 위 그림처럼 가로축이 증가함에 따라 잔차가 곡선이 형태를 보이므로 비선형성을 나타낸다. · 위의 경우 추가적으로 독립변수의 제곱항이 필요하다.
등분산성	· 잔차와 예측치 산점도에서 부채꼴이면 등분산성이 무너지고 오차항이 이분산성을 갖는다고 한다. · 분산이 일정하지 않으면 가중회귀를 쓰거나 종속변수를 변화시킨다. · 이분산성은 독립변수값이 변화할 때 종속변수값들의 분산이 상이하게 될 때 나타난다.
독립성	· 더빈-왓슨 테스트는 회귀분석 후 잔차의 독립성을 확인할 때 쓰이는 테스트로써, 잔차끼리 자기상관성 유무를 판단한다. · 더빈 왓슨 계수는 0 < D-W < 4의 값을 가지며, 1.5 < D-W < 2.5이면 자동 상관이 없는 것으로 판단할 수 있다.
정규성 또는 정상성	· Q-Q Plot그래프를 그려서 정규성 가정이 만족되는지 시각적으로 확인하는 방법이다. · Q-Q Plot은 대각선 참조선을 따라서 값들이 분포하게 되면 정규성을 만족한다고 할 수 있다. 만약 한 쪽으로 치우치는 모습이라면 정규성 가정에 위배되었다고 볼 수 있다. · Shapiro-Wilk Test, 샤피로-윌크 검정 · Kolmogorov-Smirnov Test, 콜모고로프-스미노프 검정 · 앤더스달링 검정 등이 정규성을 확인할 수 있는 방법이다.

≫ 기출유형 따라잡기

[02회] 다음 중 선형회귀분석의 가정 중 오차항과 관련이 없는 것은?
① 선형성 ② 독립성
③ 등분산성 ④ 정규성

정답 ①
해설 선형성은 독립변수가 변화할 때 종속변수가 일정 크기로 변화한다면 선형성을 만족하며, 산점도를 통해 확인한다.

> **기출유형 따라잡기**

[05회] 다음 중 분석 모형에서 변수 선택 방법이 아닌 것은?
　　① 전진 선택법　　　　　　　② 단계별 선택법
　　③ 후진 제거법　　　　　　　④ 차수 선택법

정답 ④

해설
- 변수선택 방법으로 전진선택법(forward selection), 후진제거법(backward elimination), 단계선택법(stepwise method)이 있다.

[02회] 아래 그림은 회귀모형의 잔차분석 결과이다. 이에 대한 설명으로 올바른 것은?

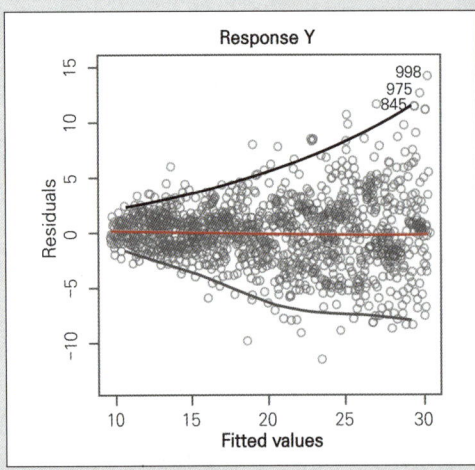

① 잔차의 등분산성을 만족한다.
② 종속변수를 로그변환하여 문제점을 해결한다.
③ 독립변수들 중 하나를 제곱하여 문제를 해결한다.
④ 잔차의 독립성이 위배됨을 알 수 있다.

정답 ②

해설
- 변수변환은 종속변수나 설명변수 모두 가능하나 일반적으로 종속변수에 하는 것이 적절하다.
- 오차의 등분산성의 경우 로그변환을 통해 해결하게 된다.

10. 다중공선성(Multicollinearity)

① 개요
- 다중공선성이란 모형의 일부 독립변수가 다른 독립변수와 상관되어 있을 때 발생한다.
- 다중공선성은 회귀계수의 분산을 증가시켜 불안정하고 해석하기 어렵게 만들기 때문에 문제가 된다.

- 다중공선성 여부는 분산 팽창계수 $VIF = \dfrac{1}{1-R^2}$ 로 판정하는데 VIF가 10 이하이면 다중공선성 문제가 적은 것으로 판단 할 수 있다.
- 결정계수 값은 높으나 독립변수의 유의확률값이 커서 개별 독립변수들이 유의하지 않는 경우 다중공선성을 의심해봐야 한다.

② 해결방안
- 중요하지 않은 변수일 경우 해당변수를 제거한다.
- 능형회귀, 주성분회귀 등 편의 추정법을 사용한다.
- 자료부족이 원인일 경우 자료를 보완한다.

11. 회귀분석모형의 적합도 검정과 분산분석표

1) 회귀분석의 분산분석표 목적

① 모형의 적합성 제시
- 적합성 검정이란

  도출한 회귀식 $\hat{Y} = \hat{\beta_0} + \hat{\beta_1} X_i$ 이 표본측정치를 얼마나 잘 설명하는지를 확인하는 것

② 표본에 대한 회귀선의 설명력
- 추정된 회귀식이 어느 정도 측정치들과 일치하는지의 정도
- 설명력은 0~1까지의 숫자로 나타내거나 몇%의 설명력을 가지는지 확률로 표현

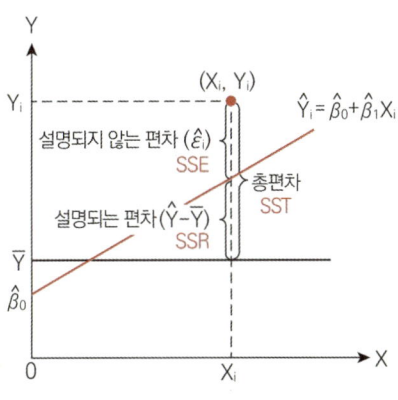

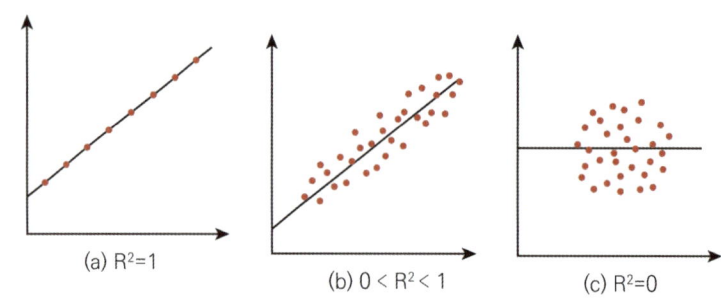

(a) $R^2=1$ (b) $0 < R^2 < 1$ (c) $R^2=0$

- 결정계수 $R^2 = \dfrac{SSR}{SST}$
- R^2의 값이 1에 근접할수록 회귀선의 추정치를 잘 반영하고 있다고 볼 수 있다.

③ 분산분석
- 회귀분석에서 분산분석이 등장하는 이유는 총편차를 분해하는 과정이 분산분석과 동일하기 때문이다.
- 분산비율 F값을 알기 위해 총 제곱합의 구성 부분인 오차 제곱합과 회귀 제곱합을 각각의 자유도로 나누면 평균 오차제곱(MSE, Mean Square Error), 평균 회귀제곱(MSR, Mean Square Regression)을 구할 수 있다.

$$MSE = \dfrac{SSE}{n-2}, \quad MSR = \dfrac{SSR}{1}$$

$$F = MSR / MSE$$

- 회귀식의 설명력에 대한 검정을 한 후 표본을 설명하는 회귀식이 유의한지를 확인하는 과정이 필요하다.
- 회귀와 잔차에 대한 분산비율인 F값을 계산해서 F분포표의 값보다 더 크면 귀무가설을 기각하고 대립가설을 채택한다.
- 이 때 귀무가설의 회귀식은 유의하다. 그리고 대립가설의 회귀식은 유의하지 않다.
- 회귀모형의 변동은 총변동(SST), 회귀변동(SSR), 오차변동(SSE) 3가지로 구분되며 이 3가지 제곱합을 자유도로 각각 나누면 일종의 분산이 된다. 이와 같이 제곱합의 분할을 이용하여 회귀분석에 관련된 분산분석표를 만들면 다음과 같다.

변동	제곱합	자유도	평균제곱	F
회귀	SSR	1	MSR=1/SSR	MSR/MSE
오차	SSE	n-2	MSE=SSE/n-2	
전체	SST	n-1		

용어정리

- **수정된 결정계수**
  - 결정계수는 SSR/SST로 계산되므로 독립변수의 수가 많아질수록 증가하는 성질이 있다.
  - 즉 종속변수에 영향을 주지 않는 독립변수가 모형에 포함되어도 결정계수가 커지는 것이다.
  - 이런 단점을 보완하기 위해 다중회귀분석에서는 수정된 결정계수라는 개념을 사용한다.
  - 수정된 결정계수(adjusted R^2) = $1 - \dfrac{(n-1)(1-R^2)}{n-p-1}$, n = 표본의 크기, p = 독립변수의 수

12. 가변수(더미변수)를 이용한 회귀분석

- 가변수(더미변수)를 이용한 회귀분석은 명목척도나 범주형 척도의 자료를 독립변수의 가변수로 변환하여 회귀분석하는 것을 의미한다.
- 이는 회귀분석에 명목척도나 범주형 척도를 추가하여 분석할 수 있으므로 더 많은 분석을 할 수 있다.
- 가변수(더미변수)란 명목 변수의 측정치의 존재 여부에 따라 0과 1의 값을 이용하여 변수를 변환시킨 것이므로 명목변수의 범주 수에서 1을 뺀 것과 같다. 예를 들어 명목변수의 범주 수에서 1개 적게 가변수를 만든다. 즉 남자와 여자를 가변수로 만들 경우 1개의 가변수가 만들어진다.

>> **기출유형 따라잡기**

[07회] 독립변수 12개와 절편을 포함하는 회귀 모델에서 독립변수 1개당 범주 3가지를 가지면 회귀계수의 갯수는?
① 24　　　　　　　　　　　　② 25
③ 36　　　　　　　　　　　　④ 37

정답 ②

해설 회귀분석에서 더미 변수(dummy variable)는 범주형 변수를 이진 변수로 변환한 것을 말한다. 더미 변수는 해당 범주에 속하는지 여부를 나타내며, 0 또는 1의 값을 갖는다.
k−1개의 더미 변수를 생성한다. 12*(3-1)+절편의 수(1)=25개 회귀계수가 생성한다.

13. 최적 회귀방정식의 선택(독립변수의 선택)

- 반응변수 y와 이 변수에 영향을 미칠 수 있는 가능한 모든 설명변수를 $x_1, x_2, x_3 \dots x_k$를 갖고 있다고 하자.

- 여기서 y의 변화를 회귀방정식으로 표현하고 설명하기 위해 필요한 설명변수들을 어떻게 선택해야 할 것인가를 고려해야 한다.
- 변수를 선택해 회귀모형을 설정해 주는 데는 다음의 2가지 원칙을 따른다.
  ① y에 영향을 미칠 수 있는 모든 설명변수 x들은 y의 값을 예측하는 데 참여시킨다.
  ② 데이터에 설명변수 x들의 수가 많아지면 관리하는 데 많은 노력이 요구되므로 가능한 범위 내에서 적은 수의 설명변수를 포함시켜야 한다.
- 위의 두 가지 원칙은 서로 이율배반적이므로 타협이 이뤄져야 한다. 즉 상황에 맞는 적절한 설명변수를 선택해야 한다.

1) 모든 가능한 조합의 회귀분석(All Possible Regression)
- 모든 가능한 독립변수들의 조합에 대한 회귀모형을 고려해 AIC나 BIC의 기준으로 가장 적합한 회귀모형을 선택한다.
- AIC와 BIC는 우리가 OLS Method(최소자승법)를 사용할 때에 익히 봐왔던 R-Square와 비슷한 역할을 하는데, 적합성(Goodness of Fit)을 측정해주는 지표이다. R-Square의 경우는 값이 크면 좋지만, AIC와 BIC는 값이 작은 것이 좋다.

2) 변수선택(Variable Selection)방법

변수선택	설명
전진 선택법 (Forward Selection)	• 절편만 있는 상수모형으로부터 시작해 중요하다고 생각되는 설명변수부터 차례로 모형에 추가한다. • 추가할 수 있는 후보가 되는 설명변수 중 모형에 추가했을 때 가장 제곱합의 기준으로 가장 설명을 잘하는 변수를 고려하여 그 변수가 유의하면 추가하고 그렇지 않은 경우는 추가를 멈춘다. • 한번 추가된 변수는 제거할 수 없다.
후진 제거법 (Backward Elimination)	• 독립변수 후보 모두를 포함한 모형에서 출발해 제곱합의 기준으로 가장 적은 영향을 주는 변수부터 하나씩 제거하면서 더 이상 유의하지 않는 변수가 없을 때까지 설명변수들을 제거하고 이때의 모형을 선택한다. • 한번 제거된 변수는 추가할 수 없다.
단계별방법 (Stepwise Method)	• 전진 선택법에 의해 변수를 추가하면서 새롭게 추가된 변수에 기인해 기존 변수가 그 중요도가 약화되면 해당변수를 제거하는 등 단계별로 추가 또는 제거되는 변수의 여부를 검토해 더 이상 없을 때 중단한다.

≫ 기출유형 따라잡기

[02회] 아래 그림은 회귀모형 결과 해석한 것이다. 옳은 것을 보기에서 모두 고른 것은?

```
Coefficients:
             Estimate Std. Error t value Pr(>|t|)
(Intercept) 10.78708   11.58926    0.931 0.361634
complaints   0.61319    0.16098    3.809 0.000903 ***
privileges  -0.07305    0.13572   -0.538 0.595594
learning     0.32033    0.16852    1.901 0.069925 .
raises       0.08173    0.22148    0.369 0.715480
critical     0.03838    0.14700    0.261 0.796334
advance     -0.21706    0.17821   -1.218 0.235577
---
Signif. codes:  0 '***' 0.001 '**' 0.01 '*' 0.05 '.' 0.1 ' ' 1

Residual standard error: 7.068 on 23 degrees of freedom
Multiple R-squared: 0.7326,    Adjusted R-squared: 0.6628
F-statistic: 10.5 on 6 and 23 DF,  p-value: 1.24e-05
```

㉠ 변수 critical은 회귀모형에서 제외할 수 있다.
㉡ 유의수준 0.05 하에서 learning 회귀계수는 0.32033이다.
㉢ 독립변수들 중에서 종속변수에 가장 영향력이 있는 변수는 priviliges이다.

① ㉠ 　　　　　　　　　　　② ㉠, ㉡
③ ㉠, ㉡, ㉢ 　　　　　　　　④ ㉡, ㉢

정답 ②

해설
- p - value값이 0.05보다 작다면 유의수준 0.05에서 유의한 변수라고 할 수 있다.
- 독립변수들 중에서 종속변수에 가장 영향력 있는 변수는 t-value의 절댓값이 큰 변수라고 할 수 있다.

[05회] 다음 중 회귀모형에 대한 설명으로 옳은 것은?
① 회귀모형에서 개별 회귀계수의 통계적 유의성을 확인하는 방법은 Z 통계량을 통해 확인한다.
② 독립변수가 2개 이상이고, 독립변수의 차수를 높이는 회귀분석을 다항회귀 (Polynomial Regression)라 한다.
③ 설명 변수들 사이에 비선형 관계가 존재하면 다중 공선성 문제가 발생한다.
④ 회귀모형의 변수선택법에는 주성분 분석법, 전진 선택법, 후진 제거법 등이 있다.

정답 ②

해설
① Z통계량 → t통계량
③ 비선형 → 선형
④ 주성분 분석법 → 단계(별)선택법

> **기출유형 따라잡기**

[07회] 회귀분석에서 잔차(residuals)에 대한 가정의 설명으로 옳지 않은 것은?
① 잔차들의 평균은 0이다
② 잔차들의 분산은 모두 같다
③ 잔차의 자유도는 표본의 크기에서 항상 -1한 값이다
④ 잔차 제곱합이 작을수록 좋은 모델이다.

정답 ③

해설
- 회귀분석에서 잔차(residuals)에 대한 가정들은 다음과 같다.
  - 잔차들의 평균은 0이다.
  - 잔차들의 분산은 모두 같다 (등분산성)
  - 잔차들은 서로 독립이다.
  - 잔차들은 정규분포를 따른다.
- 잔차 제곱합(Residual Sum of Squares, RSS)은 회귀 모델에서 모델의 적합도를 측정하는 중요한 지표 중 하나이다. 잔차 제곱합이 작을수록 모델이 관측값들을 더 잘 예측한다는 의미이다.

[06회] 다중공선성을 평가하는 지표는?
① 분산팽창지수(VIF)
② Mallow의 Cp 통계량
③ 스튜던트 잔차
④ AIC

정답 ①

해설
분산팽창지수(Variance Inflation Factor, VIF)는 다중공선성(multicollinearity)을 평가하기 위한 통계적 지표 중 하나이다. 다중공선성은 회귀 분석에서 독립 변수 간에 높은 상관관계가 있는 경우 발생하며, 이는 회귀 계수의 해석이 어려워지고 모델의 안정성이 감소할 수 있는 문제가 발생할 수 있다.
VIF는 특정 독립 변수의 분산이 다른 독립변수에 얼마나 영향을 받는지를 측정한다. 각 독립변수의 VIF 값이 높을수록 해당 변수가 다른 변수들과 높은 상관성을 가지고 있다고 판단된다.

[06회] 다음 보기 중 결정계수에 대한 설명으로 잘못된 것은?
① 독립변수의 수가 적어지면 항상 수정된 결정계수 R^2는 커진다.
② 결정계수는 표본수가 증가하면 커지는 경향이 있다.
③ 결정계수는 독립변수 개수가 증가하면 커진다.
④ 모형에 적합하지 않은 독립변수가 투입되면 결정계수가 증가하는 반면 수정된 결정계수는 감소한다.

정답 ①

해설
독립변수의 수가 적어질수록 항상 수정된 결정계수가 커진다는 규칙은 존재하지 않는다. 수정된 결정계수는 모델에 추가된 독립변수의 설명력을 고려하여 결정계수를 보정하는 지표이지만, 독립변수의 수가 적어진다고 해서 항상 증가하는 것은 아니다.

≫ 기출유형 따라잡기

[06회] 다중선형회귀 모델에서 가정되는 내용이 아닌 것은?
① 오차항은 종속변수와 선형관계가 있다.
② 오차항은 각 독립변수와 독립적이다.
③ 각 독립변수는 종속변수와 선형관계에 있다.
④ 오차항은 평균이 0이고 분산이 일정한 정규분포를 갖는다.

정답 ①

해설 선형성(Linearity): 모델이 독립 변수들과 회귀 계수들을 사용하여 종속 변수를 설명할 때, 오차항은 이 관계에 따라 선형성을 가지지 않는다.

[06회] 회귀분석 모형의 구축 절차를 순서대로 맞게 나열한 것은?
① 독립변수와 종속변수 설정-회귀계수 추정-독립변수별 회귀계수 유의성 검정-모형 유의성 검정
② 회귀계수 추정-독립변수와 종속변수 설정-독립변수별 회귀계수 유의성 검정-모형 유의성 검정
③ 독립변수와 종속변수 설정-모형 유의성 검정-회귀계수 추정-독립변수별 회귀계수 유의성 검정
④ 독립변수와 종속변수 설정-독립변수별 회귀계수 유의성 검정-회귀계수 추정-모형 유의성 검정

정답 ①

해설 특정 독립변수의 유의성을 확인한 후, 최종적으로 모형 전체의 유의성을 검정하여 전체 모형이 유의한지를 판단할 수 있다.

2 로지스틱 회귀분석(Logistic Regression)

학습 목표
1. 로지스틱 회귀분석 모형에 대해 학습한다.

출제 KEYWORD
① 로지스틱 vs 선형회귀 ★★
② 로짓변환 ★
③ 시그모이드 함수 ★

1. 로지스틱 회귀분석 개념

- 회귀분석은 기본적으로 종속변수와 독립변수가 모두 등간척도 이상으로 측정된 경우에 적용되는 통계기법을 말한다.
- 만약 독립변수가 명목이나 서열척도로 측정된 경우 독립변수를 더미변수로 전환하여 회귀분석을 적용한다. 그러나 종속변수가 질적인(Qualitative) 척도, 즉 명목척도로 측정된 경우에는 회귀분석의 적용이 어려워진다.
- 명목척도로 측정된 종속변수를 독립변수(들)로 이용하여 예측하고자 하는 경우 로지스틱 회귀분석(Logistic Regression)과 판별분석(Discriminant Analysis)이 사용될 수 있다.
- 이 두 모형의 기본원리는 관찰값이 어떤 집단에 속하는지를 직접 예측하는 것이 아니라 독립변수들로 구성된 식을 이용하여 종속변수값을 예측하고, 이 값을 토대로 관찰값이 어느 집단에 속하는지를 예측하게 된다.
- 두 모형의 차이점은 판별분석에서는 독립변수들의 정규성(Normality)과 각 집단들의 분산, 공분산이 동일해야 한다는 가정을 필요로 하는 반면, 로지스틱 회귀분석은 이러한 가정을 요구하지 않기 때문에 모형의 적용 가능성이 높다는 것이다.
- 로지스틱 회귀분석은 각 관찰치가 특정 집단에 속할 확률을 토대로 그 관찰자가 어느 집단에 속하는지를 예측하는 반면, 판별분석에서는 판별점수를 이용하여 관찰치가 어느 집단에 속하는지를 예측한다.

> **기출유형 따라잡기**

[03회] 다음 중 로지스틱 회귀분석에 대한 설명 중 틀린 것은?
① 로지스틱 회귀분석은 단순선형회귀분석과 동일하게 오차의 정규성을 따른다.
② 로지스틱 회귀분석은 각 관찰치가 특정 집단에 속할 확률을 토대로 그 관찰자가 어느 집단에 속하는지를 예측한다.
③ 로지스틱 회귀분석은 독립변수에 대해서 어떠한 가정도 필요로 하고 있지 않다.
④ 로지스틱 회귀분석 모형은 반응변수가 범주형인 경우에 적용되는 회귀분석 모형이다.

정답 ①
해설 종속변수가 범주형인 자료에 선형회귀분석을 적합시킬 경우 회귀분석의 기대값은 음의 무한대에서 양의 무한대까지의 값을 가질 수 있지만, 이항자료(범주형)인 경우에는 항상 0과 1사이의 값을 갖게 된다. 이로 인해 오차항에 대한 정규성과 등분산성이 로지스틱회귀분석에서는 성립하지 않게 된다.

[05회] 다음 중 로지스틱 회귀모형에 대한 설명으로 옳은 것은?
① 종속변수의 범주가 세 개 이상일 때는 적용할 수 없다.
② 로지스틱 회귀모형은 정규분포를 따른다.
③ 오즈는 음의 무한대에서 양의 무한대의 범위를 가진다.
④ 종속변수의 값이 0~1사이의 값을 가진다.

정답 ④
해설 ① 다항 로지스틱이라 한다.
② 이항분포를 따른다.
③ 오즈는 음이 아닌 실숫값을 갖는다.

용어정리

- **임계값(Threshold)**
  임계값이란 데이터가 어느 클래스에 속할지를 결정하는 기준값을 말한다.

2. 로지스틱 회귀모형

- 로지스틱 회귀분석 모형은 반응변수가 범주형일 때 적용되는 회귀분석 모형이다.
- 즉 반응변수가 성공 또는 실패, 흡연 또는 비흡연, 생존 또는 사망 등과 같이 두 가지 범주로 되어 있을 때 종속변수와 독립변수 간의 관계식을 이용하여 두 집단을 분류하고자 할 때에 사용되는 통계기법이라고 할 수 있다.

1) 선형회귀 모형과 뚜렷한 2가지 차이점

- 이항(이진) 데이터에 적용하였을 때 종속변수 y의 결과가 범위 [0,1]로 제한
- 종속변수가 이항이기 때문에 조건부 확률의 분포가 정규분포 대신 이항 분포를 따름

2) 오즈(Odds)와 로짓변환

① 오즈(Odds) 개념

- 로지스틱 회귀모형을 구축한 후에 모형을 해석하는 단계에서 2가지 개념이 사용된다.
- 오즈란 확률p가 주어졌을 때 사건이 발생할 확률이 사건이 발생하지 않을 확률의 몇 배 인지에 대한 개념이다.

$$오즈(Odds) = \frac{사건이\ 발생할\ 확률}{사건이\ 발생하지\ 않을\ 확률} = \frac{p}{1-p}$$

- 예를들면 독립변수가 흡연여부이고, 종속변수가 폐암 발병 유무일 때 흡연자의 암 발생할 확률이 0.8일 때 오즈의 값은 0.8/0.2=4가 된다.
- 이는 흡연자 중 폐암이 발생한 사람이 발생하지 않은 사람보다 4배 많다고 해석할 수 있다.
- 오즈는 음이 아닌 실숫값으로, 성공이 일어날 가능성이 높은 경우에는 1.0보다 큰 값을, 반대로 실패가 일어날 가능성이 높은 경우에는 1.0보다 작은 값을 가지게 된다.

② 로짓변환

- 로지스틱 회귀는 반응변수가 범주형이므로 선형회귀 방식으로 Fitting하기 어렵다.
- 직관적 해석을 위해 직선으로 Fitting 하기 위해서 사용하는 것이 오즈에 로그를 취하는 로짓 변환을 하게 된다.
- $\beta_0 + \beta_1 X$와 같은 선형회귀는 음의 무한대에서 양의 무한대까지의 값을 가질 수 있지만 p는 분류가 Y일 확률이므로 0~1사이의 값을 가진다.
- 따라서 이 부등식을 같게 하기 위해서 첫번째는 p를 예측하는 것이 아니라 오즈(Odds)를 예측하도록 하는 것이다.
- $\frac{p}{1-p}(0 \sim 양의무한대) = \beta_0 + \beta_1 X(음의무한대 \sim 양의무한대)$
- 좌변과 우변을 같게 하기 위해 로그함수를 취하게 되고, 이것을 로짓 변환이라 한다.
- 로짓 변환은 y를 log(p/1-p)로 만드는 함수적 변환을 말한다.
- 독립변수가 한 개일 경우 로지스틱 회귀모형은 다음과 같이 표현된다.

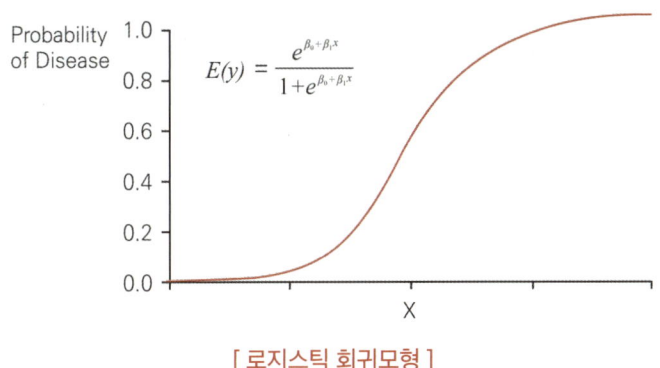

[로지스틱 회귀모형]

- 위 식은 중요한 2가지 관점에서 해석할 수 있다.
    ① 단순 로지스틱인 경우 로지스틱 회귀계수 β1이 0보다 큰 경우에는 S자 모양, β1이 0보다 작은 경우에는 역S자 모양을 가진다. 이 곡선을 시그모이드 함수라고 한다.
    ② 로지스틱 분포의 누적함수는 곧 성공의 확률로 추정할 수 있으며, 이는 로지스틱 회귀가 분류(Classification) 목적으로 사용될 경우 기준값(0.5)보다 크면 Y=1 집단으로, 작으면 Y=0인 집단으로 분류하게 된다.

3) 로지스틱 회귀계수의 이해

① $\log \frac{p}{1-p} = \beta_0 + \beta_1 X$ 식을 풀어 쓰면 아래와 같다.

② $\frac{p}{1-p} = \exp(\beta_0 + \beta_1 X) = \exp(\beta_0)\exp(\beta_1 x_1)$

- x를 1단위 증가시키게 되면 오즈의 예측값은 exp(β$_1$)만큼 곱해지게 된다.
- 로지스틱 회귀분석에서의 회귀계수는 해당 변수가 1 증가함에 따른 오즈(Odds)의 변화량(오즈비)을 의미한다.

3. 선형회귀분석 vs. 로지스틱 회귀분석 비교

	선형회귀분석	로지스틱 회귀분석
종속변수	연속형 변수	이산형 변수
모형 탐색 방법	최소자승법	최대우도법, 가중최소자승법
모형 검정	F-Test, t-Test	x^2-Test

기출유형 따라잡기

[02회] 다음 중 독립변수가 연속형이고 종속변수가 범주형 자료일 때 사용할 수 있는 분석 모델은?
① 로지스틱 회귀분석　　　　② 다중회귀분석
③ 의사결정나무　　　　　　　④ 서포트벡터머신

정답 ①

[05회] 다음 아래 보기에서 일반화 선형모형(GLM)에 대한 설명으로 옳은 것을 고르시오

> 가. 반응변수가 이항분포이면 연결함수로 logit 함수를 사용한다.
> 나. 종속변수의 정규성이 성립하지 않아도 사용할 수 있다.
> 다. 로직스틱 회귀모형이 대표적인 일반화 선형 회귀모형이다.

① 가, 나　　　　　　　　② 가, 다
③ 나, 다　　　　　　　　④ 가, 나, 다

정답 ④

해설 일반화 선형모형은 종속변수가 정규분포를 가정할 수 없는 경우, 범주형 변수가 종속변수인 경우를 말하며 대표적으로 로지스틱 회귀와 포아송 회귀가 있다.

[06회] 흡연자 200명 중 폐암환자가 20명이고, 비흡연자 200명 중 폐암환자가 4명인 경우, 흡연 여부에 대한 폐암 오즈비(Odds Ratio) 값은?
① 1　　　　　　　　　② 4.33
③ 5.44　　　　　　　　④ 6.55

정답 ③

해설 오즈비(Odds Ratio)는 통계학에서 두 사건의 발생 가능성을 비교하는 데 사용되는 지표 중 하나이다. 주로 이진 분류 문제에서 사용되며, 특히 경우와 비교군(대조군) 사이의 관계를 나타내는 데 활용된다.
- 오즈비는 다음과 같이 정의된다:
- Odds Ratio= Odds of Event in Group 2/Odds of Event in Group 1
- 오즈(Odds)는 성공할 확률과 실패할 확률의 비율로 정의된다.
- 성공 확률을 p라고 했을 때, 실패 확률은 1−p이다.
- 오즈는 다음과 같이 계산된다: p/1-p
- 흡연자 폐암 발병률=20/200(0.1), 비흡연자 폐암 발병률=4/200(0.02)
- Odds Ratio=(0.1/(1-0.1))/(0.02/(1-0.02))=5.44
- 오즈비의 해석:
- 오즈비가 1보다 크면: 첫 번째 그룹에서 해당 이벤트가 발생할 확률이 더 높다.
- 오즈비가 1보다 작으면: 두 번째 그룹에서 해당 이벤트가 발생할 확률이 더 높다.
- 오즈비가 1이면: 두 그룹에서 해당 이벤트의 발생 확률이 동일하다.

> **기출유형 따라잡기**

[06회] 아래 이항로지스틱 회귀분석 모형의 회귀 계수에 대한 설명으로 옳은 것은? (단, $\beta_1 > 0$)

$$\log \frac{P(y=1 \mid x)}{1-P(y=1 \mid x)} = \beta_0 + \sum_{j=1}^{p} \beta_j x_j$$

$$P = \frac{1}{1+e^{-(\beta_0 + \beta_1 x_1 + \beta_2 x_2 + \cdots + \beta_p x_p)}}$$

① x_j가 1 단위 증가하면 오즈는 e^{β_j} 배 증가한다.
② x_j가 1 단위 증가하면 오즈비는 e^{β_j} 배 증가한다.
③ x_j가 1 단위 증가하면 오즈는 e^y 배 증가한다.
④ x_j가 1 단위 증가하면 오즈비는 e^y 배 증가한다.

정답 ②

해설 로지스틱 회귀에서의 오즈비는 독립변수의 한 단위 증가가 종속변수의 오즈에 어떤 비율적인 변화를 가져오는지를 나타낸다.

3 의사결정나무

> **학습 목표**
>
> 1. 의사결정나무 모형에 대해 학습한다.

> **출제 KEYWORD**
>
> ① 의사결정나무 분리 기준 ★★
> ② 가지치기·정지규칙 정의 ★
> ③ 불순도 측정 지표 ★★
> ④ CART 알고리즘 ★
> ⑤ 의사결정나무 장·단점 ★

1. 의사결정나무 개념

- 의사결정나무는 의사결정규칙(Decision Rule)을 도표화하여 관심 대상이 되는 집단을 몇 개의 소집단으로 분류(Classification)하거나 예측(Prediction)을 수행하는 분석방법이다.
- 분석과정이 나무구조에 의해서 표현되기 때문에 판별분석(Discriminant Analysis), 회귀분석(Regression Analysis), 신경망(Neural Networks) 등과 같은 방법들에 비해 연구자가 분석과정을 쉽게 이해하고 설명할 수 있다는 장점을 가지고 있다.

- 의사나무결정 구조는 다음과 같다. 맨 위의 마디를 뿌리마디(Root Node)라 하며, 이는 분류 또는 예측 대상이 되는 모든 자료 집단을 포함한다.
- 상위의 마디가 하위 마디로 분기될 때, 상위 마디를 부모마디(Parent Node)라 하고, 하위 마디를 자식마디(Child Node)라 하며, 더 이상 분기되지 않는 마디를 최종마디(Terminal Node)라고 부른다.

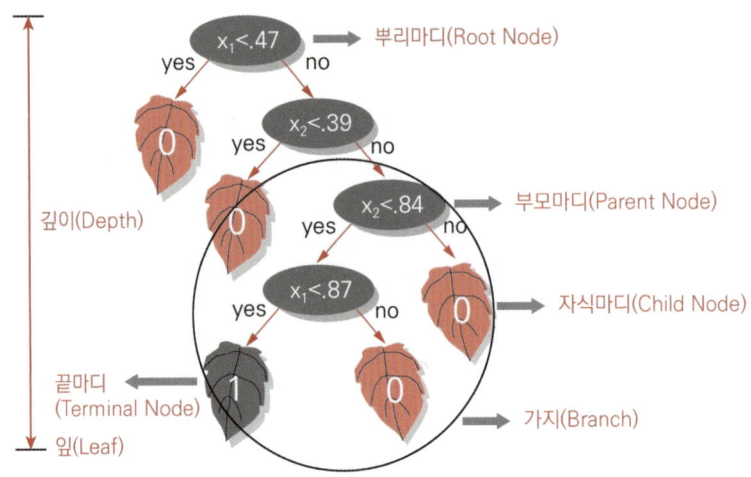

[의사결정나무 구조]

- 상위노드로부터 하위노드로 나무 구조를 형성하는 매 단계마다 분류변수와 분류 기준값의 선택이 중요하다.
- 노드(집단)내에서는 동질성이, 노드(집단)간에는 이질성이 가장 커지도록 선택된다.
- 나무모형의 크기는 과대적합 또는 과소적합 되지 않도록 합리적 기준에 의해 적당하게 조절되어야 한다.

> **용어정리**
> - **의사결정나무의 구성 요소**
>   - 뿌리마디(Root Node) : 시작되는 마디로 전체 자료를 포함
>   - 자식마디(Child Node) : 하나의 마디로부터 분리되어 나간 2개 이상의 마디들
>   - 부모마디(Parent Node) : 주어진 마디의 상위 마디
>   - 최종마디(Terminal Node) : 자식마디가 없는 마디
>   - 중간마디(Internal Node) : 부모마디와 자식마디가 모두 있는 마디
>   - 가지(Branch) : 뿌리마디로부터 최종마디까지 연결된 마디들
>   - 깊이(Depth) : 뿌리마디부터 최종마디까지의 중간 마디들의 수

2. 의사결정나무의 형성

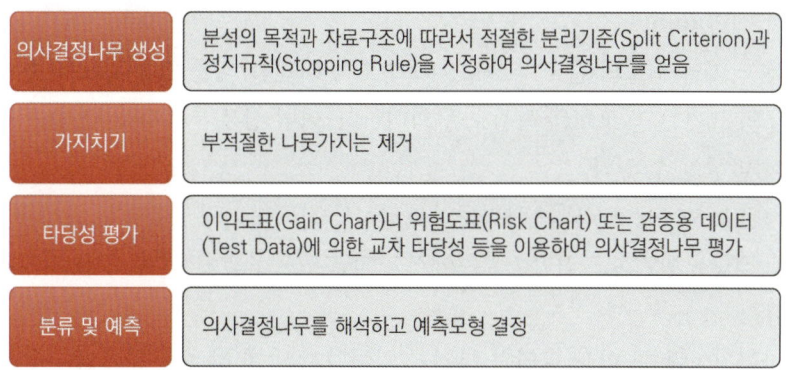

3. 의사결정나무의 분리 기준

- 의사결정나무는 여러 분기로 이루어진 구조이다.
- 따라서 정확한 예측을 위해서는 분류기준이 핵심적 요소이다.
- 순수도는 목표변수의 특정 범주에 개체들이 포함되어 있는 정도를 의미한다.
- 분리기준은 부모마디에 비해 자식마디에서 순수도가 증가하는 정도를 수치화 한 것이라 할 수 있다.
- ① 부모마디의 순수도보다 ②, ③의 자식마디의 순수도가 증가하는 방향으로 트리구조를 형성한다.

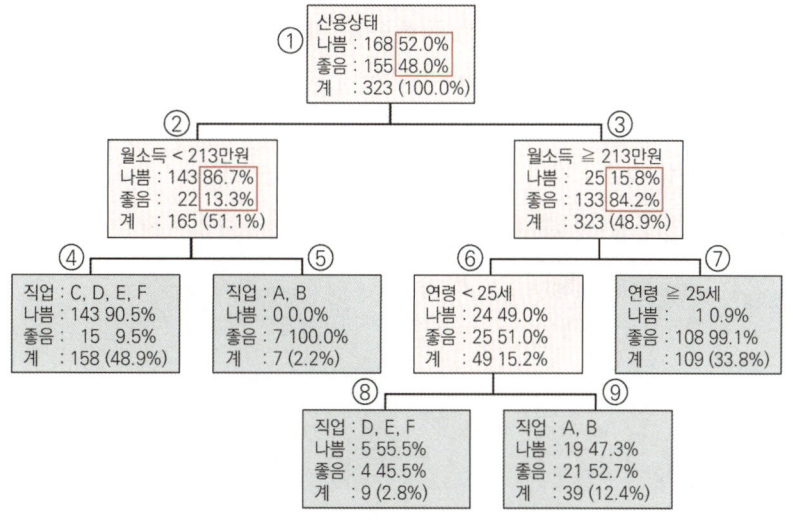

4. 가지치기와 정지규칙

① 가지치기(Pruning)
- 모든 터미널 노드의 순도가 100%(불순도가 0)인 상태를 Full Tree라 한다.
- 나무의 크기는 곧 모형의 복잡도를 의미한다. 이럴 경우 분기가 너무 많아 과적합의 위험이 발생할 수 있다.
- 구축된 모형에서 제시되는 규칙들의 타당성을 검토해 타당성이 없는 규칙을 제거함으로써 과적합을 방지하고 적합한 수준에서 터미널 노드를 결합해주는 것을 가지치기라 한다.

② 정지규칙
- 정지규칙이란 더 이상 트리의 분리가 일어나지 않게 하는 규칙이다.
- 의사결정나무 모형에서 트리를 성장시키는 과정에서 정지규칙을 적용하지 않으면 각 끝마디가 Full Tree까지 성장하므로 과적합이 발생할 수 있다.

5. 의사결정나무 모형의 분류

의사결정나무는 목표변수가 이산형인 경우 분류나무(Classification Tree)와 목표변수가 연속형인 회귀나무(Regression Tree)로 구분된다.

① 분류나무(Classification Tree)
- 목표변수가 이산형인 분류나무의 경우 상위 노드에서 가지분할을 수행할 때 분류(기준)변수와 분류 기준값의 선택 방법으로 카이제곱 통계량의 p값, 지니 지수, 엔트로피 지수 등이 사용된다.
- 카이제곱 통계량의 p값은 그 값이 작을수록, 지니 지수와 엔트로피 지수는 그 값이 클수록 자식노드 내의 이질성이 큼을 의미하며, 따라서 이 값들이 가장 작아지는 방향으로 가지분할을 수행하게 된다.
- 불확실성 측정 지표 : 지니 지수와 엔트로피 지수

② 회귀나무(Regression Tree)
- 목표변수가 연속형인 회귀나무의 경우에는 분류(기준)변수와 분류 기준값의 선택 방법으로는 F통계량의 p값, 분산의 감소량 등이 사용된다.
- F통계량은 일원배치법에서의 검정통계량으로 그 값이 클수록 오차의 변동에 비해 처리의 변동이 크다는 것을 의미하며, 자식노드 간이 이질적임을 의미하므로 이 값이 커지는(p값은 작아지는) 방향으로 가지분할을 수행하게 된다.
- 분산의 감소량도 이 값이 최대화되는 방향으로 가지분할을 수행하게 된다.
- 의사결정나무 불순도 측도

구분	공식	설명
카이제곱 통계량	$x^2 = \sum_{i=1}^{k} \frac{(E_i - O_i)^2}{O_i}$ (k = 범주의수, O_i = 실제도수, E_i = 기대도수)	• 데이터의 분포와 사용자가 선택한 기대 또는 가정된 분포 사이의 차이를 나타내는 측정값
지니 지수	$Gini(T) = 1 - \sum_{i=l}^{k} P_l^2$	• 지니 지수의 값이 클수록 이질적(Diversity)이며 순수도(Purity)가 낮다고 볼 수 있음
엔트로피 지수	$Entropy(T) = -(\sum_{i=l}^{k} P_l \log_2 P_l)$	• 열역학에서 쓰는 개념으로 무질서 정도에 대한 측도 • 엔트로피 지수의 값이 클수록 순수도(Purity)가 낮다고 볼 수 있음

6. 의사결정나무 알고리즘과 분류기준

① 이산형 목표변수

알고리즘	분류기준	설명
CHAID	카이제곱 통계량	• 카이제곱 통계량의 p-value가 가장 작아지는 방향으로 가지분할
CART	지니지수	• 지니지수가 작아지는 방향으로 가지 분할
C4.5, C5.0	엔트로피 지수	• 엔트로피 지수가 작아지는 방향으로 가지분할

② 연속형 목표변수

알고리즘	분류기준	설명
CHAID	ANOVA F-통계량	• F통계량의 p-value가 작아지는 방향으로 가지분할
CART	분산감소량	• 분산의 감소량이 커지는 방향으로 가지 분할

》 기출유형 따라잡기

[03회] 다음 중 의사결정나무가 이산형일 경우 사용할 수 없는 불순도 지표는?
① F-통계량　　　　　　　　② 카이제곱 통계량
③ 지니지수　　　　　　　　④ 엔트로피 지수

정답 ①

해설 이산형목표변수와 연속형 목표변수의 분류기준에 대한 문제이다. 보기 ①은 연속형 목표변수의 분류기준이다.

[05회] 의사결정나무 분석모형의 결과에서 뿌리노드만 남은 이유로 옳은 것은?
① 변별력 있는 변수가 없어 분리를 정지한다.
② 모델의 과적합 되었다.
③ 불필요한 가지를 제거했다.
④ 변수들 간 관계가 비선형 관계이다.

정답 ①

해설
- 의사결정나무의 형성은 목적과 자료구조에 따라 적절한 분리기준과 정지규칙을 지정하여 의사결정나무를 얻는다.
- 분리기준(split criterion) : 부모마디의 순수도에 비해서 자식마디들의 순수도가 증가하도록 자식마디를 형성함

[06회] 다음 중 의사결정나무의 알고리즘이 아닌 것은?
① CART　　　　　　　　② C45
③ CHAID　　　　　　　　④ C5.0

정답 ②

해설 C4.5와 C5.0은 데이터 마이닝 및 머신러닝에서 사용되는 의사결정 트리(Decision Tree) 알고리즘 중 하나이다. C4.5는 엔트로피를 기반으로 하는 의사결정 트리를 생성하는 알고리즘이다. 엔트로피는 정보 이론에서 불확실성의 정도를 나타내는 지표로 사용된다.

[07회] 의사결정나무 정지규칙으로 옳지 않은 것은?
① 트리의 Depth가 최소이면 멈춘다.
② 마지막 가지 끝에 남은 개수가 일정 개수 이하이면 멈춘다.
③ 가지에 남은 개수가 같으면 멈춘다.
④ 더 이상 나눌 수 없으면 멈춘다.

정답 ①

해설
- 의사결정나무(Decision Tree)의 성장을 제어하는 정지규칙(Stopping Criteria)은 트리의 성장을 언제 멈춰야 하는지 결정하는 규칙들을 말한다. 여러 가지 정지규칙이 있으며, 이를 통해 모델이 과적합되는 것을 방지하고 일반화 성능을 높일 수 있다. 일반적인 정지규칙은 다음과 같다:
  - 최대 깊이(Max Depth): 트리의 최대 깊이를 지정하면 해당 깊이에 도달하면 성장을 멈춤.
  - 최소 샘플 수(Min Samples): 노드에 속한 샘플 수가 정해진 최솟값 이하일 때 성장을 멈춤.
  - 최소 분할 크기(Min Split Size): 더 이상 분할할 수 있는 샘플 수가 정해진 최솟값 이하일 때 성장을 멈춤.
  - 리프 노드의 최소 크기(Min Leaf Size): 리프 노드에 속한 샘플 수가 정해진 최솟값 이하일 때 성장을 멈춤.
  - 최대 특성 수(Max Features): 분할에 사용될 수 있는 최대 특성 수를 지정할 수 있음.

7. 의사결정나무의 응용분야

① 세분화(Segmentation) : 관측 개체를 비슷한 특성을 갖는 몇 개의 그룹으로 분할하여 각 그룹별 특성을 발견하고자 하는 경우
② 분류(Classification) : 여러 예측변수(Predicated Variable)에 근거하여 목표변수(Target Variable)의 범주를 몇 개의 등급으로 분류하고자 하는 경우
③ 예측(Prediction) : 자료로부터 규칙을 찾아내고 이를 이용하여 미래의 사건을 예측하고자 하는 경우
④ 차원축소 및 변수선택(Data Reduction and Variable Screening) : 매우 많은 수의 예측변수 중에서 목표변수에 큰 영향을 미치는 변수들을 골라내고자 하는 경우
⑤ 교호작용효과의 파악(Interaction Effect Identification) : 여러 개의 예측변수들이 결합하여 목표변수에 작용하는 교호작용을 파악하고자 하는 경우
⑥ 범주의 병합 또는 연속형 변수의 이산화(Category Merging and Discretizing Continuous Variable) : 범주형 목표변수의 범주를 소수의 몇 개로 병합하거나, 연속형 목표변수를 몇 개의 등급으로 범주화 하고자 하는 경우

8. 의사결정나무의 장·단점

장점	• 구조가 단순하여 해석이 용이하다. • 유용한 입력변수의 파악과 예측변수 간의 상호작용 및 비선형성을 고려하여 분석이 가능하다. • 선형성, 정규성, 등분산성 등의 수학적 가정이 불필요한 비모수적 모형이다. • 계산 비용이 낮아 대규모의 데이터셋에서도 비교적 빠르게 연산이 가능하다. • 수치형·범주형 변수를 모두 사용할 수 있다.
단점	• 분류 기준값의 경계선 부근의 자료값에 대해서는 오차가 크다. • 로지스틱회귀와 같이 각 예측변수의 효과를 파악하기 어렵다. • 새로운 자료에 대한 예측이 불안정할 수 있다.

4 인공신경망(Artificial Neural Network)

학습 목표
1. 인공 신경망 모형에 대해 학습한다.

출제 KEYWORD
① 가중치와 바이어스 역할 ★★
② 활성함수의 역할 ★★
③ 역전파 알고리즘 ★★
④ 경사하강법의 학습률과 기울기 이동거리 관계 ★
⑤ 기울기 소실문제 ★
⑥ 인공신경망의 장·단점 ★

1. 인공 신경망(Artificial Neural Network) 모형의 개념
- 인공신경망 모형은 동물의 뇌신경계를 모방하여 분류 또는 예측을 위해 만들어진 머신러닝 알고리즘이다.
- 신호의 강도가 기준치를 초과할 때 뉴런은 활성화되고, 신경돌기(Axon)를 통해 신호를 방출하듯이, 인공신경망에서 입력(Inputs)은 시냅스에 해당하며 개별신호의 강도에 따라 가중(Weight)되며, 활성함수(Activation Function)는 인공신경망의 출력(Outputs)을 계산한다.

2. 인공신경망의 종류
1) 단층퍼셉트론(퍼셉트론)
- 단층신경망은 입력층(Input Layer)과 출력층(Output Layer)으로만 구성된다.
- 입력층은 학습 벡터 또는 입력 벡터가 입력되는 계층으로써, 입력된 데이터는 출력층 뉴런으로 전달되어 활성함수에 따라 값이 출력된다.

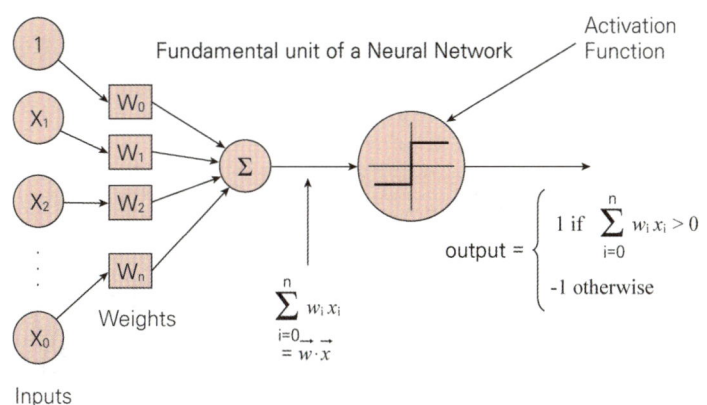

[단층 신경망의 네트워크 구조]

- 위 그림에서 단층 퍼셉트론(신경망)은 d-차원의 입력벡터 $x=(x_1,x_2,x_3....x_n)$와 각 입력 신호의 세기에 따라 다른 가중치를 부여한다.
- w_0는 바이어스(Bias)의 의사결정 경계의 위치를 결정하는 모수
- 가중치 w와 바이어스 w_0는 학습(Learning)을 통해 오차 제곱합이 최소가 되는 방향으로 갱신(Update)하게 된다.
- 최종 출력값은 $\sum w_i x_i + w_0$ 합에 대해 비선형 활성함수(Activation Function)를 적용한다.

2) 단층 퍼셉트론의 XOR 문제
- AND와 OR 게이트는 직선을 그어 결괏값이 검은점을 구별할 수 있다. 그러나 XOR의 경우 선을 그어 분리할 수 없는 문제점이 발생함
- 1969년 Marvin Minsky, Seymour Papert 두 사람이 저서 "Perceptrons"을 통해 퍼셉트론 모델은 선형분리 기능밖에 없다는 사실이 입증됨

- 이 논문 이후 인공지능 연구가 한동안 침체기를 겪게 된다. 10여 년이 지난 후에야 이 문제가 해결되는데, 이를 해결한 개념이 바로 다층 퍼셉트론(Multilayer Perceptron)이다.

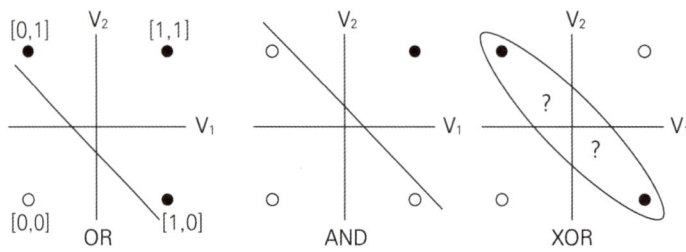

- 그림처럼 0보다 큰 경우 1로 0보다 작은 경우는 -1로 분류하게 된다.

> **용어정리**
>
> - **Bias의 역할**
>   - 바이어스는 사용자가 부여하거나 랜덤으로 초기화 되는 수이다. 바이어스는 입력된 신경망과 가중치 곱의 합이 가져야 할 최소기준을 정의한다.
>   - 만약 최종 출력값이 1이상일 때 뉴런이 활성화 된다고 가정을 한다면(활성함수 고려하지 않음) $\sum w_i x_i + w_0 > 1$이 된다. 바이어스 w_0를 우변으로 넘기면 $\sum w_i x_i > 1 - w_0$가 된다. 이때 바이어스가 1로 설정된다면 입력값과 신경망의 가중치와의 합이 최소한 양수는 되어야 해당 뉴런이 활성화 된다. 따라서 분석자가 바이어스 값을 높게 설정하면 웬만한 뉴런들은 활성화 되지 않는다. 반대로 바이어스가 낮다면 모든 출력값이 뉴런들을 활성화하게 된다.
>
> - **활성함수(Activation Function)의 역할**
>   - $\sum w_i x_i + w_0$ 값은 뉴런 안에 있는 활성함수의 입력값이 된다. 전달받는 모든 신호들의 합을 활성함수에 입력하여 뉴런의 활성여부를 결정하게 된다. 활성함수의 입력값은 가중치와 입력벡터의 합이므로 그 값은 양의 무한대에서 음의 무한대까지의 범위를 갖게 되고 활성함수는 다시 이 값을 특정구간으로 한정하는 역할을 통해 뉴런의 활성여부를 결정하게 된다.
>   - 인공신경망에는 다양한 종류의 활성함수가 존재한다. 시그모이드 함수의 경우 출력값이 0.5를 기준으로 1과 0으로 분류, Tanh의 경우 0을 기준으로 1, -1로 한정하게 된다. 결국 인경신경망에서 활성함수의 선택은 분류 또는 예측의 분석 목적에 따라 선택하게 됨을 알 수 있다.
>
> - **가중치(Weights)의 역할**
>   - 인공신경망 학습이란 것은 결국 가중치를 갱신하는 것이라고 할 수 있다. 가중치의 역할은 전달받는 정보를 얼마나 중점적으로 고려할 것인지를 결정하는 것이다.
>   - 예를 들면 입력받는 데이터가 1, 2, 3이고 여기에 각각 0.9, 0.5, 0.1이 곱해지면 입력 가중치의 신호가 각각 0.9, 1, 0.3으로 변한다. 여기에 각각 바이어스를 더하면 활성함수의 입력값이 된다. 입력된 데이터만 고려한다면 3이 가장 크게 반응해야 하지만 가중치의 크기에 따라 오히려 2가 가장 크게 반응함을 할 수 있다.
>   - 인공신경망은 가중치 크기에 따라 뉴런과 뉴런 사이의 연결강도를 결정한다. 그리고 데이터를 통해 강력하게 연결될 부분의 가중치는 더욱 크게, 그렇지 않은 가중치는 작게 조정하게 된다.

> **기출유형 따라잡기**
>
> [02회] 다음 중 인공신경망에서 학습시키는 값으로 올바른 것은?
> ① 커널값
> ② 뉴런값
> ③ 가중치
> ④ 손실함수
>
> **정답** ③
>
> **해설** 인공신경망 학습은 결국 가중치를 갱신하는 것이라고 할 수 있다. 가중치의 역할은 전달받는 정보를 얼마나 중점적으로 고려할 것인지를 결정하는 것이다.

3) 다층 신경망(다층 퍼셉트론)

- 인공신경망인 단층 퍼셉트론은 그 한계가 있다. 비선형적으로 분리되는 데이터에 대해서는 제대로 된 학습이 불가능하다는 것이다.
- 단층퍼셉트론은 AND 연산에 대해서는 학습이 가능하지만 XOR에 대해서는 학습이 불가능하다는 것이 증명되었다.
- 이를 극복하기 위한 방안으로 입력층과 출력층 사이에 하나 이상의 중간층을 두어 비선형적으로 분리되는 데이터에 대해서도 학습이 가능하도록 다층퍼셉트론(MLP)이 고안되었다.
- 입력층과 출력층 사이에 존재하는 중간층을 은닉층이라 부른다.
- 입력층과 출력층 사이에 여러 개의 은닉층이 있는 인공 신경망을 심층 신경망(Deep Neural Network)이라 부르며, 심층 신경망을 학습하기 위해 고안된 특별한 알고리즘을 딥러닝(Deep Learning)이라 부른다.
- 단층 퍼셉트론에서는 은닉층이 존재하지 않고, 입력층과 출력층만 존재하기 때문에 출력층의 결과값을 비교하여 오차가 최소가 되도록 가중치를 업데이트하고 결정하였다.
- 다층 퍼셉트론에서는 입력층과 출력층 사이에 은닉층이 존재하고, 은닉층의 출력값에 대한 기준값을 정의할 수 없다.
- 이러한 문제점을 해결하기 위해 다층 퍼셉트론에서는 출력층에서 발생하는 오차값을 이용하여 은닉층으로 역전파를 시켜 은닉층에서 발생하는 오차값에 따라 은닉층의 가중치를 업데이트하게 된다.

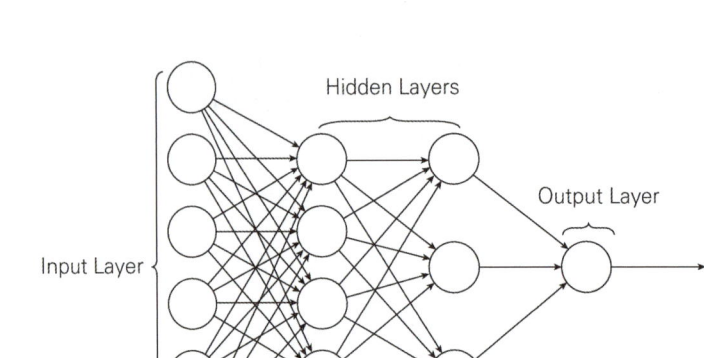

[다층 퍼셉트론(Multi Layer Perceptron)]

4) 역전파(Backpropagation) 알고리즘

- 손실함수란 신경망에 훈련데이터 x를 투입한 실제출력과 기대출력간의 차이라 할 수 있다.
- y(x)-a차가 작아질수록 신경망 학습이 잘되었다고 할 수 있다.
- 훈련데이터를 이용해 가중치(w)와 바이어스(b)를 변화시키는 과정을 반복적으로 수행하여 손실함수가 최소값이 되도록 하는 것이 인공신경망의 학습 목표라 할 수 있다.

> **손실함수(Cost Function) 또는 (Loss Function)**
> $$C(w, b) = \frac{1}{2n}\sum_{x}||y(x)-a||^2$$
> - n = 입력의 수, y(x) : 입력x를 가했을 때의 Target, a : 입력 x를 신경망에 넣었을 때 실제 출력
> - 실제값과 예측값 차이가 발생할 때 오차가 얼마인지 계산해주는 함수

- 손실함수는 결국 가중치와 바이어스 함수로 구성되어 있기 때문에 출력에서 생긴 오차를 입력 쪽으로 전파하면서 가중치와 바이어스를 갱신하게 되면 훈련데이터에 최적화된 가중치와 바이어스 값들을 얻을 수 있다.
- 역전파란 용어는 출력부터 반대 방향으로 순차적으로 편미분을 수행해가면서 가중치와 바이어스를 갱신시켜간다는 의미이다.
- 역전파 알고리즘은 손실함수로부터 측정된 오차를 출력층부터 입력층까지 역방향으로 전파하여 연쇄적으로 가중치를 학습하는 방법이다.

5) 활성함수(Activation Function)

- 활성함수는 인공신경망 모형에서 입력신호의 총합을 출력신호로 변환하는 함수이다.
- 활성함수를 사용하는 이유는 데이터를 비선형으로 변환하기 위함이다.
- 선형과 선형을 곱하면 선형이 되므로 활성함수로 비선형의 변환을 거쳐야 한다.
- 과거에는 활성함수로 시그모이드 함수를 주로 사용했으나 양끝의 정보가 없어지는 기울기 소실문제가 발견하면서 지금은 ReLU 같이 출력의 정보가 계속 유지되는 함수를 많이 적용한다.

활성화 함수	그래프	설명
계단함수 (Step Function)		• 임계값 0.1을 기준으로 활성화 또는 비활성화가 된다.
부호함수 (Sign Function)		• 임계값을 기준으로 양수, 음수, 또는 0을 구분하여 출력한다.
시그모이드 함수 (Sigmoid Function)		• 로지스틱 함수라고 하며 특정 임계값을 기준으로 출력값이 급격하게 변하는 계단함수와 달리 완만한 곡선 형태로 0~1사이의 값을 출력한다.
Tanh 함수 (Tanh Function)		• 하이퍼볼릭 탄젠트함수 • 확장된 시그모이드 함수 • -1~1사이의 값을 출력한다. • 0을 중심으로 대칭구조이므로 학습 안정성을 높이고, 기울기 소실 문제를 완화하는 데 유리하다.
ReLU(Rectified Linear Unit) 함수		• 입력값이 0보다 작으면 0을, 0보다 크면 입력값을 그대로 출력하는 함수 • ReLU는 양수 입력에서 항상 기울기가 1로 유지되므로, 그라디언트가 소실되지 않고 안정적으로 역전파된다.

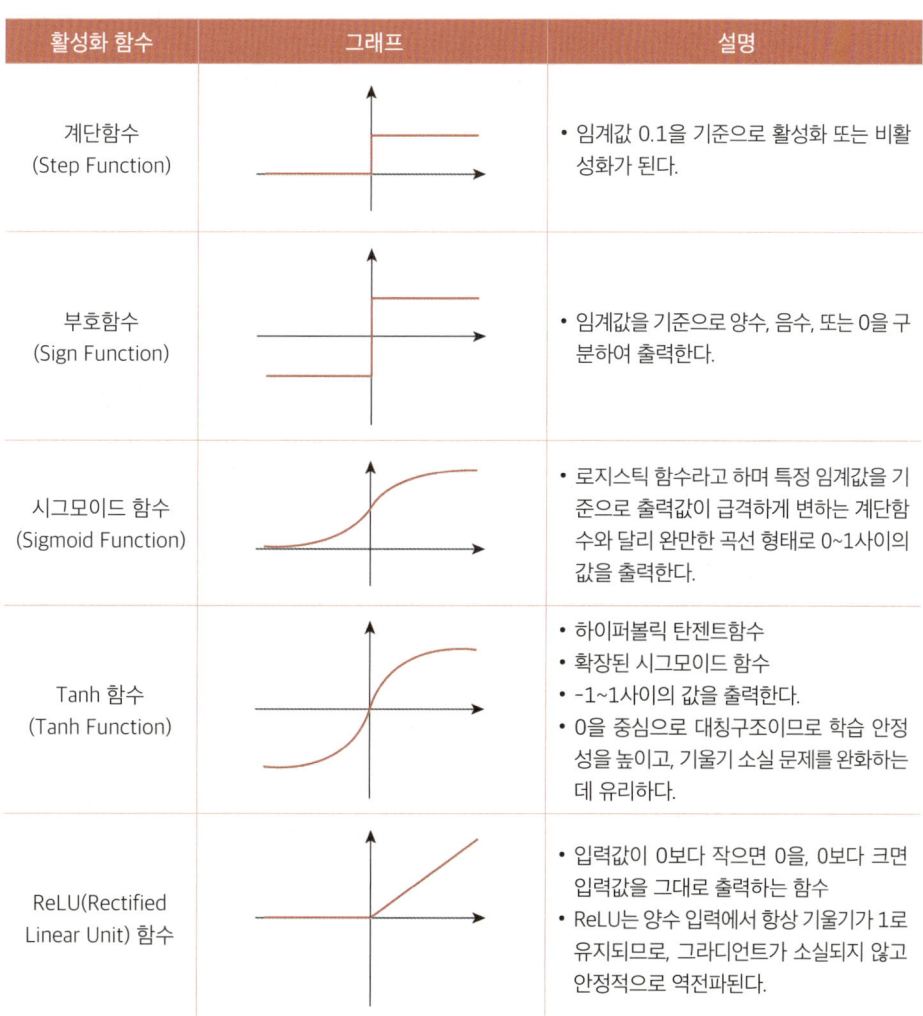

활성화 함수	그래프	설명
Leaky ReLU	$f(x) = \max(0.01x, x)$	• 렐루 함수의 한계점의 원인은 음수값들이 모두 0이 된다는 것이다. • 이를 해결하기 위해, 음수를 일부 반영해주는 리키 렐루(Leaky ReLUU)가 등장하게 되었다. • Leaky ReLUU는 음수에 값(0.01)곱하여 Dying ReLU를 보완하였다.
소프트맥스 (Softmax) 함수	$S(x_i) = \dfrac{\exp(x_n)}{\sum\limits_{i}^{n} \exp(x_i)}$, for $n \in 1, \dots k$	• 소프트맥스 함수는 목표값이 다범주인 경우에 사용 • 입력받는 값을 정규화하여 0~1사이의 값으로 출력 • 소프트맥스 함수를 적용한 노드의 출력값은 항상 1이다.

[활성함수의 종류]

≫ 기출유형 따라잡기

[03회] 소프트맥스(Softmax) 활성함수에 대한 설명 중 올바른 것은?
① 소프트맥스는 선형함수이다.
② 소프트맥스의 분산값은 1이다.
③ 소프트맥스의는 -1 ~ 1사이의 값을 갖는다.
④ 소프트맥스의 출력값의 합은 항상 1이다.

정답 ④
해설 Softmax(소프트맥스)는 입력받은 값을 출력으로 0~1사이의 값으로 모두 정규화하며 출력 값들의 총합은 항상 1이 되는 특성을 가진 함수이다. 분류하고 싶은 클래수의 수 만큼 출력으로 구성한다.
가장 큰 출력 값을 부여받은 클래스가 확률이 가장 높은 것으로 이용된다.

[03회] 다음 중 활성함수에 대한 설명 중 올바르지 않은 것은?
① 활성함수의 특징은 비선형 함수라는 것이다.
② 활성함수가 선형함수인 경우 은닉층을 여러번 추가하면 비선형함수의 역할을 하게 된다.
③ 선형함수란 출력이 입력의 상수배 만큼 변하는 함수를 말한다.
④ 시그모이드와 소프트맥스 함수 모두 대표적인 비선형 활성함수이다.

정답 ②
해설 활성화 함수가 선형 함수인 경우 여러 개의 선형 활성화 함수를 연결하여 층을 쌓아도 여전히 전체 네트워크는 선형 변환의 조합이므로 비선형 함수의 역할을 하지 않는다. 즉, 은닉층을 여러 번 추가해도 결국 하나의 선형 변환으로 표현될 수 있다.

> **기출유형 따라잡기**

[07회] 다음 중 보기의 설명에 들어갈 알맞은 말은?

〈 보 기 〉
역전파란 용어는 출력부터 반대방향으로 순차적으로 ㉠(   )을 수행해가면서 ㉡(   )를 조정한다는 의미이다.

① ㉠바이어스 ㉡학습률
② ㉠이동 ㉡가중치
③ ㉠편미분 ㉡학습률
④ ㉠손실함수 ㉡경사하강법

정답 ③

해설 역전파 알고리즘에서 편미분은 네트워크의 가중치와 편향에 대한 손실 함수(Loss Function)의 그래디언트(기울기)를 계산하는 과정을 나타낸다.

6) 경사 하강법(Gradient Method)

- 인공신경망은 손실함수(Cost Function)가 최소화 되도록 최적의 가중치와 바이어스를 찾아야 한다. 이 때 각 지점에서 손실함수의 값을 낮추는 방안을 제시하는 지표가 기울기라는 것이다.
- 경사법은 현 위치에서 기울어진 방향으로 일정 거리만큼 이동한다. 그런 다음 이동한 곳에서도 마찬가지로 기울기를 구하고, 또 그 기울어진 방향으로 나아가기를 반복한다. 이렇게 해서 함수의 값을 점차 줄이는 것이 경사법이다.

7) 기울기소실문제(Vanishing Gradient Problem)

- 신경망의 모형은 보이는 층(Visible Layer)과 숨겨진 층(Hidden Layer)로 구성된다.
- 보이는 층은 입력층(Input Layer)과 출력층(Output Layer)으로 구성되어 있고 그 안에서 어떤 계산이 이루어지는지 볼 수 없기 때문에 숨겨진 층, 또는 은닉층이라 한다.

- 은닉층이 많은 다층 퍼셉트론에서, 은닉층을 많이 거칠수록 전달되는 오차가 크게 줄어들어 학습이 되지 않는 현상이 발생하는데, 이를 기울기 소멸 문제라고 한다.
- 기울기가 거의 0으로 소멸되어 버리면 네트워크의 학습은 매우 느려지고, 학습이 다 이루어지지 않은 상태에서 멈추게 되면 신경망은 효과적인 학습을 할 수 없게 된다. 이것을 기울기 소실문제라고 한다.
- 단순하게 2개(Tanh, Sigmoid)를 비교하면 시그모이드 활성화 함수의 꼬리 부근에서 기울기는 '0'이 되기 때문에 역전파를 하는 동안 한 층의 노드에서 다른 층의 노드로 흘러야 할 신호가 거의 없게 된다.
- 이러한 현상은 은닉층이 다층일 때 더욱 악화된다. 그 결과로 입력층에 큰 변화가 있더라도 출력층에 크게 변화시키지 못하는 현상이 발생하게 된다.

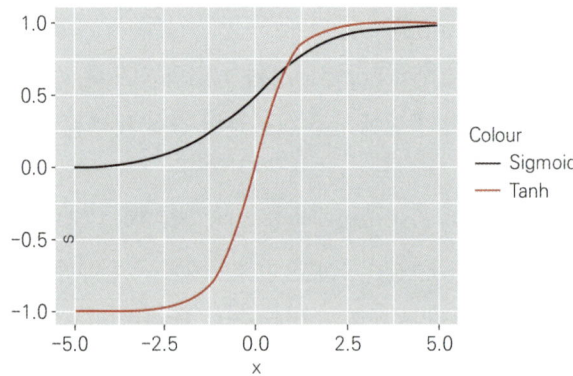

8) 인공신경망의 은닉층(Hidden Layer)수, 은닉 노드 수를 정할 때 고려해야 할 사항
① 다층신경망은 단층신경망에 비해 훈련이 어렵다.
② 시그모이드 활성함수를 가지는 2개 층의 네트워크는 임의의 의사결정 경계를 모형화할 수 있다.
③ 노드가 많을수록 복잡성을 잡아내기 쉽지만, 과적합의 가능성도 높아진다.
④ 은닉층 노드가 너무 적으면 복잡한 의사결정 경계를 만들 수 없다.
⑤ 출력층 노드의 수는 출력 범주의 수로 결정, 입력의 수는 입력 차원의 수로 결정한다.

9) 인공신경망의 장점·단점

장점	• 변수의 수가 많거나 입력, 출력변수가 복잡한 비선형 관계에 유용하다. • 잡음에 대해서도 민감하게 반응하지 않는다. • 입력변수와 결과변수가 연속형이나 이산형인 경우 모두 처리가 가능하다.
단점	• 결과에 대한 해석이 쉽지 않다. • 최적의 모형을 도출하는 것이 상대적으로 어렵다. • 데이터 정규화를 하지 않으면 지역해(local minimum)에 빠질 위험이 있다. • 모형이 복잡하면 훈련 과정에 시간이 많이 소요된다.

≫ 기출유형 따라잡기

[06회] 인공신경망에서 학습 시에 과적합 방지 방법으로 적절하지 않은 것은?
① 입력 노드수를 줄인다. ② 가중치 절댓값을 최대로 한다.
③ epoch 수를 줄인다. ④ hidden layer 수를 줄인다.

정답 ②

해설 Weight Decay(가중치감쇠)는 과적합(Overfitting)을 방지하기 위한 정규화(regularization)의 한 형태이다. 이는 신경망의 손실 함수에 가중치의 크기에 대한 페널티를 추가하여 모델의 복잡도를 조절하는 방법이다.

5 서포트 벡터머신(SVM, Support Vector Machine)

🖉 학습 목표

1. 서포트 벡터 머신 모형에 대해 학습한다.

🔍 출제 KEYWORD

① 비선형 SVM 커널함수의 파라미터 특징 ★★
② 선형 SVM 하드마진과 소프트마진 ★★
③ SVM 장점·단점 ★★

1. 서포트 벡터머신의 개념

- 서포트 벡터머신(Support Vector Machines, 이하 SVM) 모형은 고차원 또는 무한 차원의 공간에서 초평면을 찾아 이를 이용하여 분류와 회귀를 수행한다.
- 서포트 벡터 머신은 인공지능의 기계학습 분야 중 하나로, 패턴인식, 자료분석을 위한 지도학습 모델이다. 2개의 범주를 분류하는 이진 분류기이다.

- 주로 분류와 회귀 분석을 위해 사용되며, SVM 알고리즘은 주어진 데이터 집합을 바탕으로 하여 새로운 데이터가 어느 카테고리에 속할 것인지 판단하는 비확률적 이진 선형 분류모델을 만들게 된다.

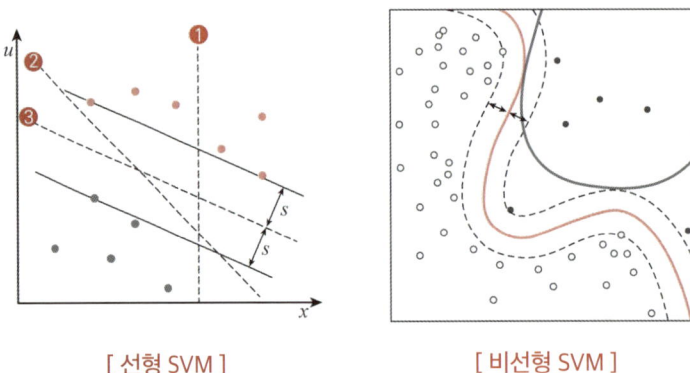

[선형 SVM]　　　　[비선형 SVM]

- 위의 그림에서 2개의 설명변수 x와 v가 구성하는 특징공간에 빨간색 부류에 속하는 샘플이 7개, 파란색 부류에 속하는 샘플이 5개가 분포하는 상황이다.
- ①번의 모델은 3개의 빨간색 샘플을 파란색 부류로 분류하므로 error rate(오분류율)이 25%다.
- 모델 ②, ③은 잘못 분류된 샘플이 없으므로 오류율은 0이다. 그럼 모델 ②, ③은 '성능이 같을까?'라는 질문에서 SVM는 출발한다.
- 일반화 능력 측면을 본다면 모델 ②보다는 모델 ③이 좋다. 이유는 모델 ②의 경계는 빨간색 집단에 너무 가까워서 빨간색 집단에 조금만 변형이 발생하면 잘못 분류하는 결과를 초래할 가능성이 크기 때문이다.
- SVM은 두 집단까지의 거리를(그림에서 2S) 마진(Margin)이라 부르고, SVM 학습 알고리즘은 이 마진을 최대화하는 모델을 찾는 것이라 할 수 있다.
- 여기서 직선으로 나눌 수 있다면 선형 분류모델을 적용하고, 직선으로 나눌 수 없는 경우 비선형 분류모델을 사용하게 된다.
- 그룹을 분류하는 데이터를 기준으로 한 선 또는 면을 Hyper Plane 이라고 한다.
- 서포트 벡터머신 모형은 선형분류 뿐 아니라, 커널 트릭(Kernel Trick)이라 불리는 다차원 공간상으로의 맵핑(Mapping) 기법을 사용하여 비선형분류도 효율적으로 수행한다.

2. 커널(Kernel) 함수

- 커널 함수는 비선형 데이터를 선형 데이터 공간으로 변환 또는 직선 경계를 곡선의 경계로 변환하는 함수를 말한다.
- Polynomial, Raidal basis function, Gaussian Kernel 등을 사용한다.
- 커널함수의 선택과 함수의 파라미터를 최적화하여 결정경계를 만든다.
- 인공신경망, SVM의 데이터는 각 속성에 모델에 대한 영향력을 균등화하기 위해 스케일링이 필요하다.
- 만약 SVM모델을 생성할 때 Kernel 파라미터 "Poly"로 설정한다면, 해당 커널은 모든 데이터 포인트를 다음과 같은 방법으로 변환한다.
- $(x,y) \Rightarrow (\sqrt{2}\,xy, x^2, y^2)$, 예를 들어 $(1,2) \rightarrow (2\sqrt{2}, 1, 4)$ 저차원에서 고차원으로 변환을 하게 되면 비선형 데이터를 아래 그림처럼 분류할 수 있게 된다.

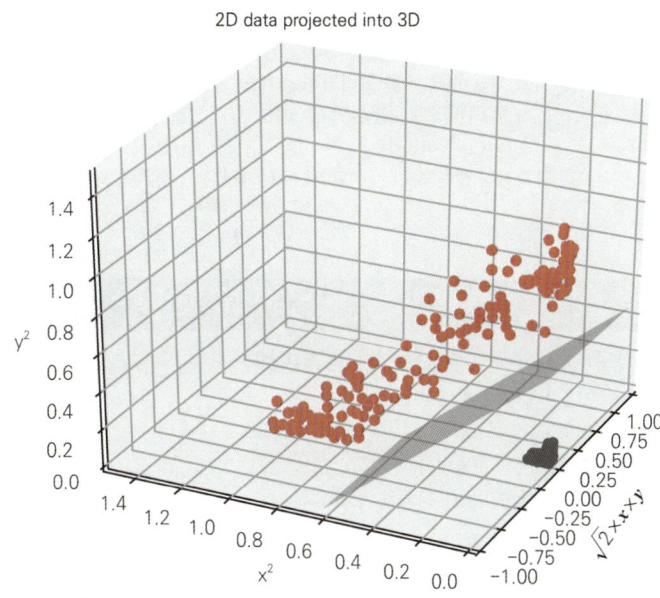

- **중요한 커널(Kernel) 함수**

종류	특징
RBF Kernel	• 기본 C만이 아닌 Gamma라는 파라미터를 가지게 된다. Gamma는 하나의 데이터의 영향력을 정하는 파라미터이다. • Gamma가 커질수록 결정 경계의 곡률이 커지며 과대적합이 되며, Gamma가 작아지면 결정경계의 곡률이 작아지고 과소적합이 되는 것을 볼 수 있다.
다항(Polynomial) Kernel	• 데이터를 더 높은 차원으로 변형하여 나타냄으로써 초평면(Hyperplane)의 결정 경계를 얻을 수 있다.

용어정리

- **선형 SVM 하드마진(Hard Margin)과 소프트 마진(Soft Margin)**
  ① 하드마진 SVM
     - 하드마진은 모든 훈련 데이터가 올바르게 분류되는 상황에서, 경계(마진)가 클래스 간의 최대 거리를 갖도록 하는 것을 목표로 한다.
     - 이는 데이터가 선형적으로 구분 가능하고 이상치가 없는 경우에 적용된다.
     - 하드마진의 단점은 데이터가 노이즈를 가지거나 선형적으로 구분되지 않는 경우에 제대로 동작하지 않을 수 있다는 점이다.
  ② 소프트마진 SVM
     - 소프트마진은 일부 이상치를 허용하며, 이를 고려하여 경계를 설정하는 방법이다.
     - 가운데 쉼표 소프트마진은 일부 데이터가 오분류되거나 이상치가 있을 경우에도 모델이 더 유연하게 대처할 수 있도록 한다.
     - 이는 데이터가 노이즈를 가지거나 선형적으로 완벽하게 구분되지 않는 경우에 사용된다.

≫ 기출유형 따라잡기

[02회] 다음 중 서포트벡터머신(SVM)에 대한 설명으로 옳지 않은 것은?
① 최적화한 모형을 만들기 위한 계산이 빠르다.
② 이진분류가 아닌 모형도 가능하다.
③ 분류와 회귀문제에 모두 적용 가능하다.
④ 비선형데이터도 커널 트릭을 이용해 분류가 가능하다.

정답 ①

해설
- 일반적인 SVM을 이용하려면, 인공신경망과 마찬가지로 여러가지 설계요소들을 분석자가 선택해야하기 때문에 임의성이 높고, 지역 최적해에 수렴할 가능성도 크다.
- SVM은 인공신경망과 필적할 만한 예측력을 가지고 있는 것으로 알려져 있지만, 인공신경망에 비해 도출된 모형에 대한 설명이 가능하고, 비교적 적은 데이터를 이용하는 경우에도 과대적합의 가능성이 적은 장점을 가지고 있다.
- 많은 수의 데이터가 존재하는 경우에는 데이터를 분석하고 이용하는데 시간이 소요되고, 종종 잡음이 심한 데이터가 포함된 경우에는 기대하는 수준의 예측성과를 얻지 못할 가능성이 있다.

3. 서포트 벡터머신의 장·단점

장점	• 비선형데이터도 커널 트릭을 이용해 분류가 가능하다. • 인공신경망보다 과적합의 위험이 적다. • 노이즈의 영향이 적다. • 저차원, 고차원 공간의 적은 데이터에 대해서 일반화 능력이 우수하다.
단점	• 하이퍼 파라미터와 커널선택에 민감하다. (최적의 모델을 찾기 위해서 커널과 모델에서 다양한 테스트가 필요) • 일반적으로 SVM은 학습 단계에서 내적(dot product)계산을 하므로, 차원이 매우 높거나 속성의 수가 많으면 계산이 매우 느려진다.

용어정리

- 서포트벡터머신 외에 대표적 분류모델로써 K-NN(K-Nearest Neighbors)이 있다.
- K-NN 분류모형은 새로운 데이터에 대해 이와 가장 유사한(거리) K-개의 과거자료의 결과를 이용하여 다수결로 분류한다.
- 예를 들어 아래 그림과 같이 새로운 자료(별표)가 K=3이면 Class B로 분류되고, K=6이면 Class A로 분류된다.
- KNN 분류모형은 학습이라고 할 만한 절차가 없다. 새로운 데이터가 들어왔을 때, 기존 데이터 사이의 거리를 측정해서 이웃들을 뽑기 때문에 게으른 모델(Lazy Model) 또는 사례기반학습(Instance-Based Learning)이라 한다.

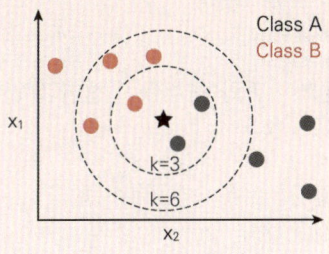

6 연관성분석

학습 목표
1. 연관규칙의 개념을 이해하고 활용한다.

출제 KEYWORD
① 연관성 측정지표 지지도·신뢰도·향상도 계산 문제 ★★★
② 향상도 개념 ★★
③ 연관규칙의 장·단점 ★★★
④ Apriori 알고리즘과 FP-Growth의 차이 ★★

1. 연관규칙의 개념

- 연관규칙(Association Rule)이란 항목들 간의 '조건-결과'식으로 표현되는 유용한 패턴을 말한다. 이러한 패턴, 규칙을 발견해내는 것을 연관분석(Association Analysis)이라 하며, 흔히 장바구니 분석이라고도 한다.
- 예를 들면 미국의 마트에서 기저귀를 사는 고객은 맥주를 동시에 구매한다는 연관규칙을 알아냈다고 한다. 이를 통해 기저귀와 맥주를 인접한 진열대에 위치해 놓으면 매출 증대를 꾀할 수 있다.

2. 연관규칙의 측정 지표

- 연관규칙을 이용할 수 있는 데이터는 판매시점에서 기록된 거래와 품목에 관한 정보를 담고 있어야 한다.
- 데이터는 특정 고객들이 누구인지에 대한 구분이나 성별, 나이 등의 인구 통계학적인 자료를 비롯한 기타 정보를 필요로 하지 않는다.
- 연관분석을 통해 도출된 연관규칙을 이해하는 것은 어렵지 않은 과정이다. 하지만 도출된 모든 규칙이 유의미한 것인지 확인해야 한다.
- 따라서 도출된 연관규칙이 얼마나 유의미한지 평가하기 위한 몇 가지 측정지표는 다음과 같다.

용어	개념 및 수식
지지도 (Support)	• 전체 거래 중 항목 A와 B를 동시에 포함하는 거래의 비율 $P(A \cap B) = \dfrac{A와 B가 동시에 포함된 거래 수}{전체 거래 수}$ • 지지도는 연관규칙 A → B, B → A가 같은 지지도를 갖기 때문에 두 규칙의 차이를 알 수가 없다.
신뢰도 (Confidence)	• 품목 A가 포함된 거래 중에서 품목 A, B를 동시에 포함하는 거래일 확률 $\dfrac{P(A \cap B)}{P(A)} = \dfrac{A와 B가 동시에 포함된 거래 수}{A를 포함하는 거래 수}$
향상도 (Lift)	• A와 B가 동시에 일어난 횟수/A, B가 독립된 사건일 때 A, B가 동시에 일어날 확률 $\dfrac{P(B \mid A)}{P(B)} = \dfrac{(A와 B가 동시에 포함된 거래 수) \div (A를 포함하는 거래 수)}{(B를 포함하는 거래 수) \div (전체 거래 수)}$ $\quad = \dfrac{(A와 B가 동시에 포함된 거래 수) \times (전체 거래 수)}{(A를 포함하는 거래 수) \times (B를 포함하는 거래 수)}$ $\quad = \dfrac{신뢰도}{P(B)} = \dfrac{P(A \cap B)}{P(A) \times P(B)}$ • 품목 A와 B 사이에 아무런 상호 관계가 없으면(독립) 향상도는 1이고 • 향상도가 1보다 높아질수록 연관성이 높다고 할 수 있다. • 향상도가 1보다 크면 양의관계, 1보다 작으면 음의관계

3. Apriori 알고리즘

- 연관규칙의 대표적인 알고리즘으로 현재도 많이 사용되고 있다. 기본개념은 데이터들에 대한 발생 빈도를 기반으로 각 데이터 간의 연관관계를 밝히기 위한 방법이다.
- 예를 들면 대형 마트에서 소비자의 물건 구매 패턴을 들 수 있다.

1) Apriori 알고리즘 분석 절차

① 최소지지도를 설정한다.
② 개별 품목 중에서 최소지지도를 넘는 모든 품목을 찾는다.
③ 2에서 찾은 개별 품목만을 이용하여 최소지지도를 넘는 두 가지 품목집합을 찾는다.
④ 위의 두 절차에서 찾은 품목집합을 결합하여 최소지지도를 넘는 세 가지 품목집합을 찾는다.
⑤ 반복적으로 수행해 최소지지도가 넘는 빈발품목집합을 찾는다.

> **용어정리**
> - 연관규칙 알고리즘
>   ① apriori 알고리즘
>   - 연관규칙의 대표적인 알고리즘으로 현재도 많이 사용되고 있다. 기본 개념은 데이터들에 대한 발생 빈도를 기반으로 각 데이터 간의 연관관계를 밝히기 위한 방법이다.
>   - 예를 들면 대형 마트에서 소비자의 물건 구매 패턴을 들 수 있다.
>   ② FP-Growth 알고리즘
>   - FP-Tree라는 구조를 통해 최소지지도를 만족하는 빈발아이템 집합을 추출할 수 있는 알고리즘이다.
>   - FP-Tree 알고리즘은 후보 빈발 아이템 집합을 생성하지 않아 apriori 알고리즘보다 속도가 빠르며, 연산 비용이 저렴하다.

4. 연관분석의 장·단점

장점	• 조건반응(If-Then)으로 표현되는 연관분석의 결과를 이해하기 쉽다. • 강력한 비목적성 분석기법이다. • 사용이 편리한 데이터 분석이다. • 분석 계산이 간편하다.
단점	• 분석 품목 수가 증가하면 분석 계산이 기하급수적으로 증가한다. • 너무 세부화된 품목을 가지고 연관규칙을 찾으려면 의미 없는 분석 결과가 도출된다. • 상대적으로 거래량이 적으면 규칙 발견 시 제외되기 쉽다.

5. 순차패턴 분석

1) 순차패턴분석의 개념

- **연관규칙**의 발견은 어떠한 고객의 시간에 따른 구매 정보를 활용하여 이루어지기도 한다.
- 발견된 **순차패턴**이 연관규칙 A → B는 "품목 A를 구매하면 추후에 품목 B도 구매한다"고 해석할 수 있다.
- 이처럼 순차적 패턴의 발견은 구매 순서가 고려되어 상품 간의 연관성이 측정되고, 유용한 연관규칙을 찾는 기법이다. 그러므로 이러한 규칙 발견을 위해서는 데이터에 각각의 고객으로부터 발생한 구매 시점에 대한 정보가 있어야 한다.

> **용어정리**
> - 연관규칙 분석
>   what goes with what?
> - 순차패턴 분석
>   what goes after what?

> **기출유형 따라잡기**

[05회] 연관 규칙의 측정 지표로서 'A를 구매한 경우, 이 중에서 얼마나 항목 B구매로 이어지는지를 의미'하는 지표는?
① 지지도
② 신뢰도
③ 향상도
④ 레버리지

정답 ②

해설 • 신뢰도는 항목A가 일어난 상황 하에서 항목B가 일어날 확률 (조건부확률)

[04회] 항목 집합의 지지도를 산출하여 발생빈도와 최소지지도를 기반으로 연관성 알고리즘을 무엇이라 하는가?
① Apriori
② FP-Growth
③ Decision Tree
④ SVM

정답 ①

해설 Apriori는 빈발항목집합을 추출하는 것이 원리이다. 빈발항목집합이란 최소지지도 이상을 갖는 항목집합을 의미한다.

7 군집분석

> **학습 목표**

1. 계층적 군집분석과 비계층적 군집분석의 특징을 이해한다.

> **출제 KEYWORD**

① 계층적 군집과 비계층적 군집 차이 ★★★
② 계층적 군집 거리 측정 방법 ★★
③ K-means 프로세스 ★★
④ 군집 수 k 결정방법 ★★
⑤ 실루엣 계수 정의 ★
⑥ 혼합분포 군집의 EM 알고리즘 ★
⑦ SOM과 인공신경망 차이점 ★★
⑧ 밀도기반군집 DBSCAN 알고리즘 ★

1. 군집분석의 개요

- 집단 또는 범주에 대한 사전 정보가 없는 데이터의 경우, 주어진 관측값을 사용하여 전체를 몇 개의 유사한 집단으로 그룹화하여 각 집단의 성격을 파악하기 위한 기법이다.

- 군집분석에 이용되는 다변량 자료는 별도의 반응변수가 요구되지 않으며, 오로지 개체들 간의 유사성(Similarity)에만 기초하여 군집을 형성한다.
- 군집분석은 이상값 탐지에도 사용되며, 심리학, 사회학, 경영학, 생물학 등 다양한 분야에 이용되고 있다.

2. 군집분석의 종류

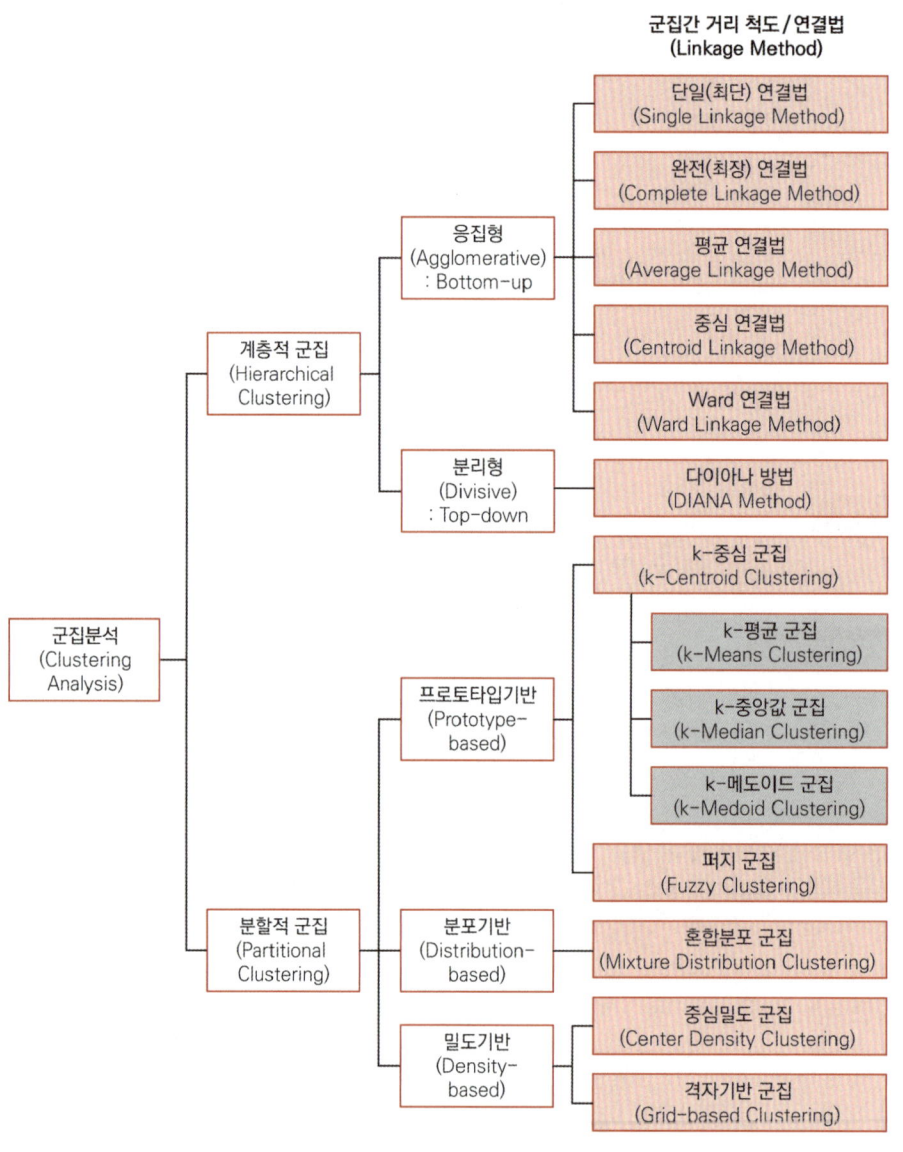

1) 계층적 군집(Hierarchical Clustering)

- 가장 유사한 개체를 묶어나가는 과정을 반복하여 원하는 개수의 군집을 형성하는 방법이다.
- 보통 계통도, 덴드로그램의 형태로 결과가 주어지며 각 개체는 하나의 군집에만 속하게 된다.
- 계층적 군집을 형성하는 방법에는 작은 군집으로부터 출발하여 군집을 형성해 나가는 병합적(Agglomerative)방법과, 큰 군집으로부터 출발하여 군집을 분리해 나가는 분할적(Divisive)방법이 있다.

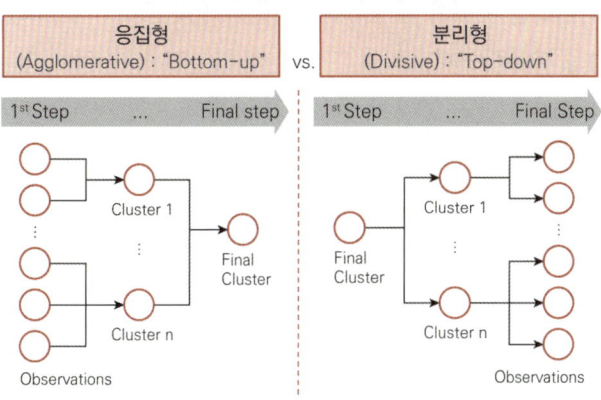

[병합적(응집형)과 분할적(분리형)방법]

- 계층적군집의 결과는 다음과 같이 덴드로그램(Dendrogram)의 형태로 표현된다. 이 그림을 통해 군집들 간의 구조적 관계를 쉽게 살펴볼 수 있다.
- 이 구조를 통해 항목 간의, 군집 간의 거리를 알 수 있고 군집 내의 항목 간 유사정도를 파악함으로써 군집의 견고성을 해석할 수 있다.

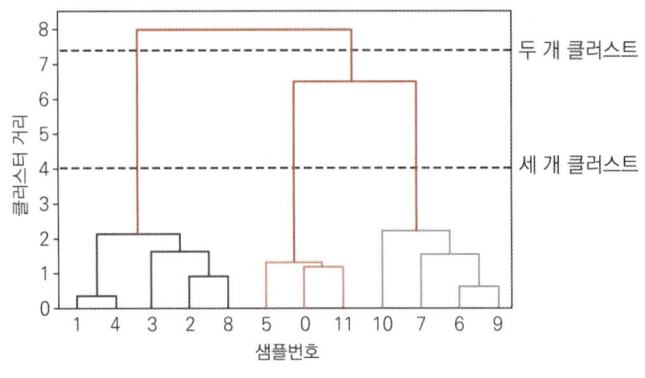

[덴드로그램]

- 계층적 군집 방법은 군집을 형성하는 데 매 단계에서 지역적(Local) 최적화를 수행해 나가는 방법을 사용하므로, 그 결과가 전역적인(Global) 최적해라고 볼 수는 없다.
- 계층적 군집 분석은 한번 군집이 형성되면 군집에 속한 개체는 다른 군집으로 이동할 수 없다.

① 계층적 군집의 거리측정 방법

- 계층적 군집을 수행할 때 두 군집간의 거리를 측정하는 방법에 따라 병합방법이 달라진다. 거리측정(또는 병합) 방법에는 최단연결법, 최장연결법, 중심연결법, 평균연결법, 와드연결법이 있다.

군집방법	거리 측정 비교	두군집사이의 거리
단일연결법 (single linkage)	최단거리	• 한 군집의 점과 다른 군집의 점 사이의 가장 짧은 거리 (Shortest Distance). • 사슬 모양으로 생길 수 있으며, 고립된 군집을 찾는 데 중점을 둔 방법이다.
완전연결법 (complete linkage)	최장거리	• 두 군집사이의 거리를 각 군집에서 하나씩 관측값을 뽑았을 때 나타날 수 있는 거리의 최댓값을 측정한다. • 같은 군집에 속하는 관측치는 알려진 최대 거리보다 짧으며, 군집들의 내부 응집성에 중점을 둔 방법이다.

군집방법	거리 측정 비교	두 군집 사이의 거리
평균연결법 (average linkage)	평균거리	• 모든 항목에 대한 거리 평균을 구하면서 군집화를 하기 때문에 계산량이 불필요하게 많아질 수 있다.
중심연결법(centroid)	중심거리	• 두 군집이 결합할 때 새로운 군집의 평균은 가중평균을 통해 구해진다.
와드연결법 (ward linkage)		• 군집 내의 오차제곱합에 기초하여 군집을 수행한다. • 보통 두 군집이 합해지면 병합된 군집의 오차제곱합은 병합 이전 각 군집의 오차제곱합의 합 보다 커지게 되는데, 그 증가량이 가장 작아지는 방향으로 군집을 형성해 나가는 방법이다. 와드연결법은 크기가 비슷한 군집끼리 병합하는 경향이 있다.

용어정리

- 단일연결법의 단점이라 할 수 있는 사슬모양의 발생
  - Drawback : Chaining phenomen
    Clusters that are very distant to each other
    may be forced together
    due to single elements being close to each other.

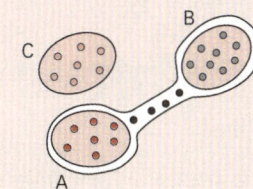

② 계층적 군집의 거리
- 계층적 군집은 두 개체(또는 군집)간의 거리(또는 비유사성)에 기반하여 군집을 형성해 나가므로 거리에 대한 정의가 필요하다.

- 연속형 변수의 거리

구분	종류	공식	설명
수학적 거리	유클리드 (Euclidian) 거리	$d(x,y) = \sqrt{\sum_{i=1}^{n}(x_i-y_i)^2}$	• 두 점간 차를 제곱하여 모두 더한 값의 양의 제곱근
	맨하튼 (Manhattan) 거리	$d(x,y) = \sum_{f=1}^{p}|x_i-y_i|$	• 시가(City-block) 거리라고도 불림 • 두 점 간 차의 절댓값을 합한 값
	민코프스키 (Minkowskii) 거리	$d(x,y) = \left[\sum_{i=1}^{n}|x_i-y_i|^m\right]^{1/m}$ m이 정수가 아니어도 되지만 반드시 1보다 커야 함	• m차원 민코프스키 공간에서의 거리 • m=1일 때 맨하튼 거리와 같음 • m=2일 때 유클리드 거리와 같음
통계적 거리	표준화 (Standardized) 거리	$d(i,j) = \sqrt{(x_i-x_j)'D^{-1}(x_i-x_j)}$ $D = D_{iag}(S_{11},\cdots,S_{pp})$: 표본분산(대각) 행렬	• 변수의 측정단위를 표준화한 거리
	마할라노비스 (Mahalanobis Distance) 거리	$d(i,j) = \sqrt{(x_i-x_j)'S^{-1}(x_i-x_j)}$ $S = (S_{ij})_{p\times p}$:표본 공분산 행렬	• 변수의 표준화와 함께 변수 간의 상관성(분포형태)을 동시에 고려한 통계적 거리

- 명목형 자료의 거리

거리	정의
단순 일치 계수 (Simple Matching Coefficient)	• $\frac{\text{매칭된 속성의 개수}}{\text{속성의 개수}}$ • 전체 속성 중에서 일치하는 속성의 비율
자카드(jaccard) 계수	• $J(A,B) = \frac{|A\cap B|}{|A\cup B|} = \frac{|A\cap B|}{|A|+|B|-|A\cap B|}$ • 두 집합 사이의 유사도를 측정하는 방법 • 0과 1사이의 값을 가지며 두 집합이 동일하면 1의 값, 공통의 원소가 하나도 없으면 0의 값을 가짐

- 순서형 자료의 거리

거리	내용
순위상관계수 (Rank Correlation Coefficient)	순위상관계수(Rank Correlation Coefficient)를 이용하여 거리를 측정한다. $\rho = 1 - \frac{6\sum_{i=1}^{n}d_i^2}{n(n^2-1)}$ • χ_i : 관측치 • d_i : i번째 데이터 순위 차

- 기타 거리 개념

거리	정의
캔버라 거리 $d(x,y) = \sum_{i=1}^{p} \frac{\mid x_i - y_i \mid}{(x_i + y_i)}$	• 가중치 있는 맨해튼 거리. 원점 주변에 흩어져 있는 데이터에 주로 사용
체비셰프 거리 (Chebyshev distance) $d(x,y) = \max \mid x_i - y_i \mid$	• 두 점의 x좌표 차이와 y좌표 차이 중 큰 값을 갖는 거리이다. • 체스 게임에서 왕(King)이 한 점에서 다른 점으로 이동할 때 필요한 최소 이동 횟수와 같다는 점에서 체스판 거리(Chessboard distance)라고도 한다.
코사인 유사도 (Cosine Similarity)	• 코사인 유사도는 두 벡터 간의 코사인 각도를 이용하여 구할 수 있는 두 벡터의 유사도를 의미 • 두 벡터의 방향이 완전히 동일한 경우에는 1의 값을 가지며, 90°의 각을 이루면 0, 180°로 반대의 방향을 가지면 -1의 값을 갖는다. • 결국 코사인 유사도는 -1 이상 1 이하의 값을 가지며 값이 1에 가까울수록 유사도가 높다고 판단할 수 있다 이를 직관적으로 이해하면 두 벡터가 가리키는 방향이 얼마나 유사한가를 의미 • 코사인 유사도의 용도로는 검색 엔진에서 검색어(Query)와 문서(Document)의 유사도를 구해서 가장 유사도가 높은 것을 먼저 보여주기 위한 기본 랭킹을 위한 알고리즘으로 사용된다.

③ 계층적 군집분석의 장·단점

장점	• 덴드로그램을 통해 군집화 결과를 표현하며 설명 및 해석이 가능하다. • 군집의 수를 명시할 필요가 없다.
단점	• 데이터 집합이 매우 클 경우 계산속도가 느리다. • 이상치 값에 민감하다. • 한번 군집이 형성되면 군집에 속한 개체는 다른 군집으로 이동할 수 없다.

2) 비계층적 군집

(1) K-평균 군집(K-Means Clustering)

- k-평균 군집(K-Means Clustering)은 원하는 군집 수만큼 초기값을 지정하고, 각 개체를 가까운 초기값에 할당하여 군집을 형성한 뒤, 각 군집의 평균을 재계산하여 초기값을 갱신한다.
- 갱신된 값에 대해 위의 할당 과정을 반복하여 k개의 최종군집을 형성하는 방법이다.

(2) K-Means Clustering 알고리즘 원리와 프로세스
   ① K-Means 알고리즘의 원리

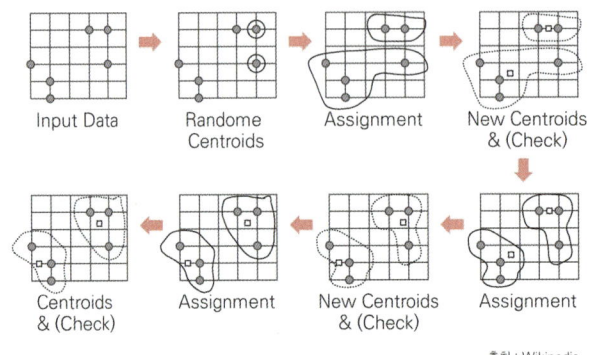

출처 : Wikipedia

   ② K-평균군집 proccess
   - 단계 1 : 초기 군집 중심(Centroid)으로 k개의 객체를 임의로 선택한다.
   - 단계 2 : 각 자료를 가장 가까운 군집 중심에 할당한다. 즉 자료들의 군집중심점(평균)으로부터 오차제곱합이 최소가 되도록 각 자료를 할당한다.
   - 단계 3 : 각 군집 내의 자료들의 평균을 계산하여 군집의 중심을 갱신한다.
   - 단계 4 : 군집 중심의 변화가 없을 때까지 단계 2와 단계 3을 반복한다.

(3) K-Means의 K의 수를 결정하는 방법
   ① 계층적 군집분석의 덴드로그램 시각화를 이용한 군집의 개수 결정
   ② K를 선택하는 방법 : 엘보우 기법
   - 클러스터 개수를 늘렸을 때 centroid 간의 평균 거리가 더 이상 많이 감소하지 않는 경우의 K를 선택하는 방법.
   - 개수가 늘 때마다 평균값이 급격히 감소하는데 적절한 K가 발견되면 매우 천천히 감소한다.
   - 그래프 상에서 이 부분이 팔꿈치랑 닮아서 엘보우 기법이라고 한다.

③ 실루엣 방법을 이용한 군집의 개수 결정(The Silhouette Method)

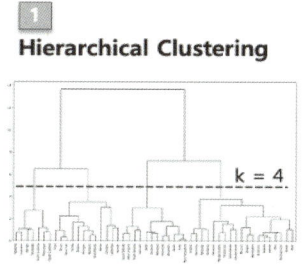
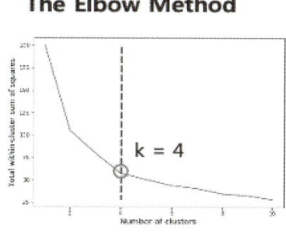
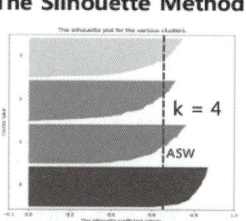

> **기출유형 따라잡기**

[02회] 다음 중 K-Means 알고리즘을 사용하여 군집분석을 할 때 최적의 군집수를 결정하는 방법으로 올바른 것은?
① 역전파 알고리즘
② 엘보우 기법
③ 와드 연결법
④ k-centroid

정답 ②

해설 엘보우 기법 (Elbow method)
SSE(Sum of squred error)값을 클러스터의 개수를 두고 비교를 한 그래프를 통해 급격한 경사도를 보이다가 완만한 경사를 보이는 SSE값을 보이는 부분(팔꿈치)에 해당하는 클러스터를 선택하는 기법을 통해 최적의 K값을 선택할 수 있다.

[04회] 다음 중 계층적 군집분석에 대한 설명으로 적절하지 않은 것은?
① 대표적으로 K 평균 군집분석이 있다.
② 덴드로그램으로 표현할 수 있다.
③ 병합 군집(Agglomerative Clustering)은 각각의 데이터 포인트를 하나의 클러스터로 지정하고, 지정된 개수의 클러스터가 남을 때까지 가장 비슷한 두 클러스터를 합쳐 나가는 알고리즘이다.
④ 군집수를 사전에 설정하지 않는다.

정답 ①

해설 K 평균 군집은 비계층적 군집이다.

[07회] 다음 중 사전에 군집을 설정하지 않아도 되는 것은?
① 가우시안 혼합행렬
② 스펙트럼 군집분석
③ 계층적 군집분석
④ k평균 군집분석

정답 ③

해설 계층적 군집 분석(Hierarchical Clustering)은 군집 수를 사전에 설정하지 않아도 되는 비지도 학습 기법 중 하나로 이 방법은 데이터의 유사성을 기반으로 계층적인 트리 구조로 군집을 형성한다.

(4) K-Means 장·단점

장점	• 알고리즘이 단순하며, 빠르게 수행되어 계층적 군집보다 많은 양의 자료를 처리한다. • 분석을 위해서 기본적으로 관찰치 간의 거리 데이터 형태(연속형), 거의 모든 형태의 데이터에 적용이 가능하다. • 주어진 데이터의 내부 구조에 대한 사전적 정보 없이 의미 있는 자료로 분석이 가능하다.
단점	• 잡음이나 이상값에 영향을 받기 쉽다. 평균 대신 중앙값을 사용하는 K-Medoids(중앙값)군집을 사용할 수 있다(R패키지의 pam()함수). • K-Means 분석 전에 이상값을 제거하는 것도 좋은 방법이다. • 계층적 군집과는 달리 k-Means 군집은 사전에 군집의 수를 정해주어야 한다. • 'U'형태의 군집이 존재할 경우에는 성능이 떨어진다. • 따라서 Nbclust 패키지의 집단내 제곱합그래프를 통해 군집의 수에 대한 정보를 참고해야 한다.

(5) 군집분석의 타당성 지표
- 군집분석은 정답(목표변수)이 없기 때문에 일반적인 머신러닝 알고리즘처럼 정확도(Accuracy) 등의 지표로 평가할 수 없다.
- 따라서 최적의 군집 개수를 정답 없이 알아내기란 쉽지가 않다.
- 그렇다고 해서 군집이 제대로 만들어졌는지 평가할 수 있는 방법이 아주 없지는 않다.
- 군집을 만든 결과가 얼마나 유용한지 따지는 군집 타당성 지표(Clustering Validity Index)가 있기 때문이다.
- 군집타당성지표는 아래 그림처럼, 군집 간 거리, 군집의 지름, 군집의 분산 등을 고려한다.
- 즉 군집 간 분산과 군집 내 분산을 고려한 지표가 바로 Dunn Index와 Silhouette 지표이다.

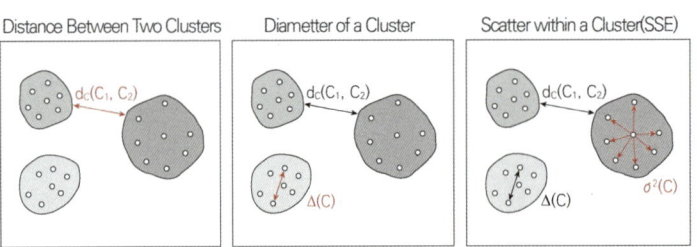

① Dunn Index
- Dunn Index는 군집 간 거리의 최솟값을 분자, 군집 내 요소 간 거리의 최댓값을 분모로 하는 지표이다.

- 군집 간 거리는 멀수록, 군집 내 분산은 작을수록 좋은 군집화 결과라 말할 수 있으며 이 경우에 Dunn Index는 커지게 된다.

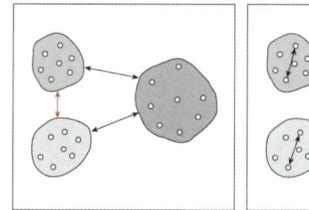
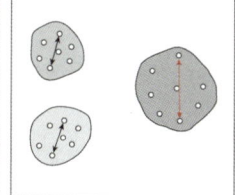

② 실루엣(Silhouette)
- 실루엣 지표를 계산하는 식은 아래와 같다.
$$s(i) = \frac{b(i) - a(i)}{\max(a(i), b(i))}$$
- 여기에서 a(i)는 i번째 개체와 같은 군집에 속한 요소들간 거리들의 평균
- b(i)는 i번째 개체와 다른 군집에 속한 요소들간 거리들의 평균을 군집마다 각각 구한 뒤, 이 가운데 가장 작은 값을 취한 것이다.
- 보통 실루엣 지표가 0.5보다 크면 군집 결과가 타당한 것으로 평가한다.

3. 혼합분포군집

1) 혼합분포군집의 개요
- 혼합분포군집은 모형 기반(Model-Based)의 군집방법으로, 데이터가 k개의 모수적 모형(정규분포 또는 다변량 정규분포를 가정함)의 가중합으로 표현되는 모집단 모형으로 나왔다는 가정하에서 모수와 함께 가중치를 자료로부터 추정하는 방법을 사용한다.
- k개는 각 모형의 군집을 의미, 각 데이터는 추정된 k개의 모형 중 어느 모형으로부터 나왔을 확률이 높은지에 따라 군집의 분류가 이루어진다.
- 혼합모형에서의 모수와 가중치의 추정에는 EM 알고리즘이 사용된다.

2) EM 알고리즘
- 아래 그림에서 EM 알고리즘 사례로 설명하면 A군집과 B군집이 혼합되어 있는 혼합분포 군집의 형태이다.
- 초기에 K-평균군집처럼 램덤하게 초기화되고, 각 관측치는 A군집에 속할 확률 또는 B군집에 속할 확률이 계산된다. 즉 각 자료가 어느 집단에 속하는지에 대한 정보를 가지는 변수를 잠재변수(Latent Variable)라 한다.

- 이 단계를 E-Step단계라 하고, 이 확률을 이용해서 최대우도추정으로 모수(평균과 분산)를 다시 추정하고, 이를 반복하면서 모수의 값이 변화가 없을 때까지 하는 단계를 M-Step단계라 한다.

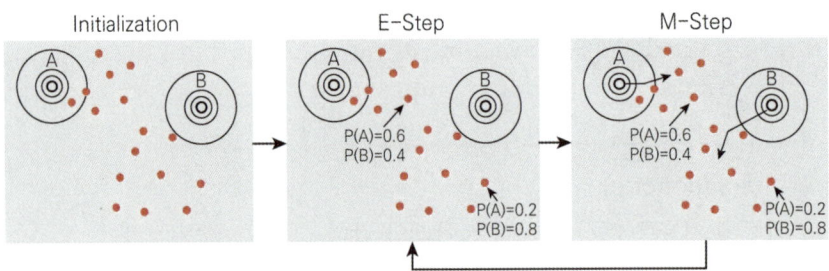

> **용어정리**
> - **최대가능도(Maximum Likelyhood Estimation)**
>   최대우도라고도 하며 어떤 확률변수에서 수집한 값들을 토대로 그 확률변수의 모수를 구하는 방법이다. 어떤 모수가 주어졌을 때 원하는 값들이 나올 가능도를 최대로 만드는 모수를 선택하는 방법이다. 점추정에 해당한다.
> - **로그가능도(Log-Likelyhood)**
>   최대가능도에 로그함수를 취해서 차수나 지수를 단순화시킨 방법이다. 최대가능도는 로그를 취해도 최대가 되므로 쉽게 계산하기 위해 보통 로그를 취해서 계산한다.

3) 혼합분포군집의 장·단점

장점	• K-평균군집의 절차와 유사하지만, 확률분포를 도입하여 군집을 수행 • 군집을 몇 개의 모수로 표현할 수 있으며, 서로 다른 크기나 모양의 군집을 찾을 수 있다. • 혼합분포군집 알고리즘 통해 이상치 탐지 기법으로 활용한다.
단점	• EM 알고리즘을 이용한 모수 추정에서 데이터가 커지면 수렴에 시간이 걸릴 수 있다. • 군집의 크기가 너무 작으면 추정의 정도가 떨어지거나 어려울 수 있다. • K-평균군집과 같이 이상치 자료에 민감하므로 사전에 조치가 필요

4. SOM(Self-Organizing Maps, 자기조직화지도)

1) SOM 개념
- SOM 또는 SOFM(Self-Organising Feature Map)은 인공신경망(ANN, Artificial Neural Network)의 한 종류로서 기본 개념은 1980년대 핀란드 교수인 Teuvo Kohonen이 제안한 Kohonen Network에 근간을 두고 있다.

- 차원축소(Dimensionality Reduction)와 군집화(Clustering)를 동시에 수행하는 기법인 자기조직화지도(SOM, Self-Organizing Map)는 입력 벡터를 훈련 집합에서 Match되도록 가중치를 조정하는 인공신경세포(Neuron) 격자에 기초한 자율학습(Unsupervised Learning)의 한 방법이다.

> **용어정리**
> - SOM 경쟁학습
>   - 입력벡터들을 신경회로망에 계속적으로 제사하면서 자율적으로 연결가중치를 변경시키는 방법
>   - 출력 뉴런들은 승자 뉴런이 되기 위해 경쟁하고 오직 승자만이 학습함
>   - 연결강도 벡터와 입력 벡터의 거리가 가장 가까운 뉴런만이 출력을 낼 수 있으며 이 노드를 Best Matching Unit이라 한다.
> - SOM VS ANN(인공신경망) 차이
>   ① ANN은 연속적인 레이어 구성, SOM은 뉴런(노드) 2차원 그리드 구성
>   ② ANN은 에러를 수정하는 방향으로 학습하는 역전파 알고리즘, SOM은 한번의 전방 전달(Feedforward Flow)로 연산속도가 빠르다.
>   ③ ANN 지도학습, SOM은 비지도학습(Unsupervised Learning)

2) SOM 구조

① 입력층(Input Layer)
  - 입력 벡터를 입력받는 층

② 경쟁층(Competitive Layer)
  - 입력 벡터의 특성에 따라 입력 벡터가 한 점으로 클러스터링 되는 층

③ 가중치
  - 인공신경망에서 가중치는 각 입력값에 대한 입력값의 중요도 값을 의미

④ 노드
  - 경쟁층에서 입력 벡터들이 서로의 유사성에 의해 모이는 하나의 영역

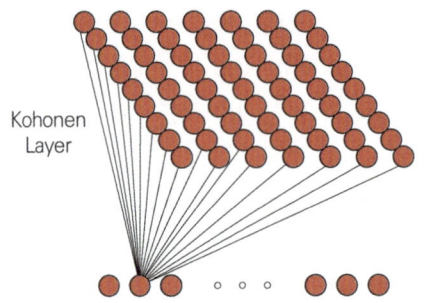

[SOM 구조]

3) SOM Process
- 단계 1 : SOM 맵의 노드에 대한 연결 강도로 초기화한다.
- 단계 2 : 입력 벡터와 경쟁층 노드 간의 유클리드 거리를 계산하여 입력 벡터와 가장 짧은 노드를 선택한다.
- 단계 3 : 선택된 노드와 이웃 노드의 가중치(연결강도)를 수정한다.
- 단계 4 : 단계 2로 가서 반복하면서 연결 강도는 입력 패턴과 가장 유사한 경쟁층 뉴런이 승자가 된다. 결국 승자 독식 구조로 인해 경쟁층에는 승자 뉴런만이 나타난다.

4) 자기조직화지도(SOM) 장·단점

장점	• 구조상 수행이 상당히 빠른 모델 • 여러 단계의 피드백이 아닌 단 하나의 전방 패스(Feedforward Flow)를 사용해 잠재적으로 실시간 학습 처리를 할 수 있는 모델
단점	• SOM은 단지 수치형 데이터 변수에서만 사용이 가능 • 범주형 자료는 더미변수(가변수)로 변환하여 사용해야 한다.

5. 밀도기반군집(Density-Based Clustering)

1) 밀도기반 군집 개요
- 밀도기반군집은 주변 밀도가 높은 각 데이터가 서로 가까이 위치하면 동일한 군집으로 묶이게 되는 방식을 사용한다.

- 거리기반 군집방법들은 일반적으로 구형의 군집만을 찾기 때문에 임의 형태의 군집을 찾는 데 어려움이 있으나, 밀도기반군집은 임의의 형태의 군집을 찾는 데 장점이 있다.
- 대표적인 밀도기반군집의 알고리즘은 DBSCAN(Density-Based Spatial Clustering of Application with Noise)이다.

2) DBSCAN 알고리즘

- DBSCAN은 2개의 파라미터가 필요하다.
- Eps와 조밀영역을 구성하는데 필요한 개체의 최소수(MinPts)를 설정한다.

① DBSCAN 프로세스

- 1단계 : eps와 MinPts를 설정
- 2단계 : 노이즈를 군집에서 제외
- 3단계 : eps 반경 안에 있는 코어점들을 서로 연결
- 4단계 : 연결된 코어점들을 하나의 군집으로 형성
- 5단계 : 경계점은 관련된 코어점을 포함하는 군집 중 하나에 할당

> **용어정리**
> - 코어점(Core Point) : eps 반경 내에 MinPts보다 많은 개체수가 포함
> - 경계점(Border Point) : eps 반경 내에 MinPts와 동일한 개체를 포함하는 점
> - 잡음점(Noise) : eps 반경 내에 MinPts보다 작은 수의 개체를 포함하는 점

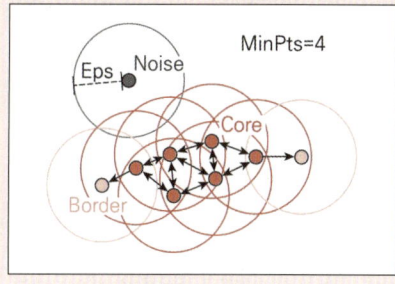

3) DBSCAN 장·단점

장점	• K-평균군집과는 달리 군집의 수를 미리 정할 필요가 없다. • 임의의 형태를 가지는 군집을 찾을 수 있다. • 노이즈 자료에 대한 정보를 제공하며 이상치에 민감하지 않다. • 단 2개의 파라미터만 요구되며 데이터베이스 값들의 순서에는 민감하지 않다.
단점	• 경계점은 두 군집 모두에 속할 수 있다.

》 기출유형 따라잡기

[06회] 군집화 알고리즘 중에서 군집의 수를 지정하지 않아도 되는 것은?
① K-Means Clustering
② DBSCAN
③ Gaussian Mixture Model
④ K-Median Clustering

정답 ②

해설 DBSCAN(Density-Based Spatial Clustering of Applications with Noise)은 밀도 기반 클러스터링 알고리즘으로, 군집 수를 설정하지 않아도 된다. 이 알고리즘은 데이터의 밀도가 높은 지역을 클러스터로 간주하며, 데이터 포인트 간의 밀도 차이를 기반으로 군집을 형성한다.

[06회] 인포그래픽 유형 중 역사적 사건이나 프로젝트 진행 상황 등을 시간 순으로 나열한 그래픽 표현을 무엇이라 하는가?
① 프로세스 다이어그램
② 타임라인
③ 지도
④ 스토리텔링

정답 ②

해설 타임라인은 일련의 사건이나 이벤트를 시간순으로 나열한 그래픽 표현이다. 시간에 따른 변화, 발전, 또는 특정 주제에 대한 연속적인 사건을 보여주는 데 사용된다. 타임라인은 역사 연구, 이벤트 추적, 프로젝트 관리, 그리고 데이터 시각화 등 다양한 분야에서 활용된다.

02 고급 분석기법

1 범주형 자료분석

학습 목표
1. 범주형 자료분석의 개념을 이해한다.

출제 KEYWORD
① 범주형 자료분석의 검정통계량의 의미 ★
② 범주형 자료 분석의 종류 차이점 구분 ★★

1. 범주형 자료 분석의 정의
- 관측된 자료들이 어떤 특성을 갖는지에 따라 몇 개의 범주로 분류되고, 각 분류된 범주에 속하는 도수를 이용한 통계적 추론방법을 범주형 자료 분석이라 한다.
- 두 연속형 변수 간의 선형 연관성을 검정하는 방법을 상관분석이라 한다면, 두 범주형 변수 간의 관계를 검정하는 경우 카이제곱(Chi-Square : x^2) 검정통계량을 이용한다.
- 카이제곱 검정은 교차표 형태로 주어지기 때문에 교차분석(Cross Analysis)이라고도 한다.

2. 범주형 자료 분석의 분석 절차
① 가설(귀무가설, 대립가설)을 설정한다.
② 기대도수를 구한다.
③ 검정통계량을 결정한다.
④ 유의수준과 그에 대응하는 기각 범위를 결정한다.
⑤ 검정통계량 값을 계산한다.
⑥ 검정통계량 값과 유의수준에 상응하는 기각 범위를 비교하여 통계적 결정을 한다.

3. 범주형 자료 분석의 종류
1) 카이제곱 독립성 검정(Chi-Square Independence Test)
- 카이제곱 독립성 검정은 두 범주형 변수 간에 서로 연관성이 있는지(종속인지) 없는지(독립인지)를 검정한다.

- 예제를 통한 카이제곱 독립성 검정 이해하기

> **예제 1)**
> 어느 병원에 내원한 환자들 중 800명을 임의 추출하여 흡연여부와 혈압을 측정한 자료가 다음과 같이 교차표 형태로 주어졌다고 하자. 흡연여부와 혈압은 연관성이 있는지 유의수준 5%에서 검정해 보자.
>
> | 흡연여부 | 혈압 | | | 합계 |
> |---|---|---|---|---|
> | | 고혈압 | 정상 | 저혈압 | |
> | 흡연 | 84 | 182 | 34 | 300 |
> | 비흡연 | 76 | 378 | 46 | 500 |
> | 합계 | 160 | 560 | 80 | 800 |
>
> [표<1> 흡연여부와 혈압에 대한 교차표]

① 가설을 설정한다.
- 귀무가설 : 흡연여부와 혈압은 상호 연관성이 없다.
  (흡연여부와 혈압은 서로 독립이다)
- 대립가설 : 흡연여부와 혈압은 상호 연관성이 있다.
  (흡연여부와 혈압은 서로 독립이 아니다)

② 기대도수를 구한다.
- 전체대상에서 각 범주의 귀무가설 하에서의 비율을 곱해 계산된 수를 기대도수(Expected Frequencey, E_i)라고 한다.
- 두 변수가 서로 독립 P(표본 n명 중 i, j셀에 속하는 빈도) $E_{ij} = (\frac{O_{i.}}{n})(\frac{O_{.j}}{n})n$ 가 된다.
- 즉 기대도수는 $E_{ij} = \frac{O_{i.} \times O_{.j}}{n}$
- 위 교차표에서 기대도수를 구하면 다음과 같다.

$$E_{11} = \frac{300 \times 160}{800} = 60, \ E_{12} = \frac{300 \times 560}{800} = 210, \ E_{13} = \frac{300 \times 80}{800} = 30$$

$$E_{21} = \frac{500 \times 160}{800} = 100, \ E_{22} = \frac{500 \times 560}{800} = 350, \ E_{23} = \frac{500 \times 80}{800} = 50$$

③ 카이제곱 검정통계량을 결정한다.
- 관측도수(Observed Frequency)는 O_{ij}로 표기하고, 기대도수는 E_{ij}로 표기한다.

$$x^2 = \sum_{i=1}^{r} \sum_{j}^{c} \frac{(O_{ij} - E_{ij})^2}{E_{ij}} \sim x^2(r-1)(c-1)$$

④ 유의수준과 그에 상응하는 기각 범위를 결정한다.
- 귀무가설 하에서 관측도수와 기대도수의 차이가 큰지를 검정하기 때문에 유의수준 α에서의 기각치는 $x^2_{\alpha,(r-1)(c-1)}$이 되고 기각범위는 기각치보다 큰 경우 귀무가설을 기각한다.

⑤ 카이제곱 검정통계량 값을 계산한다.

$$x^2 = \sum_{i=1}^{2}\sum_{j}^{3}\frac{(O_{ij}-E_{ij})^2}{E_{ij}} = \frac{(84-60)^2}{60} + \frac{(182-210)^2}{210} + ... \frac{(46-50)^2}{50} = 23.78$$

⑥ 검정통계량 값이 23.78로 유의수준 α=0.05에서의 기각치 $x^2_{0.05,2} = 5.991$보다 크므로 귀무가설을 기각한다. 즉 유의수준 5%에서 흡연여부와 혈압은 상호 연관성이 있다고 할 수 있다.

2) 카이제곱 동질성 검정(Chi-Square Homogeneity Test)

- 카이제곱 동질성 검정은 하나의 특성에 대하여 몇 개의 범주로 분류된 자료가 주어졌을 때 여러 모집단이 주어진 특성에 대하여 서로 동일한 분포를 하는지 검정하는 것이다.
- 카이제곱 동질성 검정의 가설 설정
- 귀무가설 : 각 집단이 특정 범주에 대해 동일한 비율을 가진다.
- 대립가설 : 각 집단이 특정 범주에 대해 동일한 비율을 갖지 않는다.
- 예제를 통한 카이제곱 동질성 검정 이해하기

예제 2)

어느 마케팅 부서에서는 연령대에 따라 마트선호도에 차이가 있는지를 알아보기 위해 각 연령대별 200명씩 조사한 결과 다음의 자료를 얻었다. 연령대에 따라 마트선호에 차이가 있는지를 유의수준 1%에서 검정해 보자.

연령대	마트선호도			합계
	E	L	H	
20대 미만	73	71	56	200
20-30대	102	55	43	200
40-50대	73	66	61	200
60대 이상	62	98	40	200
합계	310	290	200	800

[표<2> 연령과 마트선호도에 대한 교차표]

- 연령대별 표본의 크기가 200명으로 고정되어 있으며 연령대에 따라 마트 선호도에 차이가 있는지를 검정하므로 카이제곱 동질성 검정을 실시한다.

  ① 가설을 설정한다.
  - 귀무가설 : 연령대에 따라 마트 선호도의 비율은 같다.
    (연령대에 따라 마트 선호도에 차이가 없다.)
  - 대립가설 : 연령대에 따라 마트 선호도의 비율은 같지 않다.
    (연령대에 따라 마트 선호도에 차이가 있다.)

  ② 기대도수를 구한다.
  - $E_{11} = \frac{200 \times 310}{800} = 77.5$, $E_{12} = \frac{200 \times 290}{800} = 72.5$, $E_{13} = \frac{200 \times 200}{800} = 50$
  - $E_{21} = \frac{200 \times 300}{800} = 77.5$, $E_{22} = \frac{200 \times 200}{800} = 72.5$, $E_{23} = \frac{200 \times 200}{800} = 50$
  - $E_{31} = \frac{200 \times 310}{800} = 77.5$, $E_{32} = \frac{200 \times 290}{800} = 72.5$, $E_{33} = \frac{200 \times 200}{800} = 50$
  - $E_{41} = \frac{200 \times 310}{800} = 77.5$, $E_{42} = \frac{200 \times 290}{800} = 72.5$, $E_{43} = \frac{200 \times 200}{800} = 50$

  ③ 카이제곱 검정통계량을 결정한다.
  - 관측도수(Observed Frequency)는 O_{ij}로 표기하고, 기대도수는 E_{ij}로 표기한다.
  - $x^2 = \sum_{i=1}^{r} \sum_{j}^{c} \frac{(O_{ij} - E_{ij})^2}{E_{ij}} \sim x^2(r-1)(c-1)$

  ④ 유의수준과 그에 상응하는 기각 범위를 결정한다.
  - 귀무가설 하에서 관측도수와 기대도수의 차이가 큰지를 검정하기 때문에 유의수준 α에서의 기각치는 $x^2_{\alpha,(r-1)(c-1)}$이 되고 기각범위는 기각치보다 큰 경우 귀무가설을 기각한다.

  ⑤ 카이제곱 검정통계량 값을 계산한다.
  $$x^2 = \sum_{i=1}^{4} \sum_{j}^{3} \frac{(O_{ij} - E_{ij})^2}{E_{ij}} = \frac{(73 - 72.5)^2}{77.5} + \frac{(71 - 72.5)^2}{72.5} + ... \frac{(40 - 50)^2}{50} = 31.3$$

  ⑥ 검정통계량 값이 31.3으로 유의수준 α=0.01에서의 기각치 $x^2_{0.01,6} = 16.81$보다 크므로 귀무가설을 기각한다. 즉 유의수준 1%에서 연령대에 따라 마트선호도에 차이가 있다고 결론 내릴 수 있다.

3) 카이제곱 적합성 검정(Chi-Square Goodness of Fit Test)

- 단일 표본에서 한 변수의 범주 값에 따라 기대도수와 관측도수 간에 유의한 차이가 있는지를 검정한다.
- 카이제곱 적합성 검정의 자료구조 형태

범주	1	2	.....	k	합계
관측도수	O_1	O_2	.....	O_k	n
범주에 속할 확률	p_1	p_2	.....	p_k	1

- 예제를 통한 카이제곱 적합성 검정 이해하기

> **예제 3)**
> 국내자동차 시장 점유율은 현대 37%, 기아 33%, 한국지엠 13%, 르노삼성 9%, 쌍용 8%라고 알려져 있다. 1000명을 랜덤추출하여 조사한 결과가 다음과 같다고 할 때 이 자료로부터 기존에 알려진 국내자동차 시장 점유율이 옳다고 할 수 있는지 유의수준 5%에서 검정해보자.
>
> | 상표 | 현대 | 기아 | 한국지엠 | 르노삼성 | 쌍용 |
> |---|---|---|---|---|---|
> | 선호도 (단위 : 명) | 242 | 354 | 168 | 152 | 94 |
>
> [표<3> 내자동차 선호도조사 결과]

- 단일표본에서 I번째 범주에 속할 확률 p_i가 미리 주어진 확률과 같은지를 검정하므로 카이제곱 적합성 검정을 실시한다.

    ① 가설을 설정한다.
    - 귀무가설 : 현대, 기아, 한국지엠, 르노삼성, 쌍용의 시장 점유율은 각각 37%, 33%, 13%, 9%, 8% 이다.
    - 대립가설 : 현대, 기아, 한국지엠, 르노삼성, 쌍용의 시장 점유율은 각각 37%, 33%, 13%, 9%, 8% 아니다.

    ② 범주에 속할 확률에 표본크기 1000명을 곱하여 기대도수를 구하면 다음과 같다.

상표	현대	기아	한국지엠	르노삼성	쌍용
관측도수	242	354	168	152	94
범주에 속할 확률	0.37	0.33	0.13	0.09	0.08
기대도수	370	330	130	90	80

③ 카이제곱 검정통계량을 결정한다.

$$x^2 = \sum_{i=1}^{k} \frac{(O_{ij}-E_{ij})^2}{E_{ij}} \sim x^2(k-1)$$

④ 유의수준과 그에 상응하는 기각 범위를 결정한다.

귀무가설 하에서 관측도수와 기대도수의 차이가 큰지를 검정하기 때문에 유의수준 α에서의 기각치는 $x^2_{\alpha,(k-1)}$이 되고 기각범위는 기각치보다 큰 경우 귀무가설을 기각한다.

⑤ 카이제곱 검정통계량 값을 계산한다.

$$x^2 = \sum_{i=1}^{5} \frac{(O_{ij}-E_{ij})^2}{E_{ij}} = \frac{(242-370)^2}{370} + \frac{(354-330)^2}{330} + \ldots \frac{(94-80)^2}{80} = 102.3$$

⑥ 검정통계량 값이 102.3으로 유의수준 5%에서의 기각치 $x^2(4,0.05) = 9.488$보다 크므로 귀무가설을 기각한다. 즉 유의수준 5%에서 국내자동차 현대, 기아, 한국지엠, 르노삼성, 쌍용의 시장점유율은 각각 37%, 33%, 13%, 9%, 8%가 아니라고 할 수 있다.

≫ 기출유형 따라잡기

[02회] 다음 중 카이제곱 검정에 대한 설명 중 올바르지 않은 것은?
① 기대도수는 귀무가설에 따라 계산된다.
② 귀무가설이 기각되면 기대도수 합은 관측도수와 다르다.
③ 기대도수와 관측도수의 차이가 커지면 카이제곱 통계량도 커진다.
④ 카이제곱통계량은 기대도수와 관측도수를 이용하여 계산한다.

정답 ②
해설 적합, 독립, 동질에 대한 가설을 세우고 기댓값과 관측값의 차이가 클수록 귀무가설을 기각한다.

2 다변량 분석

학습 목표
1. 다양한 다변량 분석 기법을 학습한다.

출제 KEYWORD
① PCA의 공분산 행렬과 고윳값·고유벡터 이해 ★
② PCA 문제점 ★
③ 공분산분석 ★

1. 다변량 분석의 정의

- 다변량 분석(Multivariate Analysis)이란 여러 현상이나 사건에 대한 측정치를 개별적으로 분석하지 않고 동시에 한 번에 분석하는 통계적 기법을 말한다.
- 즉 여러 변수 간의 관계성을 동시에 고려해 그 효과를 밝히는 것을 말한다.
- 이때 여러 변수들을 동시에 고려하다 보니 다변량 분포는 평면상의 면적이 아니라 공간상의 입체적 표현이 필요하게 된다.
- 다변량 분석은 여러 변인들의 효과를 동시에 분석하기에 종속변수에 대한 효과가 개별 변수가 아니라 여러 변수 간의 선형조합으로 해석된다는 점에서 단변량 또는 이변량 분석과는 차이가 있다.
- 다변량 분석은 ① 변수 간의 인과 관계를 규명, 분석하거나 또는 ② 변수 간의 상관 관계를 이용하여 변수를 축약, ③ 개체들을 분류(Classfication)하는데 관련된 분석방법을 말한다.

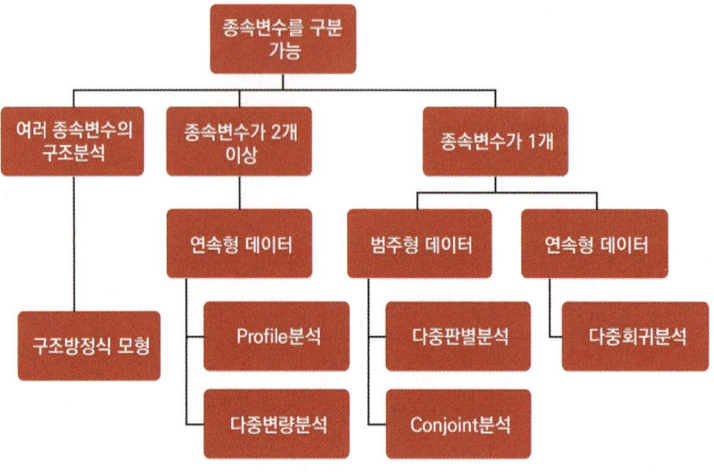

[여러 종류의 다변량 분석기법]

2. 다변량 분석의 종류

1) 종속변수와 독립변수 사이의 인과관계

(1) 다중회귀(Multiple Regression)

종속변수는 양적변수이고 독립변수는 양적 또는 범주형(가변수)이 혼합되어 있는 경우로 종속변수가 2개 이상인 경우를 다변량 회귀분석이라 하며, 회귀 모형들 간의 상호관계를 분석하는 경우를 연립 방정식 회귀 분석이라 한다.

| 사례 1 |
사람들의 재산 정도(단위:백만원)에 영향을 미치는 변수로 교육정도, 부모의 재산정도, 나이, 연봉을 생각해보자. 회귀분석은 재산 정도에 교육정도, 부모의 재산정도, 나이, 연봉이 영향을 미치는가(회귀계수의 유의성), 영향을 미친다면 어떤 영향(회귀 계수의 부호)으로 얼마나(회귀계수의 크기)영향을 미치는지, 어떤 변수의 영향력(표준화 회귀계수)이 가장 큰지를 알아볼 때 사용된다.

용어정리

다중회귀분석과 다항회귀분석의 차이점

다중 회귀(Multivariate Linear Regression)
- 설명변수(독립변수)가 k개이며 반응변수(종속)와의 관계가 선형(1차함수) 관계

다항회귀(Polynomial Regression)
- 독립변수의 차수를 높이는 형태
- 데이터에 각 특성의 제곱을 추가해주어서 특성이 추가된 비선형 데이터를 선형 회귀 모델로 훈련시키는 방법

$y = \beta_0 + \beta_1 x + \beta_2 x^2$

(2) 로지스틱 회귀분석(Logistic Regression)

종속변수가 이진 변수이거나 순서형 변수인 경우 사용되는 회귀분석 방법이다.

> | 사례 2 |
> 대학 졸업 예정자들의 취업 여부에 졸업 학점, 토익 성적, 전공과목 선택 비율 등이 영향을 미치는지 알아볼 때 로지스틱 회귀분석이 사용된다.

(3) 다중 로지스틱 회귀(Multiple Logistic Regression)

- 다중 로지스틱 회귀(Multiple Logistic Regression)는 둘 이상의 독립변수를 사용하여 범주형 종속변수를 예측하는 통계적 모델이다. 이는 로지스틱 회귀를 확장한 것으로, 여러 개의 독립변수를 고려하여 각 독립변수의 계수를 조절하여 종속변수의 확률을 모델링한다.
- 로지스틱 회귀에서는 하나의 이진 범주형 종속변수를 다루지만, 다중 로지스틱 회귀에서는 두 개 이상의 범주를 가진 다범주형 종속변수를 다룬다. 종속변수가 두 개 이상의 범주를 가지므로 각 범주에 대한 확률을 예측하는 데 소프트맥스 함수(softmax function)가 사용된다.

> | 사례 3 |
> 기상 조건에 따른 세 가지 종류의 날씨(맑음, 흐림, 비)를 예측하는 경우를 가정해보자. 이러한 예측 문제는 다중 클래스 분류 문제에 해당한다.

(4) 분산분석(ANOVA)

종속변수가 양적변수이고 독립변수가 2개 이상인 범주형 변수일 때 분산분석이 사용된다.

> | 사례 3 |
> 재산 정도(단위:백만원)에 교육정도(고졸이하, 대졸, 대학원졸), 부모의 재산 정도(상, 중, 하), 나이(30대, 40대, 50대)에 다른 차이가 있는지 알아보고자 할 때 분산분석이 사용된다.

(5) 다변량 분산분석(Multivariate ANOVA)

양적 변수인 종속변수가 2개 이상인 분산 방법이다.

> | 사례 4 |
> 사람의 근심지수(종속변수)와 불면지수(종속변수)에 성별, 교육정도, 재산정도가 영향을 미치는지 알고자 할 때 다변량 분산분석이 사용된다.

(6) 정준상관분석(Canonical Analysis)

- 다중회귀분석의 확장된 형태로 다수의 독립변수들과 다수의 종속변수들 사이에 존재하는 관계를 검토하는 것이다.
- 정준상관분석의 원리는 종속변수군과 독립변수군 간의 상관을 가장 크게 하는 각 변수군의 선형조합을 찾아내는 것이다.

> **| 사례 5 |**
> 물가와 경기를 주도하는 요인변수 군은 물가(임금상승률, 기초생필품가격, 국내유가, 부동산가격상승률 등), 경기(신규투자액, 수출액, 소비증대, 취업률 등)와 같다. 이때, 정준상관분석이란 "물가"와 "경기"라는 변량 그룹 사이의 상관성을 표현하며, 또한 둘 사이의 상관성을 가장 잘 표현해주는 요인변수들의 선형결합을 찾는 작업이다. 주성분분석이나 요인분석이 단일 변수군을 최적으로 설명하는 대체변량을 찾는다면, 정준상관분석은 두 변수군 사이의 상관성이 최대가 되는 두 변수군의 대체변량을 찾는 것이다.

(7) 공분산 분석(Analysis of Covariance)

- 이는 외생변수를 공변량으로 처리한 후 각 그룹 사이의 종속변수 값에 차이가 있는지를 조사하는 방법이다.
- 여기에서 외생변수라 함은 종속변수에 영향을 미칠 수 있으나 독립변수로 설정되지 않은 변수로서 외생변수와 종속변수 간의 상관관계가 높은 변수를 의미한다.
- 공변량의 의미는 외생변수 즉, 잡음을 통제하는 것으로 원래 비교하고 싶은 독립변수와 종속변수의 관계를 보기 위함이다.
- 공분산분석에서 변수의 특성 :
    - <u>메트릭척도의 독립변수(A)</u>와 <u>명목척도의 독립변수(B)</u>가 혼합되어 있을 때 사용함

        통제변수(공변량)   관심변수   ▶ 공분산분석
     (cf)   관심변수   통제변수   ▶ 다중회귀분석
- 공분산분석 vs 다중회귀분석 :

구 분		<다중회귀분석>	<공분산분석>
연구주제		아파트의 매매가격이 아파트 크기(평수)에 따라 어떠한 차이가 있는가?	아파트 매매가격이 지역별로 유의한 차이가 있는가?
종속변수		아파트 매매가격	
독립변수	관심대상	아파트 크기(평수)-메트릭척도	지역-명목척도
	통제대상	지역-명목척도	아파트 크기(평수)-메트릭척도

≫ 기출유형 따라잡기

[05회] 독립변수와 종속변수 척도에 따른 통계 분석 방법에 대한 설명 중 적절하지 않은 것은?
① t검정은 수치형 종속변수와 2개 범주의 독립변수를 사용하여 분석하는 방법이다.
② 로짓모형은 범주형 종속변수와 범주형 및 수치형 독립변수를 사용하여 분석하는 방법이다.
③ 카이제곱검정은 범주형 종속변수와 범주형 독립변수를 사용하여 분석하는 방법이다.
④ 공분산분석은 종속변수가 범주형, 독립변수가 연속형인 분석 방법이다.

정답 ④

해설
- 공분산분석(ANCOVA)는 그룹 간 평균 차이를 검정하는데 사용되는 통계적 분석 방법 중 하나이다.
- ANCOVA는 주로 두 개 이상의 그룹 간에 종속 변수의 평균을 비교할 때, 추가적으로 하나 이상의 연속형 공변량을 고려하여 그룹 간 차이를 조정한다.
- 이를 통해 실험 설계에서 발생하는 잡음이나 혼입 변수에 대한 효과를 제거하고 정확한 평균 차이를 검정할 수 있다.

≫ 기출유형 따라잡기

[06회] 종속변수가 범주형이고, 독립변수가 범주형 변수 하나가 아닌, 연속형이거나 둘 이상일 때의 예측모델은?
① 다중 선형회귀
② 다중 로지스틱회귀
③ 서포트벡터머신
④ 다층 퍼셉트론

정답 ②

해설 다중 로지스틱 회귀는 하나 이상의 독립 변수가 주어졌을 때, 여러 범주 중 하나에 속할 확률을 모델링하는 통계 기법이다. 각 범주에 대해 이진 로지스틱 회귀 모델이 생성되며, 각 모델은 해당 범주에 속할 조건부 확률을 예측한다. 모든 이진 모델을 통해 예측된 확률을 종합하여 최종적으로 어떤 범주에 속할지를 결정한다.

2) 변수 축약

(1) 주성분 분석(Principal Component Analysis, PCA)

- 주성분 분석은 개체들을 순서화 하거나 분류하는데 사용되기도 하고 회귀분석 시 발생하는 다중공선성 문제 해결 방법으로 이용된다.
- 주성분 분석은 최종분석이라기 보다 초기 분석방법으로 보는 것이 더 적절하다.
- 주성분 분석은 p개 변수들로부터 서로 독립인 k($<p$)개 주성분을 구해 원 변수의 차원을 줄이는 방법이다.

- 1933년 Hotelling은 p개의 변수를, p보다 적은 m개의 상호독립적인 변수로 종합화하는 주성분분석방법을 개발하였다. 이를 수식으로 표현하면, 선형 회귀모형과 유사한 독립변수들의 선형결합으로 나타나는데, 이들을 종속변수와의 거리인 "잔차"를 최소화하는 데 비해, 주성분분석은 독립변수들과 주성분과의 거리인 "정보손실량"을 최소화하거나 분산을 최대화한다.
- 주성분 분석(Principal Component Analysis, 이하 PCA)은 서로 연관된 여러 변수의 차원(변수의 수)을 축소하는 분석기법이다.
- PCA는 데이터 셋의 차원을 축소하되, 가능한 한 많은 정보(변동, Variation)를 보존하고자 하는 분석기법이다.

① 차원(Dimension)
- 공간 내에 있는 점 등의 위치를 나타내기 위해 필요한 축의 개수이다.
- 데이터 분석의 측면에서, '차원=변수의 수'로 이해

② 차원의 저주
- 변수의 수가 늘어나, 차원이 커지면서 발생하는 문제

③ 차원 축소와 주성분분석이 필요한 이유
- 차원의 저주로 복잡함 발생
- 복잡함(과적합 등) 탈피와 시각화의 용이를 위해 상관있는 변수들끼리의 정보 단순화
- 차원 축소(=차원의 수를 줄이는 것 = 변수의 수 줄이기) 시행
- 주성분 분석은 차원 축소를 위해 모든 변수를 조합하여 해당 데이터를 잘 설명할 수 있는 중요 성분을 가진 새로운 변수를 추출하는 것

④ 주성분 분석을 이해하기 위한 원리
- 원 변수들의 선형결합을 통해 무상관인(Uncorrelated) 변수들의 집합(이를 인자 또는 주성분이라 함)을 계산한다.
- 주성분의 수는 원 변수의 차원의 수만큼 만들어질 수 있으며, 이 가운데 소수의 처음 몇 개의 주성분이 원변수들이 가지는 변동의 대부분을 가지도록 순서화된다.

- 다음으로 고차원인 원자료의 값을 소수의(저차원의) 주성분 값만으로 변환한다(이때 다소의 정보의 손실이 발생한다).
- 이와 같은 데이터 셋의 차원 축소는 데이터를 저차원의 공간으로 시각화할 수 있으며, 데이터의 축약을 통해 알고리즘의 계산 시간을 크게 감소시켜 준다.
- 또한, 많은 통계적 모형은 공변량 간의 높은 상관계수로 인해 어려움이 있으며, PCA는 서로 간에 상관성이 없는 공변량들의 선형결합을 제공하는 데 사용될 수도 있다.

⑤ 고윳값(Eigenvalue)과 고유벡터(Eigenvector) 이해
- n × n 정방행렬 A에 대해 $Ax = \lambda x$를 만족하는 0이 아닌 열벡터 v를 고유벡터, 상수 λ를 고윳값이라 정의한다.

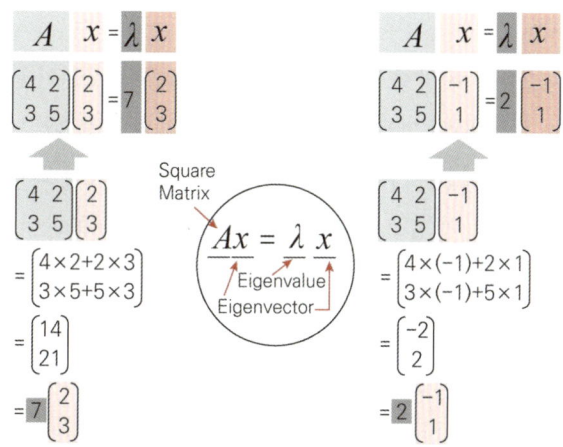

- 행렬 A의 고유벡터는 선형변환 A에 의해 방향은 보존되고 크기만 변화되는 방향 벡터를 나타내고 고윳값은 고유벡터의 변화되는 크기 정도를 나타내는 값이 된다.

⑥ 공분산행렬
- 행렬이란 선형변환이고 하나의 벡터공간을 선형적으로 다른 벡터 공간으로 매핑하는 기능을 가진다.
- 데이터를 공분산 행렬을 적용하여 선형변환을 한다는 것은 다음과 같다.

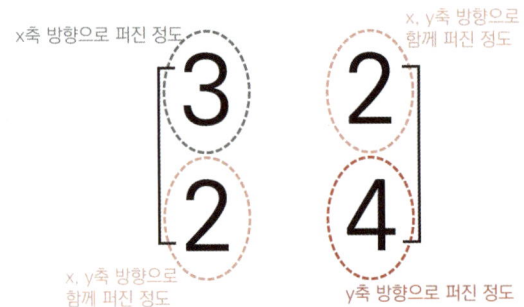

- 1행 1열의 원소는 1번 Feature Variance를 나타낸다. 즉 x축 방향으로 얼마만큼 퍼지게 할 것인가를 말해준다.
- 1행 2열 원소와 2행 1열의 원소는 각각 x, y축으로 함께 얼마만큼 퍼지게 할 것인가를 말해준다.
- 2행 2열 원소는 y축 방향으로 얼마만큼 퍼지게 할 것인가를 말해준다.
- 고유벡터는 그 행렬이 벡터에 작용하는 주축의 방향을 나타내므로 공분산 행렬의 고유벡터는 데이터가 어떤 방향으로 분산되어 있는지를 나타내준다고 할 수 있다.
- 고윳값은 고유벡터 방향으로 얼마만큼의 크기로 벡터공간이 늘려지는 지를 의미하기 때문에 고윳값이 큰 순서대로 고유벡터를 정렬하면 결과적으로 중요한 순서대로 주성분을 구하는 것이 된다.

⑦ 주성분 분석 절차

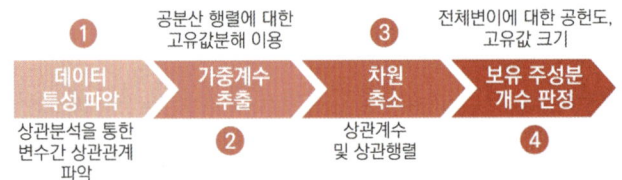

⑧ 주성분 분석의 문제점
- 주성분 분석의 문제점은 측정단위에 따라 분산이 크게 달라진다.
- 표준화를 하는 경우
    - 측정단위가 다른 경우
    - 상관행렬로부터 시작하는 주성분분석

- 표준화하지 않는 경우
  - 자료의 단위가 동일한 경우
  - 공분산행렬로부터 시작하는 주성분분석
  - 표준화 하지 않는 경우 단위그대로의 데이터를 사용하기 때문에 모집단의 특성을 반영할 수 있다.

(2) 요인분석(Factor Analysis, FA)
- 측정변수들을 그룹화 하는데 사용된다. 원 변수를 설명하는 내재변인에 의해 원 변수를 그룹화 하는 분석 방법이다.
- 변수 간의 관계를 새로운 변수를 이용하여 살펴본다는 면에서 주성분 분석과 유사하나 요인분석은 변수들을 그룹화하는 것이 목표이며 주성분분석은 새로운 변수인 주성분을 이용하여 원 변수의 차수를 줄이는 것이 목적이다.

> **기출유형 따라잡기**
>
> [05회] 주성분 분석에 대한 설명 중 적절하지 않은 것은?
> ① 주성분 분석 간에는 독립관계이다.
> ② 고차원 데이터를 저차원으로 변환한다.
> ③ 주성분은 기존 변수들의 선형결합으로 이루어져 있다.
> ④ 주성분 분석을 위해서는 변수의 수가 표본의 수보다 항상 커야 한다.
>
> **정답** ④
> **해설** ④ 차원의 저주에 대한 설명이다.

3) 개체 분류
개체들의 특성을 측정한 변수들의 상관관계를 이용하여 유사한 개체를 분류하는 방법

① 군집분석
- 군집분석과 판별분석은 개체들을 그룹화 한다는 면에서 유사하나 판별분석은 분석 이전에 개체들의 그룹이 정해져 있고 군집분석은 분석을 통해 적절한 그룹 개수가 결정되고 개체가 분류된다.
- 개체들의 특성을 측정한 변수들을 이용하여 개체들 간의 유사성을 측정하고 이를 이용하여 개체들을 저 차원에 표현하는 다차원척도법도 군집분석의 일종이다.

② 판별분석
- 이미 2개 이상의 그룹으로 나누어진 개체들에 대해 분류에 영향을 미칠 것 같은 특성(변수)을 측정하고 이를 이용하여 판별식을 구해 새로운 개체를 분류하는 방법이다.
- 예를 들어, 신용 카드 회사에서 신용도를 평가하여 고객들을 우량, 보통, 불량으로 구분하고 신용판별에 적합하다고 생각되는 변수(재산정도, 월 수입, 학력)를 조사하였다고 가정하자.
- 이 변수들을 이용하여 신용도 평가 판별식을 설정하고 새로운 신청자가 오면 이 판별식에 의해 신용도를 평가하게 된다.

③ 다차원척도법
- 다차원척도법(MDS)은 다차원 관측값 또는 개체들간의 거리(Distance) 또는 비유사성(Dissimilarity)을 이용하여 개체들을 원래의 차원보다 낮은 차원(보통 2차원)의 공간상에 위치시켜(Spatial Configuration) 개체들 사이의 구조 또는 관계를 쉽게 파악하고자 하는데 목적이 있다. 개체 간의 거리 계산은 유클리드 거리 행렬을 사용한다.
- 즉, 차원의 축소를 통해 개체들의 상대적 위치 등을 통해 개체들 사이의 관계를 쉽게 파악하고자 하는데 목적이 있다고 할 수 있으며, 공간적 배열에 대한 주관적인 해석에 중점을 두고 있다.
- 차원의 축소를 위해 개체들 사이의 근접도(Proximity)를 나타내는 측도로서 거리 또는 비유사성을 이용하며 오차(Error) 또는 잡음(Noise)이 포함되기도 한다.
- 차원 축소 시 가능하면 축소된 후의 개체들 사이의 근접도에 의한 개체들 사이의 순위(Ordering)가 축소 전의 근접도에 의한 개체들 사이의 순위와 거의 일치하도록 하는 것이 바람직하며 이를 위해 근접정도를 나타내는 측도로 Stress(스트레스)를 이용한다.
- 각 개체들을 공간상에 표현하기 위한 방법은 STRESS나 S-STRESS를 부적합도 기준으로 사용한다.
- 최적모형의 적합은 부적합도를 최소로 하는 방법으로 반복알고리즘을 이용하게 적합하게 되며, 이 값이 일정한 수준이하로 될 때 최종적으로 적합된 모형으로 제시하게 된다.

- 이 값은 0과 1 사이의 값을 취하며, 0 으로 작아질수록 적합된 모형이 적절하다고 판단한다.

스트레스 값(Stress Value)

$$s = \sqrt{\frac{\sum_{i=1, j=1}^{n}(d_{ij} - \hat{d}_{ij})^2}{\sum_{i=1, j=1}^{n}(d_{ij})^2}}$$

$(0 \leq s \leq 1)$

d_{ij} : 개체 I부터 j까지 거리
$\hat{d}_{ij}$: 추정된 거리

스트레스값	적합도 수준
0	완벽(Perfect)
0.05이내	매우 좋음(Excellent)
0.05~0.10	만족(SatisFaction)
0.10~0.15	보통(Acceptable)
0.15이상	나쁨(Poor)

≫ 기출유형 따라잡기

[02회] 다음 중 다차원척도법 설명으로 올바르지 않은 것은?
① 개체 간의 거리계산은 유클리드 거리행렬을 사용한다.
② 스트레스 값은 0에 가까울수록 적합된 모형이라 할 수 있다.
③ 다차원척도법(MDS)은 다차원 관측값 또는 개체들간의 거리(Distance) 또는 비유사성(Dissimilarity)을 이용하여 개체들을 원래의 차원보다 낮은 차원(보통 2차원)의 공간상에 위치시켜(Spatial Configuration), 개체들 사이의 구조 또는 관계를 쉽게 파악하고자 하는데 목적이 있다.
④ 공분산 행렬을 사용하여 고유값(Eigenvalue)이 1보다 큰 주성분의 수를 이용한다.

정답 ④
해설 보기 ④는 주성분분석의 대한 설명이다.

3 시계열 분석(Time Series Analysis)

🖉 학습 목표
1. 시계열 예측 모형을 이해한다.

🔍 출제 KEYWORD
① 정상성조건 ★★
③ 이동평균과 지수평활법 차이 ★★
⑤ 분해시계열 ★★
② 비정상시계열 전환 방법 ★
④ AR·MA·ARMA·ARIMA & 백색잡음 정의 ★

- 시간의 흐름에 따라서 관측된 데이터를 시계열자료(Time-Series Data)라고 한다.
- 시계열분석을 위해서는 정상성(Stationary)을 만족해야 한다.

1. 정상성

- 정상성(Stationary)은 시계열의 수준과 분산에 체계적인 변화가 없고, 엄밀하게 주기적 변동이 없다는 것으로, 미래는 확률적으로 과거와 동일하다는 것을 뜻한다.
- 정상성은 아래의 3가지 조건을 모두 만족해야 한다.

① 평균값은 시간 t에 관계없이 일정하다.

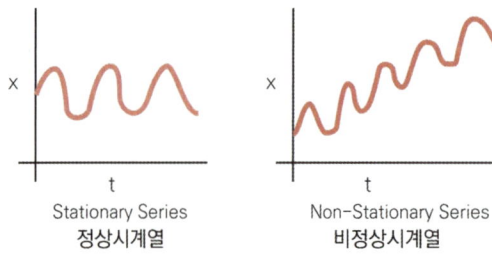

② 분산값은 시간 t에 관계없이 일정하다.

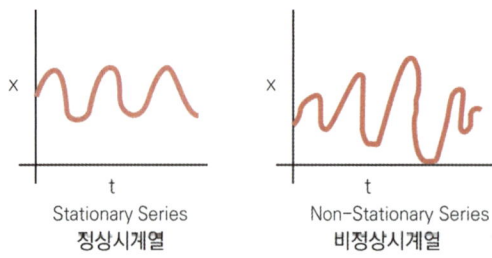

③ 공분산은 시간 t에 의존하지 않고 오직 시차에만 의존한다.

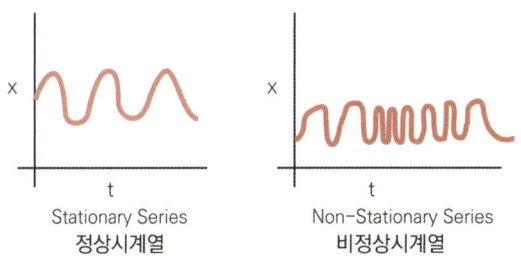

Stationary Series
정상시계열

Non-Stationary Series
비정상시계열

- 위에서 정의한 정상성 조건을 하나라도 만족하지 못하는 경우를 비정상시계열이라고 말한다. 대부분의 시계열 자료는 비정상시계열 자료이다.

2. 비정상시계열을 정상시계열로 전환하는 방법

- 시계열의 평균이 일정하지 않은 경우에는 원시계열에 차분(현재 시점에서 바로 전 시점의 자료 값을 빼는 것)하면 정상시계열이 된다.
- 계절성을 갖는 비정상시계열은 정상시계열로 바꿀 때 계절차분을 사용한다.
- 분산이 일정하지 않는 경우에는 원계열에 자연로그(변환)를 취하면 정상시계열이 된다.

3. 시계열분석방법

- 시계열 자료의 분석기법에는 평활법, 시계열 요소분해법, 회귀분석법, ARIMA 모형법 등이 있다.

1) 시계열 요소 분해법

- 시계열요소 분해법은 시계열 자료의 4가지 변동요인을 찾아서 시각적으로 분석하는 기법을 의미하며, 대체로 추세와 계절 변동요인은 추세선에서 뚜렷하게 나타난다.
- 특히 추세 변동분석은 시계열 자료가 증가하거나 감소하는 경향이 있는지를 파악하고, 증가나 감소의 경향이 선형인지 비선형인지 또는 S곡선과 같은 성장 곡선인지를 찾는 과정이 필요하다.
- 이와 같은 추세의 패턴을 찾는 방법은 다음과 같은 세 가지 방법이 있다.
    ① 차분후 일정한 값을 나타내면 선형의 패턴
    ② 로그변환 후 일정한 값을 나타내면 비선형의 패턴(U자)
    ③ 로그변환 후 1차 차분 결과가 일정한 값으로 나타나면 성장곡선의 패턴(S자)

2) 평활법(Smoothing Method)

- 시계열 자료의 체계적인 자료의 흐름을 파악하기 위해서 과거 자료의 불규칙적인 변동을 제거하는 방법이다. 즉 시계열 자료의 뾰족한 작은 변동들을 제거하여 부드러운 곡선으로 시계열 자료를 조정하는 기법이다. 대표적인 평활법에는 이동평균과 지수평활법이 있다.

① 이동평균(Moving Average)
- 시계열 자료를 대상으로 일정한 기간의 자료를 평균으로 계산하고, 이동시킨 추세를 파악하여 다음 기간의 추세를 예측하는 방법이다. 이동평균법은 다음과 같은 특징을 갖는다.
- 시계열 자료에서 계절변동과 불규칙 변동을 제거하여 추세 변동과 순환 변동만 갖는 시계열로 변환한다(시계열에서 추세와 순환 예측).
- 자료의 수가 많고 비교적 안정적인 패턴을 보이는 경우 효과적이다.

② 지수평활법(Exponential Smoothing)
전체 시계열 자료를 이용하여 평균을 구하고, 최근 시계열에 더 큰 가중치를 적용하는 방법이다.

3) ARIMA 모형법

시계열 모형은 정상성(Stationarity)의 조건 유무에 따라서 다음과 같이 두 가지 형태로 분류된다.

- 정상성을 가진 시계열 모형 : 자기회귀모형(AR), 이동평균모형(MA), 자기회귀이동평균모형(ARMA)
- 비정상성을 가진 시계열 모형 : 자기회귀누적이동평균모형(ARIMA)
- ARIMA 모형으로 시계열 자료를 처리하는 절차는 아래와 같이 모형의 식별, 추정 그리고 모형 진단의 과정을 거친다.

① 식별
식별 단계에서는 ARIMA의 3개 차수(p,d,q)를 결정한다. 즉 현재 시계열 자료가 어떤 모형(AR,MA,ARMA)에 해당하는가를 판단하는 단계이다. 식별의 수단은 자기상관함수 또는 부분자기상관함수를 이용한다.

② 추정
식별된 모형의 파라미터를 추정하는 단계이다. 파라미터를 추정하는 수단은 최소제곱법을 이용한다.

③ 진단

모형 식별과 파라미터 추정에 의해서 생성된 모형이 적합한지를 검증하는 단계이다. 적합성 검증의 수단으로 잔차가 백색잡음(White noise)인지를 살펴보고, 백색잡음과 차이가 없다면 적합하다고 할 수 있다. 백색잡음이란 모형의 잔차가 불규칙적이고, 독립적으로 분포된 경우를 의미한다. 즉 특정 시차 간의 데이터가 서로 관련이 없다는 것을 의미한다.

4. 시계열모형

1) 자기회귀모형

- 자기회귀모델(AR)은 과거와 현재의 자신과의 관계를 정의
- 이전 관측값(과거) 이후 관측값(현재)에 영향을 주는 원리를 사용한다.

$$Z_t = \Phi_1 Z_{t-1} + \Phi_2 Z_{t-2} + \ldots + \Phi_p Z_{t-p} + a_t$$

- Z_t : 현재 시점의 시계열 자료, t를 현재시점, p를 과거시점
- $Z_{t-1}, Z_{t-2} \cdots Z_{t-p}$: 1 ~ p 시점 이전의 시계열 자료
- Φ_p : p시점이 현재 시점에 어느 정도 영향을 주는지 나타내는 모수
- a_t : 백색잡음과정(대표적 정상 시계열), 시계열분석에서 오차항을 의미한다.

- 자기회귀모형은 현 시점의 시계열 자료에 몇 번째 전 자료까지 영향을 주는지 알아내는 데 목적이 있다.
- 현 시점의 시계열 자료에 과거 1시점 이전의 자료만 영향을 준다면, 이를 1차 자기회귀모형이라고 하며 AR(1)모형이라 한다.
- 자기회귀모형인지 판단하기 위한 모형 식별을 위해서 데이터에 자기상관함수와 부분자기상관함수를 이용한다.
- 일반적으로 자기회귀모형은 자기상관함수(ACF)가 시차가 증가함에 따라 점차적으로 감소하고, 부분자기상관함수(PACF)는 p+1시차 이후 급격히 감소하여 절단된 형태를 취한다.
- 이를 AR(p)모형이라고 한다.

> **용어정리**
> - 자기 상관 함수(ACF): 자기 상관 함수는 시계열 데이터에서 시간 지연(lag)에 따른 변수의 관측치 간 상관 관계를 측정한다.
> - ACF는 일반적으로 -1에서 1까지의 값을 가지며, 0은 상관이 없음을 나타낸다.
> - 자기 상관 함수는 공분산을 기반으로 자기 상관성을 측정하는 방법 중 하나이다.
> - 부분 자기 상관 함수(PACF): 부분 자기 상관 함수는 다른 시간 지연에서의 영향을 제외하고 두 시점 간의 자기 상관성을 측정한다.
> - PACF는 변수의 자기 상관을 계산할 때 중간 단계의 영향을 배제한다.

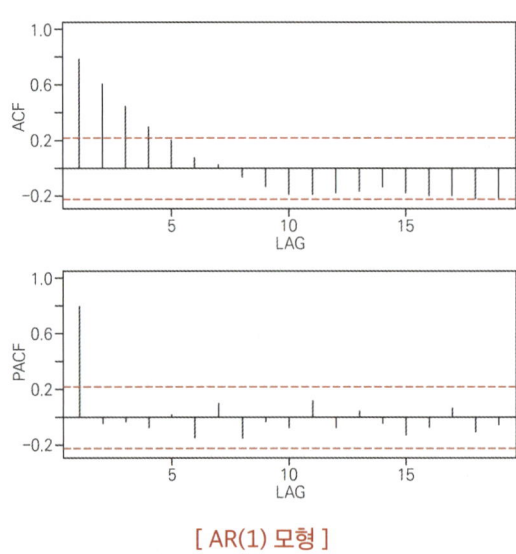

[AR(1) 모형]

2) 이동평균모형

- 이동평균모형(MA, Moving Average)은 현 시점의 자료를 유한개의 백색잡음의 선형 결합으로 표현되었기 때문에 항상 정상성을 만족한다.
- AR 모델처럼 이전 항의 '상태'에서 새로운 상태를 추론이 아니라 이전항의 '오차'에서 현재항의 상태를 추론하겠다는 의미이다.

$$Z_t = a_t - \theta_1 a_{t-1} - \theta_2 a_{t-1} \cdots - \theta_p a_{t-p}$$

- 따라서 이동평균모형은 정상성 가정이 필요없다.
- AR 모형은 과거의 값을 활용하여 미래를 예측하는데 반해, MA 모형은 과거의 예측 오차를 활용하여 미래를 예측하는데 활용한다.

- 1차 이동평균모형, MA(1)모형은 가장 간단한 이동평균모형으로 같은 시점의 백색잡음과 바로 전 시점의 백색잡음의 결합으로 이루어진 모형이다.
  $Z_t = a_t - \theta_1 a_{t-1}$
- 이동평균모형은 자기회귀모형과 반대로 자기상관함수(ACF)는 p+1시차 이후 절단된 형태를 나타내고, 이때를 MA(p)모형이라 볼 수 있다. 그리고 부분자기상관함수(PACF)는 점차 감소하는 형태를 띠게 된다.

용어정리

- **백색잡음(White Noise)**
  분석대상 시계열 자료에 대하여 분석 모형이 잘 적합될 경우, 그 잔차는 독립적인 임의의 확률변수가 된다. 이를 백색잡음이라 하는데, 이는 1922년 Nature에서 백열등이 색깔 스펙트럼을 분석할 때 백색의 선은 빛의 주파수에 있어서 동일한 주파수를 나타내며, 굴절률이 다른 색깔들이 어느 정도로 섞여 있는가를 뜻하는 말로 쓰이는 데서 시작되었다.
  백색잡음은 ① 서로 독립이며, ② 평균이 0이고 ③ 분산이 일정한 값이어야 한다.

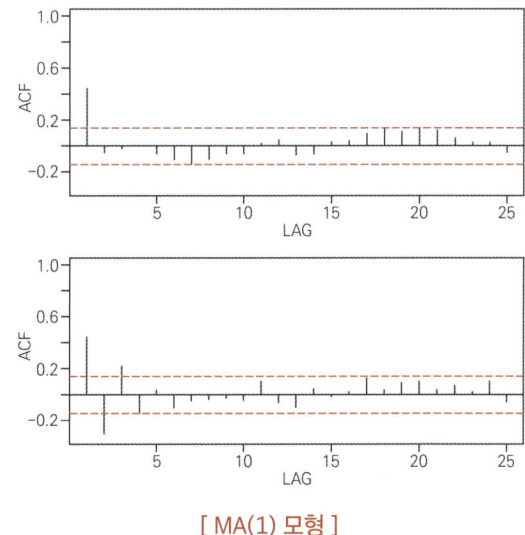

[MA(1) 모형]

용어정리

절단점이 복수인 경우 차수가 높아지면 계산이 복잡하고 추정의 효율성이 떨어지므로 lag2 시점에서 절단한 것으로 결정하게 된다.

3) 자기회귀누적이동 모형(ARIMA)

- 대부분의 많은 시계열 자료가 자기회귀 누적이동평균 모형을 따른다.
- ARIMA 모형은 기본적으로 비정상시계열 모형이기 때문에 차분이나 변환을 통해 AR, MA, ARMA 모형으로 정상화할 수 있다.
- ARIMA(p,d,q) 모형은 차수 p,d,q의 값에 따라 모형의 이름이 다르게 된다.
- 차수 p는 AR 모형과 관련이 있고, q는 MA 모형과 관련이 있는 차수이다. d는 ARIMA에서 ARMA로 정상화할 때 몇 번 차분을 했는지를 의미한다.

  예) d = 0이면 ARMA(p,q) 모형이라고 부른다.

≫ 기출유형 따라잡기

[02회] 다음 중 시계열 분석 모형과 관련이 없는 것은?
① 백색잡음　　　　　　　　② 자기회귀
③ 이동평균　　　　　　　　④ 이항분포

정답 ④

[05회] 시계열 모형 ARIMA 모형에 대한 설명으로 옳지 않은 것은?
① AR 모형은 변수의 과거 값을 이용한다.
② 정상성을 보이는 시계열은 추세나 계절성이 없다.
③ MA 모형은 과거 예측 오차를 이용한다.
④ 백색잡음은 서로 독립적이지 않다.

정답 ④

해설
- 정상성(stationarity)을 나타내는 시계열은 시계열의 특징이 해당 시계열이 관측된 시간에 무관하다.
- 추세나 계절성이 있는 시계열은 정상성을 나타내는 시계열이 아니다.
- 백색잡음(white noise) 서로 독립이며, 평균이 0이고, 분산이 일정한 값이어야 한다.

[04회] 다음 중 비정상 시계열에 대한 설명으로 적절하지 않은 것은?
① 평균이 일정하지 않다.
② 분산이 시점에 의존한다.
③ 공분산은 단지 시차에만 의존하고 시점 자체에도 의존한다.
④ 백색잡음 과정은 비정상 시계열이다.

정답 ④

해설 정상시계열의 대표적인 예로 백색잡음(white noise)이 있다.

> **기출유형 따라잡기**

[06회] 다음 중 시계열 데이터에서의 공분산 기법을 뜻하는 것은?
① 지니계수　　　　　　　　② 엔트로피 계수
③ 실루엣 계수　　　　　　　④ 자기상관함수

정답 ④

해설 자기상관 함수(Autocorrelation Function, ACF): 시계열 데이터에서 특정 시점과 그 이전의 시점 간의 관련성을 측정하는 통계 기법이다. ACF는 주어진 시간 지연(lag)에 대한 자기상관 계수를 나타낸다. 자기상관 함수는 시계열 데이터에서의 공분산과 관련이 있으며, 두 시점 간의 공분산이 그들의 평균 곱으로 나눠진 값이다.

[06회] 다음 보기 중 시계열 데이터 분석에 관한 것으로 옳지 않은 것을 모두 고른 것은?

〈 보기 〉
가. 추세변동은 장기적인 추세경향이 나타나는 것이다.
나. 횡단면처럼 종단면은 관측값 간의 독립성이 중요하다.
다. 지수 평활법은 과거값에 높은 가중치를, 최근값에 작은 가중치를 부여한다.
라. 이동 평균법은 관측값 전부에 동일한 가중치를 부여하고 평균을 계산하여 예측한다.

① 가, 나　　　　　　　　② 나, 다
③ 다, 라　　　　　　　　④ 가, 다

정답 ②

해설
- 횡단면 데이터(Cross-sectional Data):동일한 시간(혹은 동일한 특정 시점)에서 여러 개체 또는 단위에 대한 데이터이다. 횡단면 데이터에서는 동일한 시점에서 여러 개체를 관측하기 때문에 관측값 간의 독립성이 보다 중요하다.
- 종단면 데이터(Longitudinal Data 또는 Panel Data):동일한 개체 또는 단위에 대한 여러 시간 단계에서의 데이터이다. 종단면 데이터에서는 동일한 개체를 여러 시간에 걸쳐 관측하므로, 동일한 개체 간의 관측값은 시간의 흐름에 따라 연결되어 있을 수 있다.
- 지수 평활법에서는 최근 관측값에 높은 가중치를 부여하고, 과거 관측값에는 점차 감소하는 가중치를 부여하여 데이터를 평활화하고 예측한다.

5. 분해 시계열

- 분해 시계열이란 시계열에 영향을 주는 일반적인 요인을 시계열에서 분리해 분석하는 방법이다.
- 분해 시계열 분석법에서는 각 구성요인을 정확하게 분리하는 것이 중요하다.
- 분해식의 일반적 정의 다음과 같다.

$$Z_t = f(T_t, S_t, C_t, I_t)$$
- T_t : 추세요인, S_t : 계절요인, C_t : 순환요인, I_t : 불규칙요인, f : 미지의 함수

① 추세요인
- 자료의 그림을 그렸을 때 그 형태가 오르거나 내리는 추세를 따르는 경우가 있다.
- 선형적으로 추세가 있는 것 이외에도 이차식의 형태를 취하거나 지수적 형태를 취할 수 있다.
- 이렇게 자료가 어떤 특정한 형태를 취할 때 추세요인(Trend Factor)이라 한다.

② 계절요인
- 계절에 따라 고정된 주기에 따라 자료가 변화할 경우 계절요인(Seasonal Factor) 이라 한다.

③ 순환요인
- 명백히 경제적이나 자연적인 이유가 없이 알려지지 않은 주기를 가지고 자료가 변화할 때 순환요인(Cyclical Factor)이라 한다.

④ 불규칙요인
- 위 세 가지 요인으로 설명할 수 없는 회귀분석에서 오차에 해당하는 요인을 불규칙요인(Irregular Factor)이라고 한다.

> **기출유형 따라잡기**

[02회] 다음 중 시계열 분해 결과로 알 수 없는 것은?

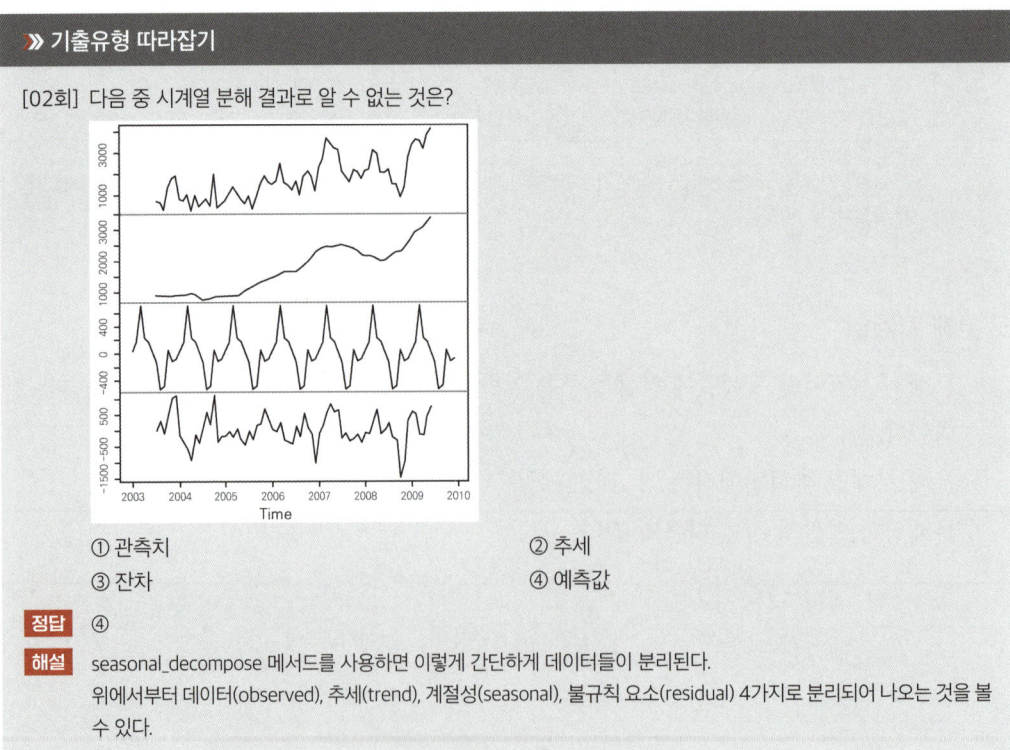

① 관측치 ② 추세
③ 잔차   ④ 예측값

정답 ④

해설 seasonal_decompose 메서드를 사용하면 이렇게 간단하게 데이터들이 분리된다. 위에서부터 데이터(observed), 추세(trend), 계절성(seasonal), 불규칙 요소(residual) 4가지로 분리되어 나오는 것을 볼 수 있다.

4 베이지안 기법

학습 목표
1. 나이브 베이즈 분류 모형을 이해한다.

출제 KEYWORD
① 나이브 베이즈 분류 조건 및 분류모형 ★★

1. 베이지안 정리
- 어떤 사건이 서로 배반하는 원인 둘에 의해 일어난다고 할 때 실제 사건이 일어났을 때 이 것이 두 원인 중 하나일 확률을 구하는 정리를 베이즈의 정리라고 한다. 공식의 형태는 다음과 같다.

$$P(A|B) = \frac{P(A)P(B|A)}{P(B)}$$

- 결국 조건부 확률(사후 확률)을 구하는 것을 말하는데, 이는 어떤 사건이 만들어 놓은 상황에서, 그 사건이 일어난 후 앞으로 일어나게 될 다른 사건의 가능성을 구하는 것을 말한다.
- 즉, 기존 사건들의 확률(사전 확률)을 알고 있다면, 어떤 사건 이후의 각 원인들의 조건부 확률을 알 수 있다는 것이다.

2. 전확률의 법칙(Law of Total Probability)
- 서로 배반인 k개의 사건들 $B_1, B_2, B_3 \ldots B_k$가 있다고 가정하자. 이 사건들이 표본공간 S를 분할하고 있고 어떤 사건 A가 있다고 할 때 아래 등식이 성립한다.
- $P(A) = P(A \cap (B_1 \cup \ldots \cup B_k))$ 이 수식에 분배법칙이 적용되면
  $P(A) = P((A \cap B_1) \cup (A \cap B_2) \ldots (A \cap B_K))$ 괄호안의 각 집합들은 서로 배반이므로 아래 등식이 성립한다.
- $P(A) = P((A \cap B_1) + (A \cap B_2) + \ldots (A \cap B_K))$ 우변의 각 항에 확률의 곱셈공식을 적용하면 아래 등식이 성립한다.

- $P(B) = P(B_1)P(A|B_1) + P(B_2)P(A|B_2)...P(B_4)P(A|B_4)$ 이 식에 시그마기호를 적용하면 $P(A) = \sum_{i=1}^{k} P(B_i \cap A) = \sum_{i=1}^{k} P(B_i)P(A|B_i)$ 이 수식이 전확률의 공식이다.

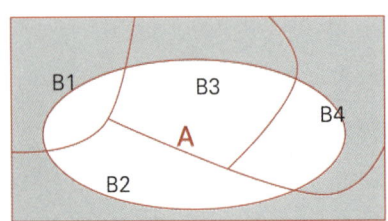

> **전확률의 정리(Theorem of Total Portability)** 사상 $B_1, B_2, ... B_k$가 표본공간의 S의 분할일 때,
> $$P(A) = \sum_{i=1}^{k} P(B_i \cap A) = \sum_{i=1}^{k} P(B_i)P(A|B_i)$$
> * $P(B_i|A)$: 선택된 제품이 불량품일 때, 그 제품이 B_i에서 생산되었을 확률
>
> **예제 1)**
> 3대의 기계 B_1, B_2, B_3가 각각 전체 생산량의 30%, 45%, 25%를 생산하는 어느 조립공장에서, 각 기계의 불량품 제조율이 2%, 3%, 2%임이 알려져 있다. 완제품 중에서 임의로 하나를 선택하였을 때 불량품일 확률은?
>
> **풀이)**
> A : 불량품인 사상
> B_1 : 기계 B_1에서 제조되었을 사상
> B_2 : 기계 B_2에서 제조되었을 사상
> B_3 : 기계 B_3에서 제조되었을 사상
> $P(A) = P(B_1)P(A|B_1) + P(B_2)P(A|B_2) + P(B_3)P(A|B_3)$
> $\quad\quad = (0.3)(0.02) + (0.45)(0.03) + (0.25)(0.02)$
> $\quad\quad = 0.006 + 0.0135 + 0.005 = 0.0245$
> * $P(B_i|A)$: 선택된 제품이 불량품일 때, 그 제품이 B_i에서 생산되었을 확률

3. 베이즈정리의 유도

- 어떤 사건 A와 B가 있을 때, 아래와 같은 조건부 확률을 정의할 수 있다.

$$P(A|B) = \frac{P(B \cap A)}{P(B)}$$

- 위 수식의 분자에 확률의 곱셈공식을 적용하면 아래와 같다.

$$P(A|B) = \frac{P(A)P(B|A)}{P(B)}$$

- 위 등식이 베이즈 정리이다.
- 사건 $A_1, A_2 \ldots A_n$이 표본공간을 분할하고 있고, 또 다른 사건 B가 있을 때 아래등식이 성립한다.

$P(A_i|B) = \dfrac{P(B \cap A_i)}{P(B)}$, 이 수식에서 곱셈공식을 적용하면 아래와 같다.

$P(A_i|B) = \dfrac{P(A_i)P(B|A_j)}{P(B)}$, 이 수식에서 전확률 공식을 적용한다.

$P(A_i|B) = \dfrac{P(A_i)P(B|A_j)}{\sum\limits_{i=1}^{k} P(A_i)P(B|A_i)}$, 여기에서 A_i는 A_1, A_2등의 조건부 확률을 구할 수 있다.

베이즈 정리(Bayes's Rule) 사상 $B_1, B_2, \ldots B_k$가 표본공간의 S의 분할일 때,
$P(A) \neq 0$인 사상 A에 대해 서로 독립이라고 가정

$P(B_i|A) = \dfrac{P(B_i \cap A)}{P(A)} = \dfrac{P(B_i \cap A)}{\sum\limits_{j=1}^{k} P(B_j \cap A)} = \dfrac{P(B_i)P(A|B_i)}{\sum\limits_{j=1}^{k} P(B_j)P(A|B_j)}$ 가 성립한다.

예제 2)
3대의 기계 B_1, B_2, B_3가 각각 전체 생산량의 30%, 45%, 25%를 생산하는 어느 조립공장에서, 각 기계의 불량품 제조율이 2%, 3%, 2%임이 알려져 있다.
임의로 선택된 제품이 불량품일 때, 기계 B_3에서 제조되었을 확률은?

풀이)
$P(B_3|A) = \dfrac{P(B_3)P(A|B_3)}{P(B_1)P(A|B_1) + P(B_2)P(A|B_2) + P(B_3)P(A|B_3)}$

$= \dfrac{0.25 \times 0.02}{0.3 \times 0.02 + 0.45 \times 0.03 + 0.25 \times 0.02}$

$= \dfrac{0.005}{0.0245} = \dfrac{10}{49}$

> **기출유형 따라잡기**

[02회] 새로운 질병 A가 발견되었다. 질병 A를 전체 국민의 P(A)가 앓고 있으며, 전체 국민 중 어느 한 사람이 질병 A를 앓지 않은 확률은 P(B)라고 한다. 검진을 했을 때 질병 A에 걸린 사람을 정확히 검진할 확률이 P(x|A)이며, 질병 A를 앓지 않는 사람이 질병 A에 걸렸다고 검진할 확률이 P(x|B)이다. P(A), P(B), P(x|A), P(x|B)를 사용해, 어떤 사람을 검진해서 질병 A에 걸렸다는 결과가 나왔을 경우 그 사람이 실제로 질병 A를 앓지 않는 건강한 사람일 확률 P(B|x)는?

① $\dfrac{P(x|B)P(B)}{P(x|A)P(A) + P(x|B)P(B)}$

② $\dfrac{P(x|B)P(B)}{P(x|A)P(A)}$

③ $\dfrac{P(B)}{P(x|A)P(A)}$

④ $\dfrac{P(A)}{P(x|A)P(A)}$

정답 ①

4. 베이즈 기법 적용

1) 나이브 베이즈 분류모형

- 확률과 통계에 기반한 예측 분류 알고리즘
- 속성(요인)과 클래스 라벨(결과)간의 확률적 관계를 활용
- 속성들이 서로 독립적이라는 단순한(naive) 가정이 전제로 모델을 단순화
- 각각의 클래스 그룹 안에서 속성들이 독립적인지 테스트가 필요함
- 독립하지 않으면서 상관관계가 클 경우 예측 성능 저하
- 나이브 베이즈 분류의 장·단점

장점	• 지도학습 환경에서 매우 효율적으로 훈련할 수 있으며, 분류에 필요한 파라미터를 추정하기 위한 Training Data가 매우 적어도 사용할 수 있다. • 특이값, 결측에 대해서도 영향을 적게 받는다.
단점	• Training Data에는 없고, Test Data에 있는 범주에서는 확률이 0으로 나타나 정상적인 예측이 불가능한 Zero Frequency가 된다. • 서로 확률적으로 독립이라는 가정이 위반되는 경우에 오류가 발생할 수 있다.

2) 베이지 정리에서 나이브 베이즈 분류 모형으로의 전환

- 분류 예측에 활용 : 목표는 사후확률을 계산하는 것
- 사후 확률 : X(속성값)를 가지고 있는 사례가 Y(클래스 라벨 값)에 속할 확률을 계산하여 최댓값을 가지는 Y 클래스로 예측함

클래스 조건부 확률(Class Conditional Probability): Y라는 결과(클래스 라벨 값)가 발생했을 때 X 라는 증거(속성값)가 발생할 확률

= Y 클래스에 속하는 사례들 중 속성값 X를 가지는 사례들의 비율

사전 확률(Priori): Y라는 결과(클래스 라벨 값)가 발생할 확률

= 발생한 사례들 중에서 Y 클래스에 속한 사례들의 비율

$$P(Y|X) = \frac{P(X|Y)P(Y)}{P(X)}$$

사후 확률(Posteriori): X 라는 증거(속성값)을 가지고 있을 경우 Y 라는 결과(클래스 라벨 값)가 발생할(또는 했을) 확률

= 새로운 사례 X 가 Y 클래스에 속할 확률

증거가 발생할 확률(Evidence): X 라는 증거(속성값)가 발생할 확률

= 발생한 사례들 중에서 X를 속성값으로 가지는 사례들의 비율

베이지 정리를 이용한 나이브 베이즈 분류 적용

NO	Temperature X_1	Humidity X_2	Outlook X_3	Wind X_4	Play (Class Label) Y
1	high	med	sunny	false	no
2	high	high	sunny	true	no
3	low	low	rain	true	no
4	med	high	sunny	false	no
5	low	med	rain	true	no
6	high	med	overcast	false	yes
7	low	high	rain	false	yes
8	low	med	rain	false	yes
9	low	low	overcast	true	yes
10	low	low	sunny	false	yes
11	med	med	rain	false	yes
12	med	low	sunny	true	yes
13	med	high	overcast	true	yes
14	high	low	overcast	false	yes

① 각각의 클래스 라벨 값 'play = yes', 'play = no'를 가지는 사례들의 비율

$P(Play = yes) = 9/14 = 0.6428$

$P(Play = no) = 5/14 = 0.3571$

② 개별 속성에 대한 클래스 조건부 확률 $P(X_i | Y)$ 계산하기
- 각 클래스의 사례 중 개별 속성에 대하여 비율을 계산
- Temperature X_1에 대한 조건부 확률

Temperature X_1	$P(X_i | Y=no)$	$P(X_i | Y=yes)$
high	2/5	2/9
med	1/5	3/9
low	2/5	4/9

- Humidity X_2, Outlook X_3, Wind X_4에 대한 조건부 확률

Humidity X_2	$P(X_i | Y=no)$	$P(X_i | Y=yes)$
high	2/5	2/9
low	1/5	3/9
med	2/5	4/9

Outlook X_3	$P(X_i | Y=no)$	$P(X_i | Y=yes)$
overcast	0/5	4/9
rain	2/5	3/9
sunny	3/5	2/9

Wind X_4	$P(X_i | Y=no)$	$P(X_i | Y=yes)$
false	2/5	6/9
true	3/5	3/9

③ 사례에 대한 클래스 조건부 확률 $P(X|Y)$ 계산하기

Temperature X_1	Humidity X_2	Outlook X_3	Wind X_4	Play(Class Label) Y
high	low	sunny	false	?

- P(X|Play = yes)
  = P(Temperature = high|Play = yes) × P(Humidity = low|Play = yes)
    × P(Outlook = sunny|Play = yes) × P(Wind = false|Play = yes)
  = 2/9 × 4/9 × 2/9 × 6/9
  = 0.1463192
- P(X|Play = no)
  = P(Temperature = high|Play = no) × P(Humidity = low|Play = no)
    × P(Outlook = sunny|Play = no) × P(Wind = false|Play = no)

$$= 2/5 \times 1/5 \times 3/5 \times 2/5$$
$$= 0.0192$$

- $P(Play = yes|X) = \dfrac{P(X|Play = yes) \times P(Play = yes)}{P(X)} = \dfrac{0.009406}{P(X)}$
- $P(Play = no|X) = \dfrac{P(X|Play = no) \times P(Play = no)}{P(X)} = \dfrac{0.00685714}{P(X)}$
- P(Play = yes|X) > P(Play = no|X) 이므로 위에 case 경우 최종 예측값은 'Play = yes'이다.
- 각 클래스에 대한 사후확률들의 총합은 1이므로 사후확률은 아래와 같다.

$$P(Play = yes|X) = \dfrac{0.009406}{(0.009406 + 0.00685714)} = 0.578363$$

$$P(Play = no|X) = \dfrac{0.00685714}{(0.009406 + 0.00685714)} = 0.421636$$

5 딥러닝 분석

✏️ 학습 목표
1. 딥러닝 모형을 학습한다.

🔍 출제 KEYWORD
① 합성곱 신경망 은닉계층 구조 ★★
② 합성곱 신경망 피처맵 계산 ★
③ 오토인코더 구조 ★
④ RNN 구조 ★

1. 인공신경망의 이해

- 인공 신경망(Neural Networks)은 생물학의 신경망에서 영감을 얻은 수학적 모델이다. 인공 신경망은 시냅스의 결합으로 네트워크를 형성한 인공 뉴런이 학습을 통해 시냅스의 결합 세기를 변화시켜 문제 해결 능력을 가지고 있는 모델 전반을 가리킨다.
- 인공 신경망은 과거부터 많이 연구되었으며 역사적으로 오래된 알고리즘이다.
- 하지만 몇 가지 단점으로 인해 잊혀지고 있었던 알고리즘이 2000년대 이후 딥러닝의 출현으로 인공 신경망에 대한 관심이 다시 증가하고 있다.

- 인공 신경망 학습의 목적은 출력층에서 계산된 출력과 실제 출력의 값 차이를 최소화시키는 가중치를 찾는 데 있다.
- 문제를 해결할 최적의 가중치를 학습하기 위해 인공 신경망에서는 손실 함수(Loss Function)를 정의한다.
- 손실함수가 정의되면 가중치의 변화에 따른 오차의 변화를 계산할 수 있기 때문에 오차와 가중치의 관계를 편미분으로 구할 수 있으며, 확률적 경사하강법을 통해 각각의 가중치를 반복적으로 갱신할 수 있게 된다.
- 인공 신경망을 이용하기 위해서는 사용자가 모델 구조와 학습데이터만 준비하면 된다. 학습 과정에서 데이터를 가장 잘 표현할 수 있는 특성인자를 자동으로 추출한다.
- 아래 그림처럼 심층신경망(Deep Neural Networks)은 입력층과 출력층사이에 여러 개의 은닉층들로 이뤄진 인공 신경망이다.
- 심층 신경망은 많은 은닉층을 통해 복잡한 비선형 관계들을 모델링 할 수 있다. 이처럼 층의 개수를 늘림으로써 고도화된 추상화가 가능한 신경망 구조를 최근엔 딥러닝이라고 부른다.
- 하지만 단순히 은닉층의 개수만 늘어난 것뿐만 아니라 최근 관련 연구자들에 의해서 다양한 문제를 해결하기 위한 독특한 구조가 많이 개발되었다. 그 중에서 유명한 딥러닝 알고리즘에는 합성곱 신경망(Convolutional Neural Networks), 순환 신경망(Recurrent Neural Networks), 오토인코더(Autoencoder)가 있다.

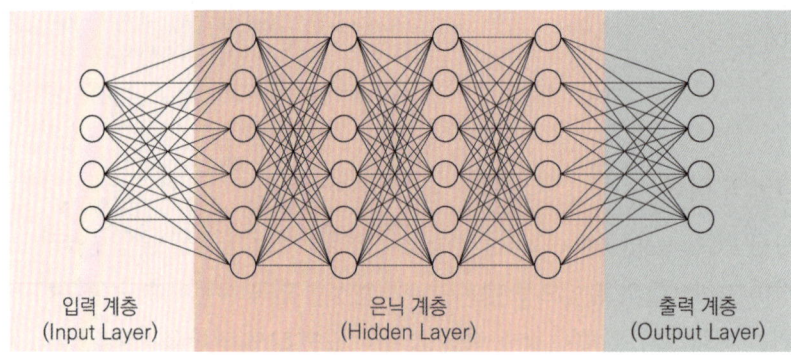

[심층 신경망(Deep Neural Network)]

2. 딥러닝 알고리즘

1) CNN(Convolutional Neural Networks, 합성곱 신경망)

(1) CNN의 등장

- CNN의 등장은 이미지 인식의 패러다임을 바꾸어 놓았다. 인간은 물체를 인지할 때, 이미지의 단위 요소를 수치적으로 이해하기 보다는 물체를 종합적 또는 전체적으로 받아들인다.
- 예를 들어 해바라기 이미지를 볼 때 픽셀 값 하나하나를 관찰하는 것이 아니라 일정 영역 픽셀들의 유기적인 관계를 통해 해바라기를 인지한다.
- 예를 들어 알파벳 손글씨를 분류하는 어떤 문제가 있다고 했을 때, 아래의 그림은 알파벳 Y를 비교적 정자로 쓴 손글씨와 다소 휘갈겨 쓴 손글씨 두 개를 2차원 텐서인 행렬로 표현한 것이다.

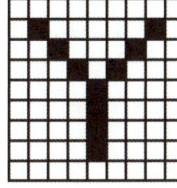 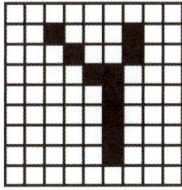

- 사람이 보기에는 두 그림 모두 알파벳 Y로 손쉽게 판단이 가능하지만, 기계가 보기에는 각 픽셀마다 가진 값이 거의 상이하므로 완전히 다른 값을 가진 입력이다.
- 오른쪽 손글씨를 다층 퍼셉트론으로 분류하기 위해서 벡터를 변환하면 다음과 같다.

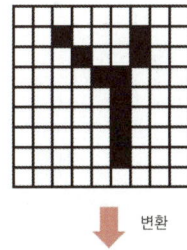

- 1차원으로 변환된 결과는 사람이 보기에도 이게 원래 어떤 이미지였는지 알아보기가 어렵다. 위와 같은 결과는 변환 전에 가지고 있던 공간적인 구조(Spatial Structure) 정보가 유실된 상태이다.

- 여기서 공간적인 구조 정보라는 것은 거리가 가까운 어떤 픽셀들끼리는 어떤 연관이 있고, 어떤 픽셀들끼리는 값이 비슷하거나 등을 포함하고 있다. 결국 이미지의 공간적인 구조 정보를 보존하면서 학습할 수 있는 방법이 필요해졌고, 이를 위해 사용하는 것이 합성곱 신경망(CNN)이다.

(2) CNN 구조
- 주로 입력 부근 계층들을 합성곱 계층으로 구성, 출력 부근 층들을 완전 연결 계층으로 구성

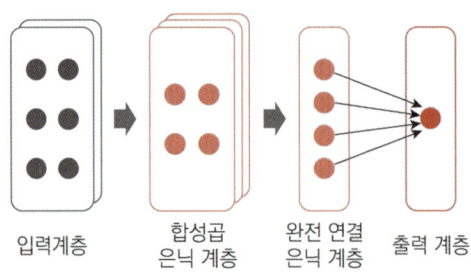

2) CNN 은닉 계층
(1) 합성곱(Convolution) Layer
① 합성곱(Convolution) 연산
- 입력 데이터에 필터를 적용해 일정 간격으로 이동해가며 입력 데이터에 적용

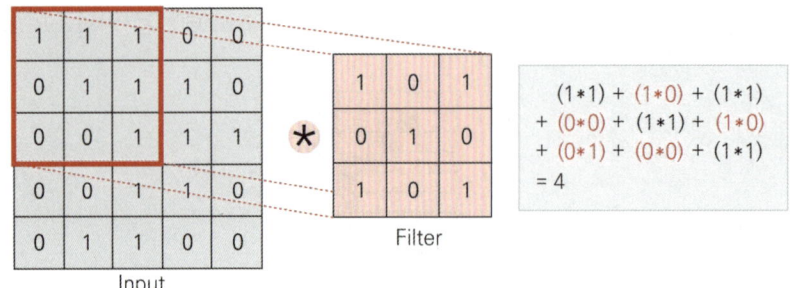

- 합성곱의 연산 과정

▎Feature Map 과정

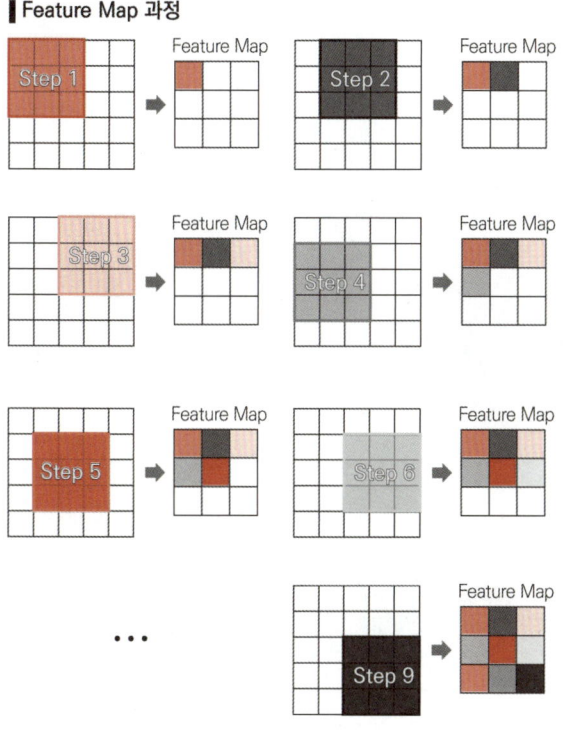

- 합성곱(Convolution) 연산 결과

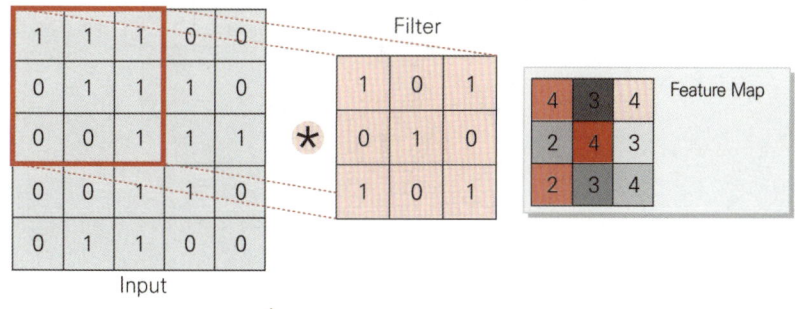

- 위와 같이 입력으로부터 커널을 사용하여 합성곱 연산을 통해 나온 결과를 특성 맵 (Feature Map)이라 한다.

② 채널(Channel)
- 컬러 이미지는 각 픽셀을 RGB 3개의 실수로 표현한 3차원 데이터로 3개의 채널로 구성

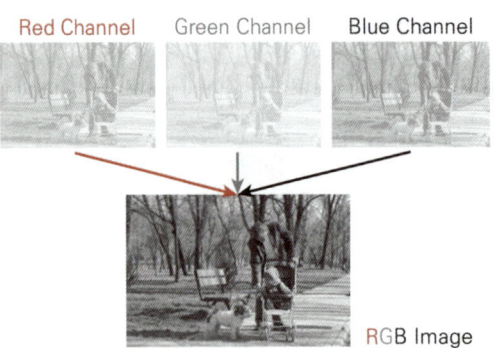

③ 차원 데이터 합성곱
- 주어진 채널수만큼 각각의 다른 필터를 적용하여 연산

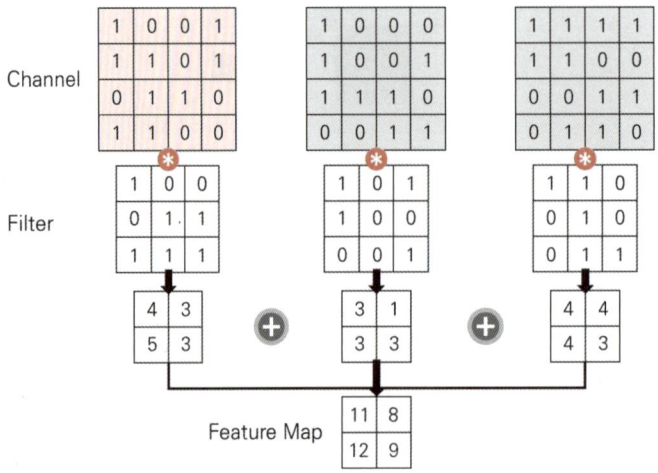

④ 패딩(Padding)
- Convolution Filter → 출력 이미지의 사이즈가 작아지게 됨
- Padding → 출력 이미지 사이즈를 그대로 유지 가능

Padding 값을 1로 준 결과

⑤ 스트라이드(Stride)
- 입력 데이터에 필터를 적용할 때 이동할 간격을 조정하는 것

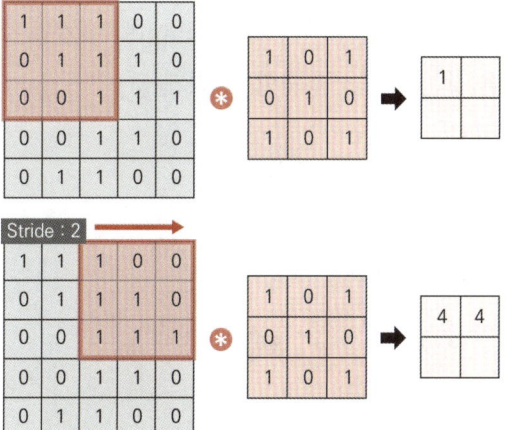

용어정리

- **CNN Feature Map 계산**
  - 패딩과 스트라이드를 적용하고, 입력데이터와 필터의 크기가 주어졌을 때 출력데이터의 크기를 구하는 식은 아래와 같다.

  $$Feature\ Map\ (OH, OW) = (\frac{H+2P-FH}{S}+1,\ \frac{W+2P-FW}{S}+1)$$

  - (H,W) : 입력크기, (FH,FW) : 필터크기, S : 스트라이드(Stride), P : 패딩(Padding)
  - (OH,OW) : 출력크기

> **기출유형 따라잡기**

[02회] 합성곱 신경망을 적용하여 입력층이 5 × 5인 이미지에 3 × 3필터를 적용하려고 한다. stride = 1, padding = 0 이라 할 때, 출력 크기는?
① 2 × 2
② 3 × 3
③ 4 × 4
④ 5 × 5

정답 ②

해설 $Feature\ Map(OH, OW) = (\frac{H+2P-FH}{S}+1, \frac{W+2P-FW}{S}+1)$을 적용하면 H = 5, W = 5, P = 1, FH = 3, FW = 3, S = 1, P = 0
$(\frac{5+0-3}{1}+1, \frac{5+0-3}{1}+1) = (3, 3)$

(2) Pooling Layer
- Pooling : 일정 영역의 정보를 축약하는 역할
  Sub_Sampling을 이용해 특징맵(Feature-map)의 크기를 줄이고, 위치나 이동에 좀 더 강인한 성질을 갖는 특징을 추출할 수 있게 됨
- Max Pooling
  각 픽셀에서 최댓값을 뽑아내는 과정

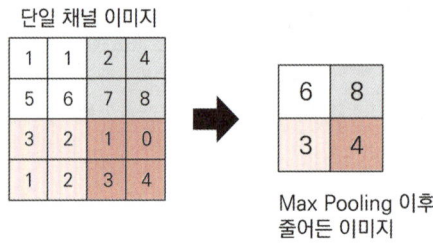

- Average Pooling
  각 픽셀에서 평균값을 뽑아내는 과정

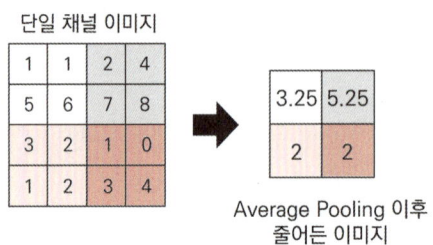

- 평탄화(Flatten)

  2차원 / 3차원의 행렬 구조를 1차원의 Vector로 변환하는 과정

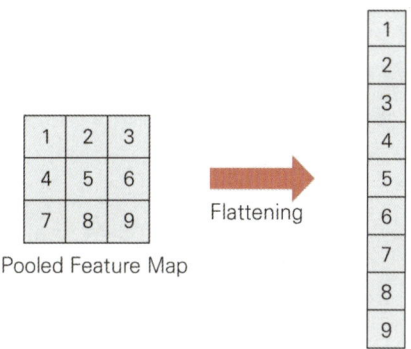

(3) 완전 연결(Fully-connected) 계층
  - 이전 계층의 모든 노드가 다음 계층의 모든 노드에 연결된 계층

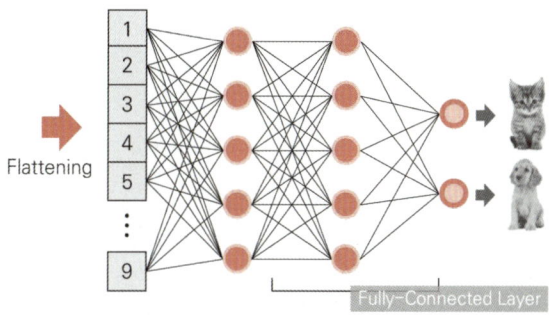

3) RNN 개념
  - Recurrent(반복적인, 순환적인) Neural Network이다.
  - 신호를 순환하여 시계열 신호와 같이 상호 관계가 있는 신호를 처리하는 인공신경망이다.
  - 기존 Neural Network와는 달리 '기억(Hidden State)'을 가지고 있음

(1) RNN 구조
- 주로 순차적인 정보(Sequence)를 입력으로 받음
시계열 데이터(글의 문장, 음성 신호(인공지능스피커), 주가 차트 등)등의 상호 연관성을 분석

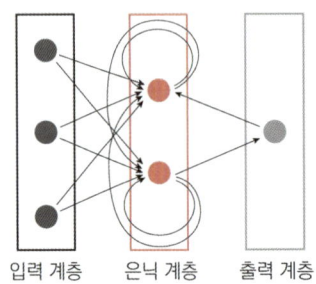

입력 계층   은닉 계층   출력 계층

- 기존 신경망과 다른 점은 은닉 계층의 연산을 해서 바로 출력계층으로 전달을 하는 것이 아니라 한 번 더 데이터를 사용한다는 것이다.
- RNN은 데이터를 재사용하기 때문에 기울기소실문제가 발생할 수 있다. 그래서 보완한 것이 바로 LSTM이다.

> **용어정리**
>
> - **LSTM(Long Short Term Memory)**
>   - Gradient Vanishing 문제를 해결
>   - Long-Term Dependency 학습 가능
>   - RNN은 관련 정보와 그 정보를 사용하는 경우 그래디언트가 점차 줄어 학습능력이 크게 저하되는 것으로 알려져 있다. 이를 Vanishing Gradient Problem이라고 한다.
>   - 이 문제를 극복하기 위해서 고안된 것이 바로 LSTM이다. LSTM은 RNN의 히든 State에 Cell-State를 추가한 구조이다.

》기출유형 따라잡기

[06회] 인공 신경망 학습 모델 중 업데이트 게이트와 리셋 게이트를 사용하여 장기 의존성 문제를 보완한 모델은?
① RNN　　　　　　　　　② CNN
③ GRU　　　　　　　　　④ LSTM

정답 ④

해설 LSTM은 기본적인 순환 신경망(Recurrent Neural Network, RNN)의 한계를 극복하기 위해 고안되었다. RNN은 단기 의존성은 처리할 수 있지만, 장기 의존성에 대한 처리에 어려움이 있었다. LSTM은 이러한 문제를 해결하기 위해 업데이트 게이트와 리셋 게이트라는 메커니즘을 도입하여 장기 의존성을 높일 수 있도록 설계되었다.

4) 오토인코더(AE, Autoencoder) 개념과 구조

(1) AE 개념

- **비지도학습** 인공지능
- 입력 데이터를 가공하여 목표값을 출력하는 방식이 아니라 레이블 정보가 없는 데이터 특성을 분석하거나 추출

- 위의 그림처럼 AE는 이미지 데이터셋만 입력층에 사용하고 결과값이 없는 데이터들을 학습시키는 방식이라 할 수 있다. 즉 서로 다른 이미지에 대한 분류 등을 진행하게 된다.

(2) AE 구조

- 입력과 출력이 동일하며 좌우대칭으로 구축된 구조
- 입력값 x_1값과 x_1'이 구성이 출력되도록 학습시키는 방식

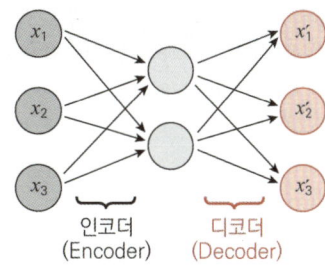

- 인코더(Encoder)
    - 인지 네트워크(Recognition Network)라고도 하며, 입력을 내부 표현으로 변환
    - 노드수가 감소한 만큼 특징되는 축소된 변환 과정

- 디코더(Decoder)
    - 생성 네트워크(Generative Network)라고도 하며, 내부 표현을 출력으로 변환
    - 입력데이터와 같은 동일사이즈로 변환하는 과정

(3) Stacked Auto-Encoder 구조
- 여러 개의 은닉 계층을 가지는 Auto-Encoder 구성도 가능하다.

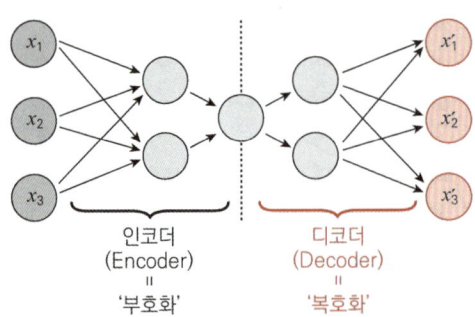

- 부호화 과정
    ① 입력 계층에서 들어온 다차원 데이터는 차원을 줄이는 은닉 계층으로 들어감
    ② 은닉 계층의 출력이 곧 부호화 결과
- 복호화 과정
    ① 은닉 계층에서 출력한 부호화 결과는 출력 계층으로 들어가는데, 이때 출력계층의 노드 수는 은닉 계층의 노드 수보다 많음(즉, 더 높은 차원의 데이터로 되돌아감)
    ② 출력 계층은 입력 계층과 노드 수가 동일

> **기출유형 따라잡기**

[04회] 다음 중 오토인코더(Auto encoder)에 대한 설명으로 옳지 않은 것은?
① 신경망을 활용한 비지도학습 기법이다.
② 출력 계층은 입력 계층과 노드 수가 동일하다.
③ 은닉층의 노드 개수가 입력 값보다 많은 것이 특징이다.
④ 부호화 과정은 입력 계층에서 들어온 다차원 데이터는 차원을 줄이는 은닉 계층으로 들어간다.

정답 ③
해설 오토인코더는 단순히 입력을 출력으로 복사하는 신경망으로 은닉층(혹은 병목층이라고도 함)의 노드 개수가 입력 값보다 적은 것이 특징이다.

> **기출유형 따라잡기**

[05회] 순환 신경망(Recurrent Neural Network, RNN)에서 발생하는 기울기소실문제와 기울기폭주문제에 대한 설명으로 옳은 것은?
① 기울기소실문제란 역전파 알고리즘으로 가중치를 갱신하면서 학습률이 급하게 감소하여 학습률이 '0'에 수렴하는 문제이다.
② 그래디언트 클리핑(Gradient Clipping)은 기울기 소실문제에 대한 해결방안이다.
③ 기울기 소실을 완화하는 가장 간단한 방법은 은닉층의 활성화 함수로 시그모이드나 하이퍼볼릭탄젠트 함수를 사용한다.
④ 기울기가 점차 커지더니 가중치들이 비정상적으로 큰 값이 되면서 결국 발산되는 문제도 기울기소실 문제라 한다.

정답 ①

해설
- 깊은 인공 신경망을 학습하다보면 역전파 과정에서 입력층으로 갈수록 기울기(Gradient)가 점차적으로 작아지는 현상이 발생할 수 있다.
- 입력층에 가까운 층들에서 가중치들이 업데이트가 제대로 되지 않으면 결국 최적의 모델을 찾을 수 없게 된다. 이를 기울기 소실(Gradient Vanishing) 이라고 한다.
- 기울기가 점차 커지더니 가중치들이 비정상적으로 큰 값이 되면서 결국 발산되기도 한다. 이를 기울기 폭주(Gradient Exploding) 라고 한다.
- 그래디언트 클리핑은 말 그대로 기울기 값을 자르는 것을 의미한다.
- 기울기 폭주를 막기 위해 임계값을 넘지 않도록 값을 자른다.
- 기울기 소실을 완화하는 가장 간단한 방법은 은닉층의 활성화 함수로 시그모이드나 하이퍼볼릭탄젠트 함수 대신에 ReLU나 ReLU의 변형 함수와 같은 Leaky ReLU를 사용하는 것이다.

6 비정형데이터 분석

> **학습 목표**
> 1. 텍스트 분석 절차 및 분석기법을 이해한다.

> **출제 KEYWORD**
> ① 텍스트 마이닝 기능 ★

1. 비정형데이터의 정의

- '비정형'은 'Unstructured'라는 영어 표현의 번역이다.
- 지배적으로 사용되는 데이터의 형식은 소위 구조화된 데이터 또는 정형화된 데이터라고 불리는 변수와 응답자(케이스)가 각각 열과 행을 이루는 스프레드시트 형태이다.

- 텍스트로 이뤄진 데이터의 경우 사전에 정의된 방식 또는 구조로 배열되지 않는 경우가 많다.
- 텍스트 안에서는 단어와 숫자, 기호들이 전혀 예측할 수 없어 보이는 방식으로 배열되며 이런 무작위성 때문에 비구조화 또는 비정형 데이터라고 불린다.

1) 텍스트 분석
- ICT 기술의 발달에 따라 잠재적 활용 가치가 높은 정보들이 정형·비정형의 데이터 형태로 급증하고 있다.
- 이에 따라 의사 결정에 도움을 주는 데이터를 찾아 분석하는 작업의 중요성도 높아지고 있다.
- 최근 SNS의 활성화로 많은 기업이 텍스트 데이터 분석을 통해 기업 경영과 관련된 의사 결정에 활용하고자 노력하고 있다.

2) 텍스트 분석 절차
① 요구사항 분석
- 요구사항 분석은 텍스트 분석의 첫 단계로 분석 대상에 대한 사용자의 요구사항을 이해하고 문서화하는 과정이다.

② 텍스트 수집
- 텍스트 수집은 수집 대상 데이터를 선정하고 수집을 위한 세부 계획을 수립한 후 업무특성 및 목적에 적합한 데이터를 수집하는 과정이다.
- 데이터의 유형 및 특성에 따라 다양한 데이터 수집 기술들이 활용되고 있으며, 주요 기술은 다음과 같다.

③ 텍스트 저장 및 전처리
- 데이터 처리 기술은 수집된 데이터로부터 불필요한 항목(불용어 등)을 제거하고 대상 텍스트의 품질을 향상하기 위한 과정으로 다양한 데이터 전·후처리 기법(데이터 필터링, 변환, 정제, 통합 등)이 활용된다.

④ 텍스트 분석
- 텍스트 분석을 위한 주요 방법은 텍스트 분류, 텍스트 군집, 텍스트 요약 등이 있으며, 해결하고자 하는 업무에 따라 적합한 분석 방법을 적용하여 의미 있는 정보를 추출한다.

⑤ 텍스트 분석 서비스 제공
- 텍스트 분석 서비스를 제공하는 방법으로 널리 이용되고 있는 방법은 텍스트 분석 결과 시각화이다.

⑥ 산출물 관리 및 공유

3) 텍스트 마이닝의 기능

- 텍스트 데이터를 분석하여 텍스트 데이터가 내포하고 있는 정보를 발견해 내는 기법을 텍스트 마이닝(test mining)이라고 한다.
- 텍스트 데이터의 분석에는 다양한 데이터 마이닝 기법으로 군집분석과 분류분석 등이 있다.

① 문서요약(Summarization)

② 문서분류(Classification)

③ 문서군집(Clustering)

④ 특성추출(Feature Extraction)

4) 텍스트 데이터 분석 방법

(1) 코사인 유사도를 이용한 문서의 분류

- 문서-단어 행렬로 표현된 텍스트 데이터의 코사인 유사도를 이용하여 문서들 사이의 유사성을 찾아내는 방법을 고려한다.
- 문서 x와 문서 y가 각각 벡터 $x = (x_1, x_2, ... x_p)$와 $y = (y_1, y_2, ... y_p)$로 표현 된다고 가정할 때
- x_i와 y_i는 각각 문서 x와 y에서의 단어 w_i의 출현 횟수에 해당하며 코사인 유사도는 1에 가까운 값을 가질수록 유사도가 높은 것으로 평가한다.

$$\cos(x,y) = \frac{x \cdot y}{|x||y|} = \frac{x_1 y_1 + x_2 y_2 + ... x_p y_p}{\sqrt{x_1^2 + x_2^2 + ... x_p^2}\sqrt{y_1^2 + y_2^2 + ... y_p^2}}$$

(2) 텍스트 데이터에 대한 군집분석

- 텍스트 데이터의 경우 코사인 거리도 군집분석에서 사용할 수 있는데, 개체 x와 y의 코사인 거리는 1에서 코사인 유사도를 뺀 값으로 정의

- 유클리드 거리는 크면 클수록, 코사인 거리는 1에서 가까울수록 두 개체 사이의 거리가 먼 것으로 평가

(3) 텍스트 데이터의 분류분석
- 목표변수가 주어져 있을 때 텍스트 데이터 내의 단어를 설명변수로 하여 목표 변수값을 예측하는 텍스트 마이닝 기법

> **용어정리**
> - **Corpus**
>   데이터마이닝의 절차 중 데이터의 정제, 통합, 선택, 변환의 과정을 거친 구조화된 단계로서 더 이상 추가적인 절차 없이 데이터마이닝 알고리즘 실험에서 활용 될 수 있는 상태를 의미한다.

7 앙상블분석

학습 목표

1. 앙상블 분류모형에 대해 학습한다.

출제 KEYWORD

① 배깅과 부스팅 개념 차이점 ★★
② 랜덤포레스트 정의 및 하이퍼파라미터 의미 ★★

- 앙상블 모형은 여러 개의 분류모형에 의한 결과를 종합하여 분류의 정확도를 높이는 방법이다.
- 이는 적절한 표본추출법으로 데이터에서 여러 개의 훈련용 데이터 집합을 만들어 각각의 데이터 집합에서 하나의 분류기를 만들어 앙상블 하는 방법이다.

1. 배깅(Bagging)

- 배깅은 Bootstrap Aggregating의 준말로 원 데이터 집합으로부터 크기가 같은 표본을 여러 번 단순 임의 복원추출하여 각 표본(붓스트랩 표본)에 대해 분류기(Classifiers)를 생성한 후 그 결과를 앙상블 하는 방법이다.
- 반복추출 방법을 사용하기 때문에 같은 데이터가 한 표본에 여러 번 추출될 수도 있고, 어떤 데이터는 추출되지 않을 수 있다.

- 배깅은 분산을 감소시키기 위해, 훈련 데이터에서 많은 샘플링을(Bootstrap)하기 때문에 편향이 작고 분산이 높은 모델에 사용하면 효과적이다.

① 붓스트랩 방법(Bootstrap)
- 표본 데이터를 하나의 모집단으로 취급해서 그것으로부터 더 작은 표본(붓스트랩 샘플)들을 복원추출로 수집한 후, 각 붓스트랩 샘플로부터 통계량(평균 등)을 계산하고 다수의 붓스트랩 샘플을 구성함으로서 표집분포를 추정하는 방법이다.
- 붓스트랩을 사용하면 적은 데이터라도 정규분포를 형성시켜 모집단의 평균을 추정할 수 있다.
- 샘플에 대해 Bootstrap을 하게 되면 붓스트랩 샘플은 전체 훈련데이터의 약 63.2%를 차지하게 된다(반대로 한 번도 샘플링 되지 않을 확률은 36.8%이다.).
- 붓스트랩 되지 않은 샘플들은 한 번도 사용되지 않은 샘플들로 검증데이터에 활용할 수 있다. 이런 Training Observations을 Out-of-Bag Observations이라고 불린다.

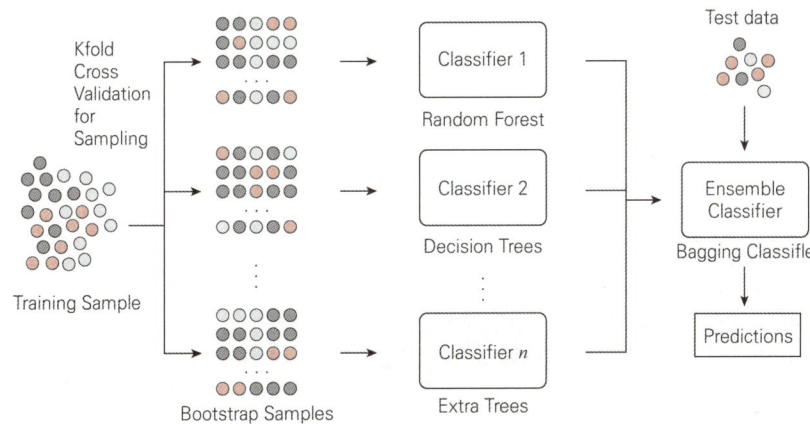

[Bagging Classifier Process Flow]

2. 부스팅(Boosting)

- 부스팅(Boosting)은 배깅의 과정과 유사하나 붓스트랩 표본을 구성하는 Sampling 과정에서 각 자료에 동일한 확률을 부여하는 것이 아니라, 분류가 잘못된 데이터에 더 큰 가중치를 주어 표본을 추출한다.
- 부스팅 기법은 구현 방식에 따라 여러 변형으로 나뉜다.
- 대표적인 알고리즘은 다음과 같다.

1) AdaBoosting(Adaptive Boosting)
- 배깅과 다른 점은 분류가 잘못된 데이터에 가중치(Weight)를 주어 표본을 추출한다는 점 외에는 동일하다.
- 결국 약한 분류기(Classifier)에 가중치를 부여하여 강한 분류기로 만든다.

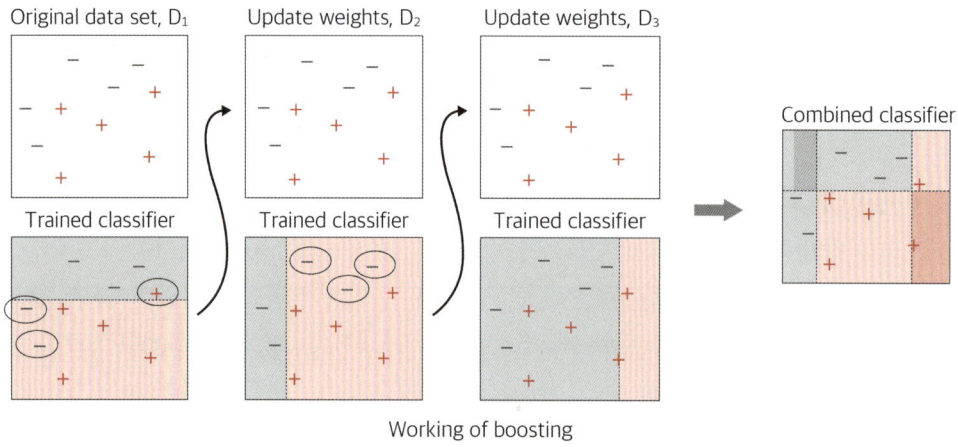

[부스팅 알고리즘]

> **용어정리**
>
> - **부스팅 알고리즘의 이해**
>   Boosting이란 약한 분류기를 결합하여 강한 분류기를 만드는 과정이다. Boosting은 이 과정을 순차적으로 실행한다. 예를 들면 A 분류기를 만든 후, 그 정보를 바탕으로 B 분류기를 만들고, 다시 그 정보를 바탕으로 C 분류기를 만든다. 그리고 최종적으로 만들어진 분류기들을 모두 결합하여 최종 모델을 만드는 것이 Boosting의 원리이다.

2) Gradient Boosting
- Gradient Boosting은 잔차(residual)를 학습하여 모델의 성능을 개선한다.
- 손실 함수(Loss Function)를 정의하고, 이를 최소화하기 위해 경사하강법(Gradient Descent)을 사용한다.
- XGBoost, LightGBM, CatBoost와 같은 변형 기법이 성능과 학습 속도를 개선한다.
- 손실 함수 최적화를 통해 높은 성능을 제공하지만 계산 비용이 높고, 하이퍼파라미터 튜닝이 복잡하다.

① XGBoost
- 기본적으로 GBM과 같이 Decision Tree의 앙상블 모형이다.
- Image나 Text와 같은 비정형데이터에서는 Nerual Network 모델이 압도적인 성능을 보이고 있지만, 정형데이터에서는 XGBoost와 같은 Tree Based 알고리즘이 현재까지는 가장 좋은 알고리즘으로 평가받는다.

② LightGBM
- Light GBM은 Tree가 수직적으로 확장되는 반면에 다른 알고리즘은 Tree가 수평적으로 확장한다.
- 즉 Light GBM은 leaf-wise 인 반면 다른 알고리즘은 Level-Wise이다.
- Leaf-Wise 알고리즘은 Level-Wise 알고리즘보다 더 많은 손실을 줄일 수 있다.
- 아래 그림에서 LightGBM와 다른 Boosting 부스팅 알고리즘의 구현을 나타내고 있다.

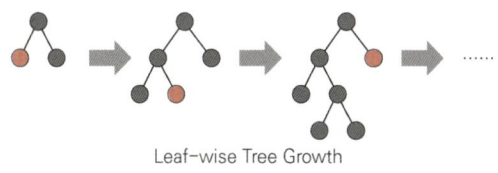

Leaf-wise Tree Growth

[LightGBM 작동 방식]

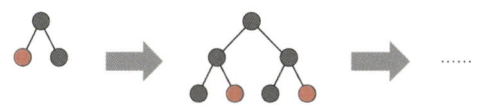

Level-wise Tree Growth

[XGBoost 작동 방식]

- 기존의 다른 부스팅 알고리즘은 트리의 깊이를 줄이기 위해 Level Wise을 사용했지만, LightGBM은 트리의 균형을 맞추지 않고 리프 노드를 지속적으로 분할하면서 진행한다.
- 따라서 데이터의 크기가 작은 경우 Leaf-Wise는 과적합이 되기 쉬우므로 하이퍼 파라미터인 Max_Depth를 줄여줘야 한다.
- LightGBM은 대용량 데이터 처리가 가능하고, 다른 모델들보다 더 적은 자원(메모리)을 사용한다.

3) Stochastic Boosting
- Stochastic Boosting은 부스팅(Boosting) 기법의 변형으로, 각 단계에서 학습 데이터를 무작위로 샘플링(random sampling)하여 모델을 학습하는 방식이다.
- 전체 데이터의 일부만 사용하여 모델을 학습하면 학습 과정에서 약간의 랜덤성을 추가할 수 있다.
- 이로 인해 모델의 과적합 가능성을 줄이고, 학습 속도를 향상시킬 수 있다.

》 기출유형 따라잡기

[02회] 앙상블 분석에서 이전 모델의 학습결과에 따른 가중치를 부여하는 방식이지만 학습속도가 느리고 과대적합이 발생할 수 있는 기법과 해당하는 알고리즘이 알맞게 짝지어진 것은?
① Bagging - Adaboosting
② Bagging - GBM
③ Boosting - GBM
④ Boosting - Random Forest

정답 ③
해설 부스팅 알고리즘에 대한 설명이다. 기존 ADP/ADsP에서 출제되었던 문제이다.

[03회] 앙상블기법 중 샘플링으로 가중치를 주는 방식은?
① 보팅
② 배깅
③ 부스팅
④ 랜덤포레스트

정답 ③
해설 부스팅은 오답에 대해서는 높은 가중치를 부여하고, 정답에 대해서는 낮은 가중치를 부여한다. 따라서 오답을 정답으로 맞추기 위해, 오답에 더 집중할 수 있게 되는 것이다.

[05회] 다음 아래 보기 중 앙상블 모형에 대한 설명으로 옳은 것을 모두 고르시오.

〈보기〉
가. 랜덤포레스트가 대표적인 앙상블 모형이다.
나. 배깅은 붓스트랩 샘플을 사용한다.
다. 부스팅은 정답에 더 높은 가중치를 부여하여 모델 성능을 높이는 방법이다.

① 가
② 가, 나
③ 나, 다
④ 가, 나, 다

정답 ②
해설 부스팅 라운드가 진행됨에 따라 오분류 된 관측치는 가중치가 증가하고 정분류된 관측치의 경우 가중치가 감소하게 된다.

[05회] 앙상블 모형을 각 베이스 모형들을 독립적으로 최적화시키는 방법으로 옳지 않은 것은?
① 평가 데이터셋을 다양화한다.
② 학습 데이터셋을 다양화한다.
③ 하이퍼파라미터 값을 튜닝한다.
④ 학습 시간을 늘린다.

정답 ①
해설 평가용 데이터셋 다양화는 일반화 성능을 개선한다.

기출유형 따라잡기

[04회] 다음 중 앙상블 모형에 대한 설명으로 적절하지 않은 것은?
① 배깅(Bagging)은 붓스트랩(Bootstrap) 샘플링을 이용하여 주어진 하나의 데이터로 학습된 예측 모형보다 더 좋은 모형을 만들 수 있는 앙상블 기법이다.
② 부스팅은 배깅과 유사하나 재표본 과정에서 오차항에 동일한 확률을 부여하여 여러 모형을 만들어 결합하는 방법이다.
③ 랜덤포레스트는 다수의 의사결정 트리를 만들고, 그 나무들의 분류를 집계해서 최종적으로 분류한다.
④ 앙상블 모형은 학습데이터로 훈련을 한 뒤 분류 및 예측을 하기 때문에 지도학습에 해당된다.

정답 ②
해설 부스팅은 여러 개의 약한 학습기weak learner를 순차적으로 학습, 예측하면서 잘못 예측한 데이터에 가중치 부여를 통해 오류를 개선해 나가는 학습 방식이다.

[07회] 붓스트랩(Bootstrap)과 병렬화(Parallelization)의 조합으로 알맞은 것은?
① 배깅(Bagging)-Adaboost
② 배깅(Bagging)-랜덤 포레스트(Random Forest)
③ 부스팅(Boosting)-랜덤 포레스트(Random Forest)
④ 부스팅(Boosting)-Gradboost

정답 ②
해설 배깅은 부스트랩을 기반으로 하는 앙상블 학습 기법 중 하나이다. 여러 개의 부트스트랩 샘플을 생성하고 각각의 샘플에 대해 독립적인 모델을 학습한 후, 이들 모델의 결과를 평균화하거나 다수결 등의 방식으로 최종 예측을 만든다. 랜덤 포레스트는 각 트리를 독립적으로 훈련하기 때문에 트리들을 병렬로 훈련시킬 수 있다. 각 트리는 서로 영향을 받지 않기 때문에 여러 개의 프로세스 또는 스레드를 사용하여 병렬 처리가 가능하다.

[06회] 부스팅에 대한 설명으로 옳지 않은 것은?
① 가중치로 약분류기를 강분류기로 만든다.
② 보팅에 비해 에러가 적다.
③ 동시 병렬적으로 학습한다.
④ 속도가 상대적으로 느리며 오버 피팅 될 가능성이 있다.

정답 ③
해설 부스팅(Boosting)은 약한 학습자(Weak Learner)를 순차적으로 학습하여 강한 학습자(Strong Learner)를 구성하는 앙상블 학습 방법 중 하나이다.

> **기출유형 따라잡기**

[07회] 아래 보기의 수식이 설명하는 정규화 선형회귀 방법을 무엇이라 하는가?

〈 보기 〉

RSS(최소제곱추정) + $\lambda \sum_{j=1}^{p} |\beta_j|$

① 릿지 회귀(Ridge Regression)
② 라쏘 회귀(Lasso Regression)
③ 엘라스틱넷(Elastic Net Regression)
④ 로지스틱 회귀(Logistic Regression)

정답 ②

해설 라쏘 회귀는 가중치의 절댓값의 합을 최소화하는 방향으로 학습하며, 이는 변수 선택의 효과를 가지고 있다. 즉, 어떤 가중치는 0이 될 수 있어 해당 변수를 모델에서 제외시키는 효과가 있다.

3. 랜덤포레스트(Random Forest)

- 랜덤포레스트는 배깅에 랜덤과정을 추가한 방법이다.
- 원 자료로부터 붓스트랩 샘플을 추출하고, 각 붓스트랩 샘플에 대해 트리를 형성해 나가는 과정은 배깅과 유사하다.
- 각 노드마다 모든 예측변수 안에서 최적의 분할(Split)을 선택하는 방법 대신 예측변수들을 임의로 추출하고, 추출 된 변수 내에서 최적의 분할을 만들어 나가는 방법을 사용한다.
- 새로운 자료에 대한 예측은 분류(Classification)의 경우는 다수결(Majority Votes)로, 회귀(Regression)의 경우에는 평균을 취하는 방법을 사용하며, 이는 다른 앙상블 모형과 동일하다.
- 각 가지를 나누는 변수를 선택할 때 전체 변수를 매번 모두 고려하는 대신 변수의 일부를 임의로 선택하는 특징을 갖는다.

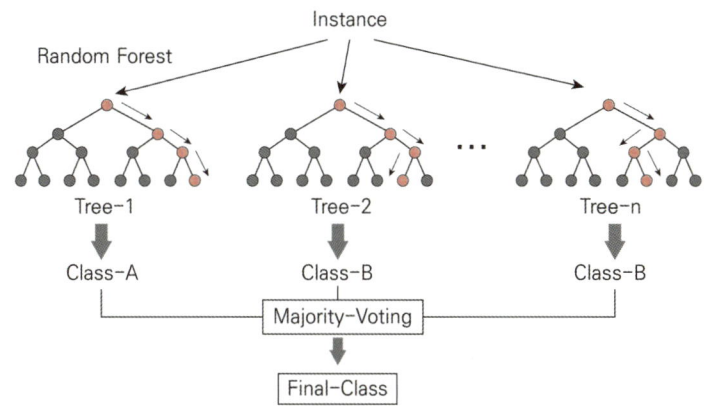

[랜덤 포레스트 알고리즘]

① 변수의 중요도 평가
- RandomForest()는 설명 변수의 중요도를 평가하는데 사용할 수 있다.
- 이 방법은 각 변수들이 Gini 또는 정확도(Accuracy)에 얼마만큼 기여하는지를 통해 변수의 중요도를 판별한다.
- 변수의 중요도를 알아보려면 Random Forest함수에서 Importance=TRUE를 지정한다.
- Importance, VarImpPlot를 사용해 결과를 출력한다.
- 결과를 살펴보면 각각 Accuracy, Gini 측면에서 중요도를 확인할 수 있다.

② 랜덤포레스트의 파라미터
- 랜덤포레스트에는 트리갯수(nTree), 각 노드에서 가지를 칠 때 고려할 변수의 개수(mTree) 등의 파라미터가 있다.
- nTree를 10, 100, 200의 3개 값, mTree를 3, 4의 2개 값으로 바꿔보면서 모델의 성능을 평가하게 된다.

③ Out of Bag(OOB)의 의미
- 랜덤 포레스트 모델을 출력하면 모델 훈련에 사용되지 않은 데이터를 사용한 에러 추정치가 'OOB(Out of Bag)Estimate of Error Rate' 항목으로 출력된다.

- 랜덤포레스트(Random Forest)

장점	• 분류 또는 회귀분석에서 가장 많이 사용되는 알고리즘으로 성능이 좋고, 정확도가 높다. • 큰 데이터 셋에서도 사용되며, 많은 입력변수들을 다룰 수 있다.
단점	• 트리 깊이와 개수 파라미터 설정을 잘못하면 과적합(Overfitting)이 발생할 수 있다.

4. 스태킹(Stacking)

- 스태킹(Stacking)은 앙상블 학습(Ensemble Learning) 기법 중 하나로, 서로 다른 유형의 모델을 결합하여 예측 성능을 향상시키는 방법이다.
- 스태킹은 개별 모델(기본 모델, Base Models)의 예측값을 다시 학습 데이터로 사용하여 메타 모델(Meta Model)을 학습시킨 후 최종 예측을 생성한다.
- 예측값은 새로운 데이터셋으로 저장되며, 이 데이터셋이 메타 모델의 입력 데이터가 된다.

> **기출유형 따라잡기**
>
> [02회] 다음 중 랜덤포레스트에 대한 설명으로 올바르지 않은 것은?
> ① 깊이 성장한 트리일수록 일반화 성능이 우수하다.
> ② 의사결정나무를 기반으로 한 앙상블 모델이다.
> ③ 별도의 변수 전처리없이 분석이 가능하다.
> ④ 의사결정나무만을 사용한다면 과적합(Overfitting)이 일어날 확률이 높기 때문에 이를 해결하기 위해 랜덤하게 여러 개의 트리를 만드는 방법이다.
>
> **정답** ①
> **해설** 트리는 작은 편향과 큰 분산을 가지고 있기 때문에 깊이 성장한 트리는 과적합이 발생할 수 있다.
>
> [06회] 배깅에 관련된 내용으로 옳지 않은 것은?
> ① 부트스트랩(Bootstrap) 샘플링을 이용한 앙상블 기법이다.
> ② 불안정한 모형일수록 더 좋은 성능을 발휘한다.
> ③ 별도의 검증데이터 없이 out of bag 데이터를 초매개변수를 최적화 하거나 성능 검증을 할 수 있다.
> ④ 모델의 편향과 분산을 줄일 수 있다.
>
> **정답** ④
> **해설**
> • 배깅(Bagging)은 주로 분산(Variance)을 감소시키는 방향으로 작용하지만, 편향(Bias)을 감소시키는 효과가 있지는 않다.
> • 각 모델은 독립적으로 학습되기 때문에 다른 모델의 편향을 보정할 수 있는 정보를 얻지 못한다. 모델 간의 상호작용이나 편향을 보완하는 학습이 이루어지지 않는다.
> • 배깅과 함께 사용되는 모델인 랜덤 포레스트(Random Forest)는 배깅의 아이디어를 채택하면서도 특정한 기법으로 편향을 감소시키는 데에도 기여한다.
> • 랜덤 포레스트는 트리 모델을 사용하며, 각 트리를 구성할 때 특성(subset of features)을 무작위로 선택함으로써 다양성을 증가시키고 편향을 조절할 수 있다.

> **기출유형 따라잡기**

[06회] 랜덤 포레스트 기법에 대한 설명으로 옳지 않은 것은?
① 약 분류기를 결합하여 강 분류기를 만드는 기법이다.
② 트리로 만든 예측은 다른 트리들과 상관관계가 작아야 한다.
③ 부스팅을 사용하여 부트스트랩된 훈련 표본들에 대해 다수의 의사결정 트리를 만든다.
④ 여러 개의 의사결정 트리를 구성하고 각 트리의 예측을 결합하여 더 강력하고 안정적인 예측을 수행한다.

정답 ①

해설 약 분류기(Weak Classifier)를 결합하여 강 분류기(Strong Classifier)를 만드는 기법 중 하나는 부스팅(Boosting)이다. 부스팅은 약한 모델들을 순차적으로 학습시켜 강한 모델을 만들어내는 앙상블 학습 방법이다.

8 비모수 통계

학습 목표

1. 비모수 통계와 모수 통계의 차이점을 이해한다.

출제 KEYWORD

① 단일집단·짝지은 집단의 비교 검정 ★★

- 모수 검정은 관측값이 어느 특정한 확률분포(정규분포, 이항분포 등)를 따른다고 전제한 후 그 분포의 모수에 대한 검정을 실시하는 방법이다.
- 비모수 검정은 관측값이 어느 특정한 확률분포를 따른다고 전제할 수 없는 경우에 실시하는 검정 방법이다.
- 일반적으로 케이스의 수가 30개 이상이면 "중심극한정리"에 의해서 정규분포를 따른다는 전제하에 모수 검정을 적용한다.
- 만약 케이스의 수가 적거나 정확한 정규분포를 검정하기 위해서는 정규성 검정을 수행한다.
- 이러한 정규성 검정을 통해서 정규분포인 경우는 모수 검정을 그렇지 않으면 비모수 검정을 수행한다.

1. 비모수 검정의 장·단점

	장점	단점
비모수적 검정	• 상대적인 크기로 데이터가 주어진 경우 유용한 분석 방법이다. • 통계적 의미를 직관적으로 이해하기 쉽다. • 통계량이 부호(Sign) 혹은 순서(Rank)에 의해 계산되므로 이상치(Outlier)에 영향을 크게 받지 않는다. • 표본수가 적은 경우에도 사용 가능하다.	• 특정한 분포를 가정하고 얻은 모수적 절차에 비하여 효율이 떨어지는 경우가 많다. • 비모수적 통계량 계산은 단순하기는 하나 단순 반복 작업이 요구된다.

2. 비모수적 검정의 종류

1) 단일 집단에서의 중위수 검정

① 부호검정(Sign Test)
- 부호검정은 모집단의 중위수 θ에 대한 가설 검정으로, 귀무가설 $H_0 : \theta = \theta_0$ 가설을 검정하게 된다.
- 중위수 θ에 대한 검정은 관측치가 기준치(θ_0)보다 클 경우 +로 표시하고, θ_0보다 작은 경우는 -로 표시하여 + 값을 갖는 표본의 개수를 구하여 검정을 시행한다.
- 귀무 가설이 참이라면 + 부호와 - 부호의 개수가 동일해진다.
- 부호 검정에서는 실제 데이터가 갖는 값을 무시하고 단지 + / - 부호만을 이용하므로 수치 측정이 어려운 경우에 매우 유용하다.

② 윌콕슨의 부호순위 검정
- 윌콕슨의 부호순위 검정은 부호 검정에서 관측치의 부호만을 이용함으로써 생기는 정보의 손실을 줄일 수 있어 검정력이 더 높다는 장점이 있다.

2) 짝지은(대응) 집단의 비교 검정

① 부호검정(Sign Test)
- 앞서 기술한 단일 검정법에서는 주어진 자료와 중앙값을 비교하였지만, 짝지은 집단의 비교에서는 처치 전후의 점수를 비교한다는 점만이 다를 뿐 나머지 내용은 동일하다. 부호 검정에서는 전후 점수 차이의 rank를 사용하지 않고 +/- 의 부호의 개수만 고려하여 분석한다.

② 윌콕슨 부호 순위 검정(Wilcoxon's Singed Rank Test)
- 이 방법은 모수적 검정의 Paired t-Test의 비모수적 방법에 해당한다.

3) 독립된 두 집단의 비교 검정

① 윌콕슨의 순위합 검정(Wilcoxon's Rank Sum Test)과 맨-휘트니 검정
- 윌콕슨 순위합 검정은 자료를 모두 섞어 순서대로 배열하여 순위를 매긴 후, 각 집단별 자료의 순위를 합친 순위 합(Rank Sum)을 계산하여 순위 합의 차이가 있는지 비교하는 과정을 거친다.
- Mann - Whitney U test는 순위척도를 가진 집단이거나 집단의 표본수가 비교적 적을 때 두 집단차이를 분석하는 방법이다.

② 콜모고로프-스미르노프 검정(Kolmogorov-Smirnov Test, K-S검정)
- 콜모고로프-스미르노프 검정 정규성 여부를 살펴보는데 많이 이용되고 있으나 원래는 독립된 두 집단의 누적 분포가 동일한지 알아봄으로써 두집단이 동일한 분포를 가진 집단, 혹은 동일 모집단으로부터 추출 되었는지 검정하는 방법이다.

4) 3개 집단 이상 비교 검정

① 크루스칼 왈리스 검정(Kruskal-Wallis test)
- 셋 이상의 그룹 간에 차이가 있는지 알아볼 때 모수적 방법으로는 분산분석(ANOVA)이 있고, 비모수적 방법으로는 크루스칼 왈리스 검정(Kruskal-Wallis test)이 있다.
- Kruskal-Wallis test는 Wilcoxon rank-sum test의 확장판이라고 볼 수 있다.
- 모든 값에 대해 순위를 매기고, 집단별로 순위의 합을 구해 검정통계량을 계산
- 분산 분석(ANOVA)에서 정규성 가정이 만족되지 않을 때 사용하는 비모수 검정법이다.

≫ 기출유형 따라잡기

[03회] 다음 중 대응집단(Paired)의 비모수검정 방법은?
① 윌콕슨 부호 순위 검정
② 윌콕슨 순위합 검정
③ 런 검정
④ 크루스칼 왈리스 검정

정답 ①

해설 크루스칼 왈리스 검정은 3개 집단, Run 검정은 어떤 변수의 두 관측치(성공, 실패, 진실, 허위, 남녀 등)의 발생순서가 무작위인지 아닌지를 검정한다.

[05회] 다음 중 비모수 검정에 대한 설명으로 옳지 않은 것은?
① 맨 휘트니 검정은 독립된 두 집단차이에 관한 모수검정이다.
② 윌콕슨 순위합 검정은 자료를 모두 섞어 순서대로 배열하여 순위를 매긴 후 순위 합의 차이가 있는지 비교하는 과정을 거친다.
③ 일반적으로 비모수 검정은 모수 검정에 비해 검정력이 떨어진다.
④ 크루스칼-왈리스 검정은 분산 분석에서 정규성 가정이 만족되지 않을 때 사용한다.

정답 ①

해설 맨 휘트니 검정은 독립된 두 집단차이에 관한 비모수검정이다.

CHAPTER 02 분석기법 적용

01 다음 중 로지스틱 회귀모형에 대한 설명으로 가장 부적절한 것은?

① 종속변수가 이항변수인 일반적인 선형모형으로 가정하기 보다는 0 ~ 1사이의 값을 가지는 곡선형태의 모형으로 가정하는 것이 바람직하다.
② 로지스틱 회귀모형은 회귀계수 베타가 양수인 경우 독립변수 x값이 작아질수록 예측값은 0에 가까워지고, x값이 증가함에 따라 예측값은 S자 형태의 모양을 증가한다.
③ 로지스틱 모형은 적절한 변환을 통하여 곡선을 직선형태로 바꿀 수 있으며, 이러한 변환을 로짓변환이라고 한다.
④ 판별분석과 로지스틱 회귀분석 모두 정규분포를 따르며 집단간 분산 - 공분산이 동일하다는 가정을 한다.

해설 로지스틱 회귀분석에서는 독립변수에 대한 어떠한 가정도 필요로 하지 않는다. 또한 판별분석은 독립변수가 모두 연속형인 경우에 사용이 가능하지만 로지스틱은 독립변수가 연속형 또는 이산형일 경우에도 사용할 수 있다는 장점이 있다.

02 회귀분석의 잔차분석 결과 'U'곡선 패턴을 나타낼 때 해결방안은?

① 이차항을 모형에 추가   ② 변수통합
③ 능형회귀   ④ 변수제거

해설 잔차분석의 U 형태는 회귀분석 가정에 선형성을 위배했다는 증거이다.

03 로지스틱 회귀모형에서 설명변수가 하나인 경우 이 회귀계수가 부호가 음수일 때 표현되는 그래프의 형태는?

① S자 그래프   ② 양의 선형 그래프
③ 역 S자 그래프   ④ 음의 선형 그래프

해설 회귀 계수가 양수 → 성공확률(= odds) 증가 (성공확률 ≥ 1) = S자 그래프
회귀 계수가 음수 → 성공확률(= odds) 감소 (0 ≤ 성공확률 < 1) = 역 S자 그래프

04 다중 회귀분석에서 설명변수들 사이에 선형관계가 존재할 경우 회귀계수의 정확한 추정이 어려운 경우를 무엇이라 하는가?

① 모형의 적합성 위배
② 다중공선성
③ 등분산성
④ 회귀계수의 유의성 검정

해설 다중공선성이란 입력변수간에 독립이 아니고 상관관계가 높은 것을 의미한다. 이로 인해 각 입력변수들이 다른 입력변수에 영향을 받아서 추정되는 회귀계수의 변동성이 크게 발생하고, 결과적으로 회귀계수가 더 이상 출력변수에 대한 상대적인 설명력으로 해석하기 어려워지게 된다.

정답 01 ④ 02 ① 03 ③ 04 ②

예상문제

05 회귀분석에 대한 기본적인 가정이 아닌 것은?
① 독립변수의 변화에 따라 종속변수도 변화하는 선형(Linear)인 모형이다.
② 종속변수와 독립변수의 값이 관련되어 있지 않다.
③ 오차항들의 분포는 동일한 분산을 갖는다.
④ 잔차항이 정규분포를 이뤄야 한다.

> 해설_ 잔차와 독립변수의 값이 관련되어 있지 않다.(독립성)

06 회귀모형에서는 오차항에 대한 3가지 가정을 전제로 한다. 이에 해당하지 않는 것은?
① 정규성
② 선형성
③ 등분산성
④ 독립성

> 해설_ 잔차를 오차항의 관찰값으로 해석할 수 있으므로, 잔차들을 분석해 봄으로써 오차항에 대한 가정들의 성립 여부를 확인할 수 있다.
> • 회귀모형에서는 오차항에 대한 3가지 가정을 전제로 한다. 정규성, 등분산성, 독립성에 대한 가정이 필요하며 이런 가정이 성립해야 회귀분석 결과가 타당한 것이 된다.

07 다음 아래 보기가 설명하는 용어는?

> • 모형의 일부 독립변수가 다른 독립변수와 상관되어 있을 때 발생한다.
> • 회귀계수의 분산을 증가시켜 불안정하고 해석하기 어렵게 만들기 때문에 문제가 된다.

① 다중공선성(Multicollinearity)
② 잔차(Residual)
③ 정규성
④ 평균 회귀제곱(Mean Square Regression)

08 다중공선성의 해결방안으로 올바르지 않은 것은?
① 중요하지 않은 변수일 경우 해당변수를 제거한다.
② 능형회귀, 주성분회귀 등 편의추정법을 사용한다.
③ 자료부족이 원인일 경우 자료를 보완한다.
④ 상관관계가 낮아지도록 변수값 조정

> 해설_ 높은 상관관계가 있는 예측변수를 모형에서 제거한다. 이러한 예측 변수는 반복적인 정보를 제공하기 때문에 모형에서 제거하면 대부분 결정계수값이 상당히 줄어든다.
> • 부분 최소제곱 또는 주성분 분석을 사용한다. 이 방법들은 예측 변수의 수를 상관되지 않은 성분들의 더 작은 집합으로 줄인다.

정답 05 ② 06 ② 07 ① 08 ④

09 다음 중 추정된 다중 회귀모형이 통계적으로 유의미한지 확인하는 방법으로 적절한 것은?

① F-통계량을 확인한다.
② T-통계량을 확인한다.
③ 결정계수를 확인한다.
④ 잔차를 그래프로 그리고 회귀진단을 한다.

해설_

검증항목	설명
통계적 유의미	• F-통계량을 통해 회귀식의 유의미성 검증
회귀계수의 유의미	• 해당 계수의 T-통계량의 p-value가 0.05보다 작으면 회귀계수는 통계적으로 유의미하다 볼 수 있음
모형의 설명력	• 결정계수(R^2)를 확인 • 결정계수는 0 ~ 1 값을 가지며, 높을수록 추정된 회귀식의 설명력이 높다
모형 데이터의 적합성	• 잔차를 그래프로 그리고 회귀진단 수행
회귀모형 데이터의 가정	• 선형성, 독립성, 등분산성, 비상관성, 정상성 가정

10 다음 아래 보기가 설명하는 용어는?

• 로지스틱 회귀모형에서 이것의 변환을 통해서 곡선을 직선 형태로 바꿀 수 있다.
• $\ln(\frac{\pi}{1-\pi}) = \beta_0 + \beta_1 x_i$, 양변에 자연로그를 취한다.

① 로짓변환
② 로그변환
③ 이진변환
④ 지수변환

해설_ 로지스틱 회귀분석은 반응변수가 1 또는 0인 이진형 변수에서 쓰이는 회귀분석 방법. 종속변수에 로짓변환을 실시하기 때문에 로지스틱 회귀분석이라고 한다.

11 회귀분석에서 결정계수(R^2)에 대한 설명으로 올바르지 않은 것은?(단 SST는 총제곱합, SSR은 회귀제곱합, SSE는 잔차제곱합)

① $R^2 = \dfrac{SSR}{SST}$
② $-1 \leq R^2 \leq 1$
③ SSE가 작아지면 R^2은 커진다.
④ R^2은 독립변수의 수가 늘어날수록 증가하는 경향이 있다.

해설_ 결정계수는 $0 \leq R^2 \leq 1$ 범위이다.

12 선형회귀분석에서의 모형에 대한 가정으로 틀린 것은?

① 독립변수와 종속변수 사이에는 선형적 관계를 가정한다.
② 오차항은 평균이 0인 정규분포를 가정한다.
③ 오차항의 분산은 σ^2으로 일정하다.
④ 결정계수 $R^2 = 1$이다.

정답 09 ① 10 ① 11 ② 12 ④

예상문제

13 다음 중 선형회귀분석과 로지스틱 회귀분석에 대한 설명 중 틀린 것은?

① 선형회귀분석은 종속변수가 연속형변수이지만 로지스틱 회귀분석은 범주형 변수이다.
② 선형회귀분석은 모형 탐색방법으로 최소자승법을 이용하지만 로지스틱 회귀분석은 최대우도법을 사용한다.
③ 선형회귀분석과 로지스틱 회귀분석 모두 모형검정에 F값을 이용한다.
④ 명목척도로 측정된 종속변수를 독립변수(들)를 이용하여 예측하고자 하는 경우 로지스틱 회귀분석(Logistic Regression)과 판별분석(Discriminant Analysis)이 사용될 수 있다.

해설_ 로지스틱 회귀분석은 카이제곱검정을 이용한다.

14 회귀계수의 추정방법 중에서 잔차의 제곱합을 최소로 하는 방법을 무엇이라 하는가?

① 최소제곱법
② 최대우도법
③ 오차제곱법
④ 평균제곱법

해설_ 최소제곱법이란, "Least Square Method" or "Ordinary Least Square"으로 불리며 오차를 최소화 시키는 방법으로 회귀 계수를 추정하는 기법을 말한다.

15 다음 중 의사결정나무(Decision Tree)에 대한 설명 중 틀린 것은?

① 정지규칙이란 더 이상 분리가 일어나지 않고 현재의 마디가 최종마디가 되도록 하는 여러가지 규칙으로 카이제곱통계량, 지니지수, 엔트로피 지수 등이 있다.
② 가지치기란 최종마디가 너무 많으면 모형이 과대적합된 상태로 현실 문제에 적용할 수 있는 적절한 규칙이 나오지 않게 된다.
③ 의사결정나무를 위한 알고리즘은 CHAID, CART, ID3, C4.5가 있으며 상향식 접근 방법을 이용한다.
④ 의사결정나무는 목표변수가 이산형인 경우의 분류나무(Classification Tree)와 목표변수가 연속형인 경우의 회귀나무(Regression Tree)로 구분된다.

해설_ 의사결정나무는 하향식 재귀적 분할 알고리즘이다.

정답 13 ③ 14 ① 15 ③

16 의사결정나무모형에 관한 내용이다. 적절하지 않은 것은?

① 의사결정나무의 목적은 새로운 데이터를 분류(Classification)하거나 해당 범주의 값을 예측(Prediction)하는 것이다.
② 목표 변수 유형에 따라 범주형 분류나무(Classification Tree)와 연속형 회귀나무(Regression Tree)로 분류된다.
③ 분리 변수의 p차원 공간에 대한 현재 분할은 이전 분할에 영향을 받지 않는다.
④ 부모마디보다 자식마디의 순수도가 증가하도록 분류나무를 형성해 나간다.

해설_ 분리 변수의 p차원 공간에 대해 현재 분할은 이전분할에 영향을 받는다.

17 분석 모형이 유연한 경우 Bias-Variance 관계는?

① Bias 높고 Variance 높다
② Bias 높고 Variance 낮다
③ Bias 낮고 Variance 높다
④ Bias 낮고 Variance 낮다

해설_ 분석모형이 유연한 경우 모델이 complexity 가 증가한다. 결국 Bias가 낮아지고, Variance가 높아진다.

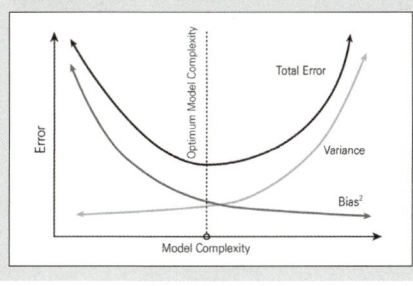

18 의사결정나무에서 이산형 목표변수는 지니지수, 연속형 목표변수의 경우 분산 감소량을 사용하는 알고리즘은 무엇인가?

① CHAID
② CART
③ C4.5
④ C5.0

해설_ cart는 가장 널리 사용되는 의사결정나무 알고리즘으로 분류와 회귀나무에서 모두 사용할 수 있다. 불순도를 측정할 때 목표변수가 범주형인 경우 지니지수를 사용하고 연속형인 경우 분산을 이용한다.

19 다음 중 의사결정나무에서 지니지수를 계산한 결과는?

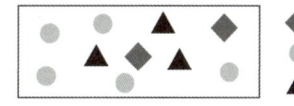 

① 0.62
② 0.56
③ 0.44
④ 0.68

해설_ $1-(\frac{2}{10})^2-(\frac{3}{10})^2-(\frac{5}{10})^2 = 0.62$

정답 16 ③ 17 ③ 18 ② 19 ①

예상문제

20 의사결정나무에서 더 이상 분리가 일어나지 않고 현재의 마디가 끝마디가 되도록 하는 규칙을 무엇이라 하는가?

① 정지규칙
② 가지치기
③ 타당성평가
④ 분류규칙

> 해설_ 구축된 모형에서 제시되는 규칙들의 타당성을 검토해 타당성이 없는 규칙을 제거함으로써 과적합을 방지하고 적합한 수준에서 터미널 노드를 결합해주는 것을 가지치기라 한다.

21 다음 중 의사결정 나무의 분류기준에 대한 설명 중 가장 적절하지 않은 것은?

① 상위노드로부터 하위노드로 나무 구조를 형성하는 매 단계 분류변수와 분류 기준값의 선택이 중요하다.
② 지니값(Gini index)이 작을수록 이질적이며 순수도가 떨어진다.
③ 카이제곱 통계량의 p-값은 그 값이 작을수록 자식 노드 내의 불확실성(이질성)이 큼을 의미한다.
④ 엔트로피 지수는 p=0.5일 때 이질성이 가장 크다.

> 해설_ 지니지수는 불순도 측도 지표이다. 따라서 낮으면 낮을수록 순수도가 높다

22 목표변수가 연속형일때 회귀나무의 경우 사용하는 분류기준은 무엇인가?

① 카이제곱 통계량, 지니지수
② 지니지수, 엔트로피 지수
③ 엔트로피 지수, 분산감소량
④ 분산감소량, F-통계량의 p-값

23 의사결정나무의 특징에 대한 설명 중 틀린 것은?

① 분류 기준값의 경계선 부근의 자료값에 대해서는 오차가 크다.
② 선형성, 정규성, 등분산성 등의 수학적 가정이 불필요한 비모수적 모형이다.
③ 구조가 단순하여 해석이 용이하다.
④ 재귀적 분할로 인해 두 개 이상의 변수가 결합하여 목표변수에 어떠한 영향을 주는지 알기 어렵다.

> 해설_ 의사결정나무는 재귀적 분할로 인해 교호작용 효과의 해석이 쉽다.

정답 20 ① 21 ② 22 ④ 23 ④

24 인공신경망의 은닉층 노드가 너무 적으면 발생하는 문제는?

① 네트워크가 복잡한 의사결정 경계를 만들 수 없다.
② 네트워크의 일반화가 어렵다.
③ 훈련용 데이터에서는 만족스러운 결과를 보이나, 실제 적용에서는 분류가 정확하지 않은 모형의 과대적합 현상을 일으키는 경우가 종종 있다.
④ 출력층 노드의 수는 입력 차원의 수로 결정한다.

해설_ 보기 ②, 보기 ③은 은닉 노드수가 너무 많을 때 나타나는 현상이며 출력층 노드수는 출력범주의 수로 결정한다.

25 저차원(2차원 내지 3차원) 격자에 고차원 데이터의 각 개체들이 대응하도록 인공신경망과 유사한 방식의 학습을 통해 군집을 도출해내는 기법을 무엇이라 하는가?

① 자기조직화지도(SOM)
② 다차원척도법(MDS)
③ 인공신경망(ANN)
④ 로지스틱회귀분석

해설_ 자기조직화지도(SOM, Self-organizing map)는 대뇌피질의 시각피질을 모델화한 인공신경망의 일종. 또한 SOM 모델은 차원축소(Dimensionality Reduction)와 군집화(Clustering)를 동시에 수행하는 분류기법으로 사용되는 비지도학습 알고리즘이다.

26 다음 중 신경망 분석에 대한 설명으로 부적절한 것은?

① 은닉층과 은닉마디의 적절한 개수를 결정하기 어렵다.
② 효과적인 결합함수와 활성함수를 선택해야 한다.
③ 독립변수 간 교호작용을 쉽게 파악할 수 있다.
④ 항상 최적해에 도달하지 못할 수도 있다.

해설_ ③ 의사결정나무의 특징이다.

27 신경망 모형에 관한 설명 중 적절하지 않은 것은?

① 다층신경망은 단층신경망에 비해 훈련(Train-ing)이 어렵다.
② 은닉층 노드의 수가 너무 적으면 네트워크가 복잡한 의사결정 경계를 만들 수 없다.
③ 은닉층 노드의 수가 너무 많으면 일반화가 어렵다.
④ 은닉층의 수와 은닉 노드 수의 결정은 자동으로 설정된다.

해설_ 은닉층의 수와 은닉 노드 수는 사용자가 설정하는 하이퍼파라미터이다.

정답 24 ① 25 ① 26 ③ 27 ④

예상문제

28 인공신경망의 역전파 알고리즘에 대한 설명으로 올바른 것은?

① 손실함수로부터 측정된 오차를 출력층부터 입력층까지 역전파하여 연쇄적으로 가중치를 학습하는 방법이다.
② 오차를 확대해 가는 방법이다.
③ 입력신호의 총합을 출력신호로 변환하는 함수이다.
④ 입력층에서 차례대로 가중치를 계산하는 방법

해설_ 역전파란 용어는 출력부터 반대방향으로 순차적으로 편미분을 수행해가면서 가중치와 바이어스를 갱신시켜간다는 의미이다.

29 Logistic 함수라 불리기도 하며, 선형인 멀티퍼셉트론에서 비선형 값을 얻기 위해 사용하기 시작한 이 함수의 범위는 0 ~ 1 값을 가진다. 이 활성화 함수를 무엇이라 하는가?

① 시그모이드 함수
② 계단함수
③ 소프트맥스함수
④ 부호함수

해설_ 활성(화)함수는 인공신경망 모형에서 입력신호의 총합을 출력신호로 변환하는 함수이다.

30 경사하강법에서 다음 지점으로 이동할 때 얼마나 이동할지를 나타내는 하이퍼파라미터를 무엇이라 하는가?

① 학습률(learning rate)
② 은닉노드 수
③ 기울기(gradient)
④ 은닉 층

해설_ 인공신경망은 경사하강법 학습을 통해 예측 오차를 가장 최소화하는 최적의 가중치를 찾는다. 경사하강법 학습에서 학습률이 너무 큰 경우에는 Global Minima를 피해갈 수 있고, 반대로 학습률이 너무 작은 경우에는 Local Minima에 수렴하거나 Global Minima에 수렴하기 위해 많은 반복학습과 시간이 필요로 하다. 따라서 적절한 학습률을 설정하는 것이 중요하다.

31 아래 보기에서 설명하는 활성함수는?

- 양수면 자기 자신을 반환하고 음수면 0을 반환한다.
- 심층 신경망인 딥러닝에서 시그모이드 함수를 활성화 함수로 사용해 발생했던 기울기 소실문제가 발생하지 않는다.

① 부호함수　② 시그모이드 함수
③ 계단함수　④ 렐루(ReLU)함수

해설_ 과거에는 활성함수로 시그모이드 함수를 주로 사용했으나 양끝의 정보가 없어지는 기울기 소실문제가 발견하면서 지금은 ReLU같이 출력정보가 계속 유지되는 함수를 많이 적용한다.

정답　28 ①　29 ①　30 ①　31 ④

32 심층 인공 신경망을 학습하다보면 역전파 과정에서 입력층으로 갈수록 기울기(Gradient)가 점차적으로 작아지는 현상을 무엇이라 하는가?

① 기울기 소실(Gradient Vanishing) 문제
② 지역 최적해 문제
③ 손실함수 문제
④ 역전파 알고리즘의 문제

해설_ 은닉층이 많은 다층 퍼셉트론에서, 은닉층을 많이 거칠수록 전달되는 오차가 크게 줄어들어 학습이 되지 않는 현상이 발생하는데, 이를 기울기 소멸 문제라고 한다. 기울기가 거의 0으로 소멸되어 버리면 네트워크의 학습은 매우 느려지고, 학습이 다 이루어지지 않은 상태에서 멈추게 되면 신경망은 효과적인 학습을 할 수 없게 된다. 이것을 기울기 소실문제라고 한다.

33 서포트 벡터 머신(SVM : Support Vector Machine)에 대한 설명 중 가장 적절하지 않은 것은?

① 서포트 벡터 머신은 서로 다른 분류에 속한 데이터 간에 간격이 최대가 되는 선을 찾아 이를 기준으로 데이터를 분류하는 모델이다.
② 선형 SVM은 범주를 분류하기 어려울 때 커널트릭이라는 기법으로 해결한다.
③ 마진(Margin)은 결정 경계와 서포트 벡터 사이의 거리를 의미하고 마진이 최소로 되도록 한다.
④ SVM은 공간상에서 최적의 분리 초평면(Hyperplane)을 찾아서 분류 및 회귀를 수행한다.

해설_ 최적의 결정 경계는 마진을 최대화한다.

34 서포트 벡터 머신에서 커널 기법의 종류로 거리가 먼 것은?

① Linear Kernel
② ReLU Kernel
③ RBF Kernel
④ Polynomial Kernel

해설_ 서포트벡터머신 모형은 선형분류 뿐 아니라, 커널 트릭(kernel trick)이라 불리는 (입력 자료의) 다차원 공간상으로의 맵핑(mapping) 기법을 사용하여 비선형분류도 효율적으로 수행한다.

35 SVM 머신러닝 알고리즘에 대한 설명으로 옳지 않은 것은?

① 서로 다른 분류에 속한 데이터들 사이 마진(간격)이 최대가 되는 선(초평면)을 찾아 이를 기준으로 데이터를 분류한다.
② 경계선과 가장 가까운 각 분류에 속한 값(점)을 서포트 벡터라고 한다.
③ 분류 성능은 좋지만 과적합화 문제와 일반화 능력이 낮아 정교한 분류 성능이 요구되는 분야에 대한 적용은 어렵다.
④ 노이즈 데이터에 큰 영향을 받지 않아 주로 분류와 수치예측에 활용되고 있다.

해설_ SVM(Support Vector Machine) 모형은 과적합화가 잘 되지 않고 일반화 능력이 높다.

정답 32 ① 33 ③ 34 ② 35 ③

36 후보항목집합을 생성하고, 이를 데이터베이스 트랜잭션과 비교하여 후보항목집합들의 발생 빈도를 계산하고, 사용자가 정의한 최소지지도를 기준으로 빈발항목집합을 결정하는 연관성 분석 알고리즘을 무엇이라 하는가?

① EM　　　　② apriori
③ FP-Growth　　④ KNN

> 해설_ Apriori 알고리즘 : 연관규칙의 대표적인 알고리즘으로 현재도 많이 사용되고 있다. 기본개념은 데이터들에 대한 발생 빈도를 기반으로 각 데이터간의 연관관계를 밝히기 위한 방법이다.

37 연관성 분석 규칙에 대한 설명으로 옳지 않은 것은?

① 신뢰도는 일반적으로 조건부 확률로 구하며, 예를들어 'X 규칙이 발생하면 Y 규칙이 발생할 확률이 높다'고 말할 수 있는 비율이다.
② 지지도는 전체 데이터셋 중에서 항목 X와 Y가 동시에 포함된 비율을 의미한다.
③ 향상도는 조건 X가 주어지지 않았을 때의 결과 Y가 발생할 확률 대비, 조건 X가 주어졌을 때의 결과 Y의 발생 확률의 증가 비율로 구한다.
④ 향상도가 1보다 작으면, 적용된 연관성 규칙은 결과 예측에 있어 우연적으로 평가하기보다는 우수한 규칙으로 평가된다.

> 해설_ 품목 A와 B 사이에 아무런 관계가 상호 관계가 없으면(독립) 향상도는 1이고, 향상도가 1보다 높아질수록 연관성이 높다고 할 수 있다

38 연관성 분석에서 주로 사용하는 알고리즘인 Apriori와 FP-Growth에 대한 설명으로 가장 적절하지 않은 것은?

① Apriori 알고리즘은 DB를 반복적으로 스캔한다.
② FP-Growth 알고리즘은 FP-Tree를 상향식 방법으로 탐색하여 빈발 아이템 집합을 생성하는 방법이다.
③ Apriori 알고리즘은 최소지지도보다 작은 지지도를 가지는 품목을 포함하는 모든 집합을 제거한다.
④ Apriori 알고리즘과 FP-Growth 알고리즘은 후보 빈발 아이템 집합을 생성한다.

> 해설_ FP-Growth 알고리즘은 후보 빈발항목 집합을 생성하지 않고, FP-Tree를 만든 후 분할정복 방식을 통해 사용한다.

39 연관규칙의 측정지표 중 전체 거래 중에서 품목 A, B가 동시에 포함되는 거래의 비율을 무엇이라 하는가?

① 지지도　　② 향상도
③ 신뢰도　　④ ROC

> 해설_ 지지도는 전체 거래 중 항목 A와 B를 동시에 포함하는 거래의 비율을 의미한다.

정답　36 ②　37 ④　38 ④　39 ①

40 연관규칙 분석과 유사한 아이디어에서 출발하지만 시간 또는 순서에 따른 사건의 규칙을 찾는다는 점에서 다른 분석을 무엇이라 하는가?

① 신경망 분석
② 순차 패턴 분석
③ 의사결정나무
④ 로지스틱 회귀분석

41 다음은 어떤 슈퍼마켓 고객 5명의 장바구니별 구입품목이 다음과 같다고 하자, 연관규칙 (콜라 → 맥주)의 지지도는?

거래번호	품목
1	소주, 콜라, 맥주
2	소주, 콜라, 와인
3	소주, 주스
4	콜라, 맥주
5	소주, 콜라, 맥주, 와인
6	주스

① 0.6 ② 0.4
③ 0.5 ④ 0.3

해설_ 콜라와 맥주 포함하는 거래수 / 전체 거래수
= 3 / 6 = 0.5

42 다음 표는 빨강, 파랑, 노랑 세 가지 색상에 대한 선호도가 성별에 따라 차이가 있는지를 알아보기 위해 초등학교 남학생 200명과 여학생 200명을 임의로 추출하여 선호도를 조사한 분할표이다. 성별에 따라 선호하는 색상에 차이가 없다면, 파랑을 선호하는 여학생 수에 대한 기대도수의 추정값은?

	빨강	파랑	노랑	표본크기
남학생	60	90	50	200
여학생	90	70	40	200
합계	150	160	90	400

① 70 ② 75
③ 80 ④ 85

해설_ 카이제곱 독립성 검정에서 기대도수는 $E_{ij} = \frac{O_i \times O_j}{n}$ 이다(단, O_i:행의 합, O_j:열의 합, n:전체관측도수). 따라서 위 표를 참고한 파랑을 선호하는 여학생 수에 대한 기대도수는 $\frac{200 \times 160}{400} = 80$이다.

43 행변수가 M개의 범주를 갖고 열변수가 N개의 범주를 갖는 분할표에서 행변수와 열변수가 서로 독립인지를 검정하고자 한다. (i, j)셀의 관측도수를 O_{ij}, 귀무가설하에서의 기대도수의 추정치를 $\widehat{E}_{ij}$라 할 때 이 검정을 위한 검정통계량은?

① $\sum_{i=1}^{M}\sum_{j=1}^{N} \frac{(O_{ij} - \widehat{E}_{ij})^2}{O_{ij}}$
② $\sum_{i=1}^{M}\sum_{j=1}^{N} \frac{(O_{ij} - \widehat{E}_{ij})^2}{\widehat{E}_{ij}}$
③ $\sum_{i=1}^{M}\sum_{j=1}^{N} \frac{(O_{ij} - \widehat{E}_{ij})}{\widehat{E}_{ij}}$
④ $\sum_{i=1}^{M}\sum_{j=1}^{N} \frac{(O_{ij} - \widehat{E}_{ij})}{\sqrt{n\widehat{E}_{ij}O_{ij}}}$

정답 40 ② 41 ③ 42 ③ 43 ②

해설_ 카이제곱 독립성 검정에서 검정통계량은 $\sum_{i=1}^{M}\sum_{j=1}^{N}\frac{(O_{ij}-\widehat{E}_{ij})^2}{\widehat{E}_{ij}}$ 이다.

44 다음은 성별과 안경착용 여부를 조사하여 요약한 자료이다. 두 변수의 독립성을 검정하기 위한 카이제곱 통계량의 값은?

구분	안경착용	안경미착용
남자	10	30
여자	30	10

① 40　　② 30
③ 20　　④ 10

해설_ 관찰도수는 다음과 같다.

구분	안경착용	안경미착용	합계
남자	10	30	40
여자	30	10	40
합계	40	40	80

기대도수는 다음과 같다.

구분	안경착용	안경미착용
남자	$\frac{40\times40}{80}=20$	$\frac{40\times40}{80}=20$
여자	$\frac{40\times40}{80}=20$	$\frac{40\times40}{80}=20$

검정통계량은 $X^2 = \sum_{i=1}^{r}\sum_{j=1}^{c}\frac{(O_{ij}-E_{ij})^2}{E_{ij}}$ 이므로

$\frac{(10-20)^2}{20}+\frac{(30-20)^2}{20}+\frac{(30-20)^2}{20}+\frac{(10-20)^2}{20}=20$ 이다.

45 연관분석의 특징으로 옳지 않은 것은?

① 조건반응(If-Then)으로 표현되는 연관분석의 결과를 이해하기 쉽다.
② 비목적성 분석 기법이다.
③ 세분화 분석 품목 없이 연관 규칙을 찾을 수 있다.
④ 분석 계산이 간편하다.

해설_ 너무 세부화된 품목을 가지고 연관규칙을 찾으려면 의미 없는 분석 결과가 도출된다.

46 군집간의 거리에 기반하는 다른 연결법과는 달리 군집내의 오차 제곱합(Error Sum of Square)에 기초하여 군집을 수행하는 계층적 군집 분석의 거리측정을 무엇이라 하는가?

① 중심 연결법
② 평균 연결법
③ 와드 연결법
④ 최단 연결법

해설_ 와드연결법은 군집 내의 오차제곱합에 기초하여 군집을 수행한다.

정답　44 ③　45 ③　46 ③

47 다음 중 k-means 군집의 단점으로 가장 적절하지 않은 것은?

① 볼록한 형태가 아닌 군집이 존재하면 성능이 떨어진다.
② 사전에 주어진 목적이 없으므로 결과 해석이 어렵다.
③ 이상값에 영향을 많이 받는다.
④ 한번 군집이 형성되면 군집내 객체들은 다른 군집으로 이동 할 수 없다.

> 해설_ k-means 군집은 매 단계마다 군집 중심으로부터 오차제곱합을 최소화하는 방향으로 군집을 형성하여 다른 군집으로 이동이 가능하다.

48 군집분석에서 사용되는 거리(Distance)개념으로 두 지점의 단순한 거리뿐만 아니라, 표준편차와 상관계수가 함께 고려되는 거리로 변수의 표준화와 변수간의 상관성을 동시에 고려한 통계적 거리는?

① 유클리드 거리　② 표준화 거리
③ 민코프스키 거리　④ 마할라노비스 거리

> 해설_ 마할라노비스 거리(Mahalanobis distance)는 평균과의 거리가 표준편차의 몇 배인지를 나타내는 값이다.

49 K-means 군집분석에 대한 설명으로 가장 적절하지 않은 것은?

① 초기 군집의 중심으로 k개의 객체를 임의로 선택한다.
② 각 자료를 가장 가까운 군집 중심에 할당한다.
③ 각 군집 내의 자료들의 평균을 계산하여 군집의 중심을 갱신한다.
④ 군집의 중심 변화가 자료의 95%이상 변화가 없으면 군집분석을 종료한다.

> 해설_ 군집중심의 변화가 없을 때까지 반복을 한다.

50 군집분석의 유사도 측도에 대한 설명 중 가장 적절하지 않은 것은?

① 자카드 지수는 0과 1 사이의 값을 가지며, 두 집합이 동일하면 1의 값을 가지고, 공통의 원소가 하나도 없으면 0의 값을 가진다.
② 코사인 유사도는 내적공간의 두 벡터간 각도의 코사인값을 이용하여 측정된 벡터간의 유사한 정도를 의미한다.
③ 유클리드 거리는 두 점을 잇는 가장 짧은 직선거리를 의미한다.
④ 피어슨의 상관계수는 각 변수를 해당 변수의 표준편차(Standard Deviation)로 척도변환한 후에 유클리드 거리를 계산한 거리이다.

> 해설_ ④ 표준화 거리에 대한 설명이다.

정답 47 ④　48 ④　49 ④　50 ④

예상문제

51 k-평균 군집에서 단점을 해결하기 위한 방안은?

① 이상값 자료에 민감한 k-평균 군집의 단점을 보완하기 위해 군집을 형성하는 매 단계마다 평균 대신 중앙값을 사용하는 k-중앙값 군집을 사용한다.
② k-평균은 군집의 수를 미리 정할 필요가 없다.
③ 블록한 형태가 아닌 군집이 존재할 경우 군집 성능이 높아진다.
④ 조화평균을 사용한다.

해설 중앙값은 평균에 비해 이상치에 영향을 덜 받기 때문에 k-medoid가 k-means보다 안정적이다. 그러나 k-medoid 알고리즘의 경우 kmeans에 비해 계산복잡도가 훨씬 높기 때문에 느리다는 단점이 있다.

52 다음 군집분석(Cluster analysis)에 관한 설명 중 올바르지 않은 것은?

① 비계층적 군집분석 기법의 경우 사용자가 사전 지식 없이 그룹의 수를 정해주는 일이 많기 때문에 결과가 잘 나오지 않을 수 있다.
② 군집분석은 신뢰성과 타당성을 점검하기 어렵다.
③ 군집 결과에 대한 안정성을 검토하는 방법으로 지도학습과 동일한 교차타당성을 이용한다.
④ 계층적 군집분석은 이상치에 민감하다.

해설 군집을 만든 결과가 얼마나 유용한지 따지는 군집타당성지표(Clustering Validity Index)가 있다. 군집타당성지표는 (1)군집간 거리 (2)군집의 지름 (3)군집의 분산 등을 고려한다. 군집 간 분산과 군집 내 분산을 고려한다. 대표적 지표로 Dunn Index와 Silhouette가 있다. 하지만 지도학습과 안정성을 검토하는 방법이 같지 않다.

53 다음 중 k-평균군집분석의 분석절차 순서는?

ⓐ 초기 군집중심으로 k개의 객체로 임의 선택
ⓑ 각 자료를 가장 가까운 군집 중심에 할당
ⓒ 각 군집내의 자료들을 평균을 계산하여 군집의 중심 갱신
ⓓ 군집 중심의 변화가 없을 때까지 ⓑ, ⓒ를 반복

① ⓐ → ⓑ → ⓒ → ⓓ
② ⓒ → ⓐ → ⓑ → ⓓ
③ ⓐ → ⓑ → ⓓ → ⓒ
④ ⓑ → ⓐ → ⓒ → ⓓ

54 거리에 대한 개념으로 두 벡터 사이의 사잇각을 계산해서 유사한 정도를 구하는 것을 무엇이라 하는가?

① 코사인 유사도   ② binary
③ 민코프스키 거리   ④ 표준화 거리

해설 코사인 유사도는 두 벡터 간의 코사인 각도를 이용하여 구할 수 있는 두 벡터의 유사도를 의미한다. 두 벡터의 방향이 완전히 동일한 경우에는 1의 값을 가지며, 90°의 각을 이루면 0, 180°로 반대의 방향을 가지면 -1의 값을 갖게 된다. 즉, 결국 코사인 유사도는 -1 이상 1 이하의 값을 가지며 값이 1에 가까울수록 유사도가 높다고 판단한다.

정답 51 ① 52 ③ 53 ① 54 ①

55 다음 중 비계층적 군집분석의 단점으로 올바르지 않은 것은?

① 초기 군집 수를 결정하는 데 어려움이 있다.
② 가중치와 거리 정의가 어렵다.
③ 최종 군집의 형태가 초기값에 민감하다.
④ 군집이 한번 잘못 결정되면 다음 단계에서 군집화 수정을 할 수 없다.

해설_ ④는 계층적 군집분석에 대한 설명이다.

56 혼합분포군집에서의 모수와 가중치 추정 알고리즘은?

① 전방패스 알고리즘
② 역전파 알고리즘
③ 오차 알고리즘
④ EM 알고리즘

해설_ 초기에 K-평균군집처럼 랜덤하게 초기화되고, 각 관측치는 A군집에 속할 확률 또는 B군집에 속할 확률이 계산이 된다. 즉 각 자료가 어느 집단에 속하는지에 대한 정보를 가지는 변수를 잠재변수(Latent Variable)라 한다. 이 단계를 E-Step단계라 하고, 다음 이 확률을 이용해서 최대우도추정으로 모수(평균과 분산)를 다시 추정하고, 이를 반복하면서 모수의 값이 변화가 없을 때까지 하는 단계를 M-Step단계라 한다.

57 SOM에 대한 설명으로 가장 적절한 것은?

① 지도학습이다.
② 인공신경망과 같은 역전파 알고리즘을 이용한다.
③ 다수의 입력층과 다수의 출력층으로 구성이 되어 있다.
④ 출력 뉴런들은 승자 뉴런이 되기 위해 경쟁하고 오직 승자만이 학습한다.

해설_ SOM 특징
• 한 개의 입력층과 한 개의 출력층
• 입력층과 출력층이 완전 연결
• 출력 뉴런들은 승자 뉴런이 되기 위해 경쟁하고 오직 승자만이 학습함 (경쟁학습)

58 어느 점을 기준으로 반경 x내에 점이 n개 이상 있으면 하나의 군집으로 인식하는 방식을 의미하며, 임의적 모양의 군집분석을 무엇이라 하는가?

① KNN
② PAM
③ Kmeans
④ DBSCAN

해설_ 밀도기반군집은 주변 밀도가 높은 각 데이터가 서로 가까이 위치하면 동일한 군집으로 묶이게 되는 방식을 사용한다. 대표적인 밀도기반군집의 알고리즘은 DBSCAN(Density - Based Spatial Clus - tering of Application with Noise)이다.

정답 55 ④   56 ④   57 ④   58 ④

예상문제

59 범주형 자료 분석 영역에서 관측된 데이터의 분포가 기댓값의 분포에 따르는지 여부를 검정하는 유의성 검정은 무엇인가?

① 카이제곱 검정(Chi-Square Test)
② F-검정(F-Test)
③ Z-검정(Z-Test)
④ T-검정(T-Test)

> 해설_ 카이제곱 검정(Chi-Square Test)이란 범주형 자료 분석 영역에서 관측된 데이터의 분포가 기댓값의 분포에 따르는지 여부를 검정하는 유의성 검정이다.

60 두 모집단의 분산에 대한 차이가 통계적으로 유의한가를 판별하는 유의성 검정 기법은?

① 카이제곱 검정(Chi-Square Test)
② T-검정(T-Test)
③ Z-검정(Z-Test)
④ F-검정(F-Test)

> 해설_ F-검정(F-Test)이란
> • 두 표본의 분산에 대한 차이가 통계적으로 유의한가를 판별하는 검정 기법이다.
> • 표본의 분산에 대한 차이를 검정할 때 카이제곱 검정과 F-검정을 사용한다. 이때 카이제곱 검정은 단일표본이 대상이고, F-검정은 두 개의 표본이 대상이다.

61 표본집단의 분포가 주어진 특정이론을 따르고 있는지를 판단하는 검정 기법은 무엇인가?

① 동질성 검정(Test of homogeneity)
② 독립성 검정(Test for independence)
③ 적합도 검정(Goodnesss of Fit Test)
④ 등분산성 검정(Homogeneity of Variance Test)

> 해설_ 적합도 검정(Goodness of Fit Test)이란
> • 가정된 확률이 정해져 있을 때와 정해져 있지 않을 때 데이터가 가정된 확률에 적합하게 따르는지를 검정하는 기법

62 다음 아래 그림은 주성분분석의 Scree Plot이다. 이 그림을 통해 가정할 수 있는 주성분 변수의 개수는?

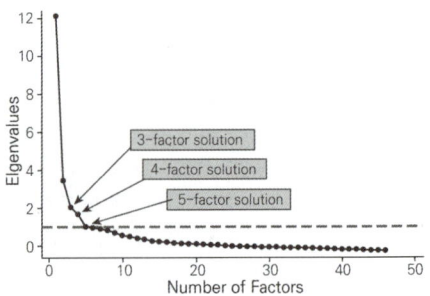

① 1   ② 4
③ 8   ④ 15

> 해설_ 고윳값은 1~4까지 급격하게 감소하다가 5번째 고윳값에서 완만하게 감소한다는 측면에서 주성분 변수를 4개(엘보우 포인트)로 가정할 수 있다.

정답 59 ①   60 ④   61 ③   62 ②

63 다음 중 주성분 분석에 대한 설명 중 적절하지 않은 것은?

① 주성분 분석에서 주성분의 개수를 선택하는 방법으로 스크리 그래프, 평균 고윳값, 전체 변이의 공헌도 등이 있다.
② 변수들의 선형결합으로 이루어진 주성분은 서로 독립이다.
③ 전체 분산을 설명하는 비율이 기준치를 넘는 주성분의 수를 이용한다.
④ 주성분수를 고려할 때 평균 고윳값이 큰 경우의 주성분을 제거하고 분석을 실시한다.

해설_ 어떤 주성분의 고윳값이 1보다 크다는 것은 데이터 셋에 존재하고 있는 어떠한 변수가 나타내는 분산의 양보다 그(고윳값이 1 보다 큰) 주성분이 나타내는 분산의 총량이 크다는 것을 의미한다.

64 주성분 분석에 대한 설명으로 옳지 않은 것은?

① 주성분 분석은 독립변수들과 주성분과의 거리인 '정보손실량'을 최소화하거나 분산을 최대화한다.
② 동일한 주성분은 선형결합으로 이루어져 있다.
③ 주성분 분석의 목적 중 하나는 데이터를 이해하기 위한 차원축소이다.
④ 정규화 전후의 주성분 결과는 동일하다.

해설_ 주성분 분석의 문제점은 측정단위에 따라 분산이 크게 달라진다.

65 다음 중 시계열 데이터의 분석 절차 순서로 가장 적절한 것은?

> ⓐ 시계열 그래프 그리기
> ⓑ 추세와 계절요인 파악 및 제거하기
> ⓒ 잔차 예측하기
> ⓓ 잔차에 대한 모델 적합하기
> ⓔ 예측된 잔차에 추세와 계절성을 재반영하여 예측하기

① ⓐ → ⓑ → ⓒ → ⓓ → ⓔ
② ⓔ → ⓐ → ⓑ → ⓒ → ⓓ
③ ⓐ → ⓑ → ⓓ → ⓔ → ⓒ
④ ⓑ → ⓐ → ⓒ → ⓓ → ⓔ

66 다음 중 시계열 데이터에 대한 설명으로 가장 부적절한 것은?

① 계절성(Seasonality)은 특정한 기간마다 어떤 패턴을 가지고 반복하는지 확인할 수 있는 특성을 의미한다.
② 노이즈(Noise)라고도 불리는 이 데이터는 추세, 계절성 등으로 설명되는 데이터를 의미한다.
③ 시계열(Time Series) 데이터는 관측치가 시간적 순서를 가진 데이터이다.
④ 시계열 데이터는 과거의 데이터를 통해서 현재의 움직임 그리고 미래를 예측하는데 사용된다.

해설_ 노이즈(Noise)라고도 불리는 이 데이터는 추세, 계절성 등으로 설명되지 않은 데이터를 의미한다. 이러한 데이터를 가지고 예측하게 된다면 예측의 오차가 커지기 때문에 전처리를 통해서 최대한 예측하는데 관여하지 않도록 하는 것이 중요하다.

정답 63 ④ 64 ④ 65 ① 66 ②

예상문제

67 다음 중 시계열 모형에 대한 설명으로 부적절한 것은?

① 과거 자료가 현재 자료에 영향을 주는 모형을 자기회귀모형이라고 한다.
② 현재 자료를 과거의 백색 잡음의 결합으로 나타내는 모형을 이동평균모형이라고 한다.
③ 정상성을 만족하지 않는 시계열 자료는 모형화할 수 없다.
④ 계절성을 갖는 비정상 시계열은 계절차분을 이용해 정상 시계열로 바꿀 수 있다.

> **해설_** 비정상 시계열은 변환이나 차분을 통해 정상 시계열로 바꾸어 줄 수 있다.

68 다음 중 시계열을 구성하고 있는 요소 4가지에 대한 설명으로 가장 부적절한 것은?

① 추세요인 : 자료가 어떤 특정한 형태를 취할 때 추세요인이 있다고 한다.
② 계절요인 : 고정된 주기에 따라 자료가 변화할 경우 계절요인이 있다고 한다.
③ 순환요인 : 경제적이나 자연적인 이유 등 잘 알려진 주기를 가지고 자료가 변화할 때 순환요인이 있다고 한다.
④ 불규칙요인 : 추세, 계절, 순환요인으로 설명할 수 없는 회귀분석에서 오차에 해당하는 요인을 불규칙요인이라고 한다.

> **해설_** 경제적이거나 자연적인 이유가 없이 알려지지 않는 주기를 가지고 자료가 변화할 때 순환요인이 있다고 한다.

69 다음 시계열 자료의 정상성(Stationary)에 대한 설명 중 가장 부적절한 것은?

① 모든 시점에 대해 일정한 평균을 가진다.
② 모든 시점에 대해 일정한 분산을 가진다.
③ 공분산은 단지 시차에만 의존하고 시점 자체에는 의존하지 않는다.
④ 모든 분산이 시점에 의존하지 않는다.

70 다음 중 시계열 모형에 대한 설명으로 부적절한 것은?

① 과거의 자료가 현재 자료에 영향을 주는 모형을 자기회귀모형이라고 한다.
② 현재 자료를 과거의 백색 잡음의 결합으로 나타내는 모형을 이동평균모형이라고 한다.
③ 정상성을 만족하지 않는 시계열 자료를 모형화 할 수 없다.
④ 계절성을 갖는 비정상 시계열은 계절차분을 이용해 정상 시계열로 바꿀 수 있다.

> **해설_** 비정상시계열을 정상시계열로 전환 후 모형화 할 수 있다.

정답 67 ③ 68 ③ 69 ④ 70 ③

71 A기업의 보안담당자는 자신의 회사의 스팸메일을 분석하였다. 지금까지 회사 메일로 유입된 이 메일의 60% 스팸메일이었다. 메일의 단어들을 조사해보니 90%의 스팸메일에서 '대출'을 볼 수 있고, 정상메일의 5%에서도 '대출'을 볼 수 있었다. 방금 전 받은 메일에 '대출'이라는 단어가 들어 있을 경우 이 메일이 스팸일 확률은?

① $\frac{25}{28}$ ② $\frac{27}{28}$
③ $\frac{23}{28}$ ④ $\frac{21}{28}$

해설_ P(스팸|대출)=
$$\frac{스팸 \cap 대출}{스팸 \cap 대출 + 정상 \cap 대출} = \frac{27}{28}$$
- 스팸 ∩ 대출 = $0.6 \times 0.9 = 0.54$
- 정상 ∩ 대출 = $0.4 \times 0.05 = 0.02$

72 다음 중 시각적 이미지를 분석하는 데 사용되는 합성곱 신경망으로 가장 알맞은 것은?
① ANN
② AE
③ CNN
④ RNN

해설_ 이미지의 공간적인 구조정보를 보존하면서 학습할 수 있는 방법이 필요해졌고, 이를 위해 사용하는 것이 합성곱신경망(CNN)이다.

73 다음 중 CNN 알고리즘에서 이미지로부터 필터를 이용하여 특징을 추출하는 연산으로 가장 알맞은 것은?
① Stride
② Sub-sampling
③ Faltten
④ Padding

해설_ Sub-Sampling을 이용해 특징맵(Feature-map)의 크기를 줄이고, 위치나 이동에 좀 더 강인한 성질을 갖는 특징을 추출할 수 있게 된다.

74 CNN에서 원본 이미지가 5 × 5에서 Stride가 2이고, 필터가 3 × 3일 때 Feature MAP은 무엇인가?
① (1, 1)   ② (2, 2)
③ (3, 3)   ④ (4, 4)

해설_ Stride 적용되었을 때 원본 이미지가 크기가 n*n, stride=s, Padding = p, Filter = f*f 일 때 Feature Map 크기는 다음과 같다.
Feature Map
$= (\frac{n+2p-f}{s}+1, \frac{n+2p-f}{s}+1)$

정답 71 ② 72 ③ 73 ② 74 ②

예상문제

75 Boostrap Aggregating의 약어로 데이터를 가방(Bag)에 쓸어 담아 복원 추출하여 여러 개의 표본을 만들어 이를 기반으로 각각의 모델을 개발한 후에 결과를 하나로 합쳐 하나의 모델로 만드는 앙상블 방법을 무엇이라 하는가?

① 배깅(Bagging)
② 부스팅(Boosting)
③ 랜덤포레스트(Random forest)
④ 인공신경망(ANN)

> 해설_ 앙상블 모형은 여러 모형의 평균을 취함으로써 어느 쪽에도 치우치지 않는 결과를 얻을 수 있으며, 여러 개의 모형의 의견을 취합함으로써 분산을 감소시킬 수 있다.

76 다음 중 배깅(Bagging)에 대한 설명으로 가장 적절한 것은?

① 샘플 데이터를 뽑아내고 다수의 분류기를 생성한 후 앞 모델이 틀렸던 부분에 가중치를 부여하는 방식이다.
② 여러 개의 Decision tree를 형성하고 새로운 데이터 포인트를 각 트리에 동시에 통과시키며, 각 트리가 분류한 결과에서 투표를 실시하여 가장 많이 득표한 결과를 최종 분류 결과로 선택한다.
③ 저차원(2차원 내지 3차원) 격자에 고차원 데이터의 각 개체들이 대응하도록 인공신경망과 유사한 방식의 학습을 통해 군집을 도출해내는 기법이다.
④ Boostrap aggregating의 준말로 여기서 붓스트랩 데이터란 같은 데이터가 한 표본에 여러 번 추출될 수 있고 어떤 데이터는 추출되지 않을 수도 있음을 의미하며 이 붓스트랩(Bootstrap) 데이터를 모델링한 후 결합하여 최종의 예측 모델을 생성하는 방법이다.

77 다음 중 앙상블 모형 중 매번 분할을 수행할 때마다 설명변수의 일부분만을 고려함으로 성능을 높이는 방법을 무엇이라 하는가?

① 배깅
② 부스팅
③ 랜덤포레스트
④ 의사결정나무

> 해설_ 랜덤포레스트는 각 노드마다 모든 예측변수 안에서 최적의분할(Split)을 선택하는 방법 대신 예측변수들을 임의로 추출 하고, 추출 된 변수 내에서 최적의 분할을 만들어 나가는 방법을 사용한다.

정답 75 ① 76 ④ 77 ③

78 앙상블 모형에 대한 설명 중 적절하지 않은 것은?

① 부스팅(Boosting)은 배깅의 과정과 유사하나 붓스트랩 표본을 구성하는 재표본(Re-sampling)과정에서 각 자료에 동일한 확률을 부여한다.
② 아다부스팅(AdaBoosting : Adaptive Boosting)은 가장 많이 사용되는 부스팅 알고리즘이다.
③ 배깅(Bagging)은 Bootstrap aggregating의 준말로 원 데이터 집합으로부터 크기가 같은 표본을 여러 번 단순임의 복원 추출하여 각 표본(이를 붓스트랩 표본이라 함)에 대해 분류기(Classifiers)를 생성한 후 그 결과를 앙상블 하는 방법이다.
④ 배깅은 반복추출 방법을 사용하기 때문에 같은 데이터가 한 표본에 여러 번 추출될 수도 있고, 어떤 데이터는 추출되지 않을 수도 있다.

해설_ 부스팅(Boosting)은 배깅의 과정과 유사하나 붓스트랩 표본을 구성하는 재표본(Re-sampling) 과정에서 각 자료에 동일한 확률을 부여하는 것이 아니라, 분류가 잘못된 데이터에 더 큰 가중을 주어 표본을 추출한다.

79 텍스트 마이닝의 기능에 해당하지 않는 것은?

① 문서요약(Summarization)
② 문서분류(Classification)
③ 문서군집(Clustering)
④ 문서제작(Production)

해설_ 텍스트마이닝의 기능으로는 문서요약, 문서분류, 문서군집, 특성추출이 있다.

80 아래 예시와 같이 텍스트 마이닝의 전처리(Pre processing) 과정 중에 변형된 단어 형태인 접사(Affix) 등을 제거하고 그 단어의 원형 또는 어간을 찾아내는 것을 지칭하는 용어는 무엇인가?

예) 'argue', 'argued', 'arguing', 'argus' 단어들의 어간인 'argu'를 찾아내는 것

① 스테밍(Stemming)
② Plain text 전환
③ Space 제거
④ Phoneme

해설_ 어간(Stem)을 추출하는 작업을 어간 추출(stemming)이라 한다.

정답 78 ① 79 ④ 80 ①

81 텍스트 마이닝에 대한 설명으로 옳지 않은 것은?
① 특정 집단에 대한 반응을 알 수 있다.
② Sales Lead에 대해 정보를 획득할 수 있다.
③ 타 브랜드에 대한 모니터링을 통해 경쟁전략을 수립할 수 있다.
④ 다양한 언어에 같은 방법을 적용할 수 있다.

해설_ 각 언어별 문화와 특성이 다르기 때문에 텍스트 마이닝 시 언어 특성을 고려해야 한다.

82 소셜 네트워크의 활용 방안으로 옳지 않은 것은?
① 네트워크가 몇 개의 집단으로 구성되는지 알 수 있다.
② 영향력 있는 고객을 알 수 있다.
③ 시간의 흐름에 따른 변화를 알 수 있다.
④ 고객 중 다음에 누가 이탈할지 알 수 있다.

해설_ 보기 ④는 예측의 문제이다.

83 텍스트 마이닝 전처리를 통해 도출되는 각 문서에서 등장하는 단어의 빈도를 이용해 만들 수 있는 매트릭스를 무엇이라 하는가?
① TDM(Term Document Matrix)
② Stemming
③ Crawling
④ Stop word

해설_ 단어 문서 행렬(Term-Document Matrix, TDM)이란 다수의 문서에서 등장하는 각 단어들의 빈도를 행렬로 표현한 것을 말한다.

84 비모수적 검정의 특징으로 부적절한 것은?
① 절대적인 크기가 중요하므로 평균, 분산 등을 이용해 검정을 실시한다.
② 추론에서 계산이 모수적 방법보다 훨씬 단순하다.
③ 통계량이 부호(sign) 혹은 순서(rank)에 의해 계산되므로 이상치(outlier)에 영향을 크게 받지 않는다.
④ 비모수적 검정은 모수 자체보다는 분포형태에 관한 검정을 실시한다.

해설_ 비모수적 검정은 관측된 자료가 특정분포를 따른다고 가정할 수 없는 경우에 이용된다.

85 모수적 검정의 Paired t-test의 대응되는 비모수적 검정은?
① 부호검정(Sign Test)
② 윌콕슨 부호 순위 검정(Wilcoxon's Singed Rank Test)
③ 윌콕슨의 순위합 검정(Wilcoxon's Rank Sum Test)
④ Mann-Whitney Test

정답 81 ④ 82 ④ 83 ① 84 ① 85 ②

86 동전의 앞을 1, 뒤를 0으로 했을 경우 10번 동전을 던졌을 때의 결과는 아래와 같다. 이런 런(Run)의 총 횟수는 얼마인가?

> 1 1 1 0 0 0 1 1 1 1

① 2   ② 3
③ 4   ④ 5

> 해설_ Run이란 동일한 측정값들이 연속적으로 나타나는 구간을 말한다.
> • 111 / 000 / 1111 / 3개로 구분할 수 있다.

87 비모수 검정방법 중에서 차이의 부호만을 이용하는 중위수 위치에 대한 검정 방법을 무엇이라 하는가?

① 런 검정
② 부호검정
③ 만 휘트니 검정
④ 윌콕슨의 순위합 검정

> 해설_ 부호검정은 단지 차이의 부호만을 이용한 중위수 위치 비모수검정이다.

정답 86 ②   87 ②

4 과목

빅데이터 결과 해석

CHAPTER 01 분석모형 평가 및 개선
CHAPTER 02 분석결과 해석 및 활용

CHAPTER 01 분석모형 평가 및 개선

01 분석모형 평가

1. 분석모형 평가지표
- 데이터분석을 위해 수립된 모형의 성능을 평가하기 위하여 다양한 지표를 설정하고 평가한다.
- 분석모형에는 다양한 알고리즘 및 방법론이 존재할 뿐만 아니라 하나의 방법론에도 다른 분류결과를 초래하는 선택사항이 존재한다.
- 따라서 다양한 분석모형 중에서 데이터분석의 목적 및 데이터의 특성에 따라 가장 적합한 모형을 선택하기 위해서는 성과 평가기준이 필요하다.
- 다양한 성과평가지표를 활용하여 분석모형 중에서 주어진 가설 공간에서 최고의 성능을 발휘하는 최적의 모델을 선택하게 된다.

2. 모형평가 기준
① 일반화의 가능성
   - 같은 모집단 내의 다른 데이터에 적용할 경우에도 안정적인 결과를 제공하는 것을 의미하며 데이터를 확장하여 적용할 수 있는지에 대한 평가기준이다.
② 효율성
   - 분류분석모형이 얼마나 효과적으로 구축되었는지를 평가하는 것이다. 적은 입력변수를 필요로 할수록 효율성이 높다고 할 수 있다.
③ 예측과 분류의 정확성
   - 구축된 모형의 정확성 측면에서 평가하는 것으로 안정적이고 효율적인 모형을 구축하였다 하더라도 실제 문제에 적용했을 때 정확하지 못한 결과만을 양산한다면 그 모형은 의미를 가질 수 없다.

> **기출유형 따라잡기**

[02회] 다음 중 데이터분석 결과활용에 대한 설명으로 옳지 않은 것은?
① 분석모형 최종 평가 시에는 학습에 사용하지 않았던 데이터를 사용한다.
② 분석모형 개발과 피드백 적용과정을 반복하는 것을 지양한다.
③ 정확도, 재현율 등의 평가지표를 분석모형 성능 지표로 활용한다.
④ 분석결과는 비즈니스 업무 담당자, 시스템 엔지니어 등 관련 인원들에게 모두 공유되어야 한다.

정답 ②
해설 분석모형 개발과 피드백 적용을 반복 수행해서 최적의 분석모형 성능을 찾게 된다.

1 평가지표

학습 목표
1. 회귀모델과 분류모델에 사용되는 모델 성능 평가 지표를 학습한다.

출제 KEYWORD
① 회귀모형 평가지표 정의 ★★★
② 분류모형 평가지표 정의 및 계산문제 ★★★
③ ROC AUC 해석 ★★★
④ 이익도표 ★
⑤ 향상도 곡선 ★
⑥ 비지도학습의 평가지표 ★★

1. 회귀모형의 평가지표

- 회귀모델을 평가할 때는 실측값과 예측값의 차(=잔차)를 사용한 지표를 사용하는 것이 일반적이다.
- 실제값과 예측값의 차이를 그냥 더하면 잔차의 합은 0이므로 지표로 쓸 수 없다.
- 이 때문에 잔차의 절대값 평균이나 제곱, 또는 제곱한 뒤 다시 루트를 씌운 평균값을 성능 지표로 사용한다.
- 회귀 평가지표인 MAE, MSE, RMSE, MSLE, RMSLE는 값이 작을수록 R^2는 값이 클수록 회귀 성능이 좋은 것으로 해석된다. 값이 작을수록 예측값과 실제값의 차이가 없다는 뜻이기 때문이다.

1) 결정계수
- 회귀모형 내에서 설명변수 x로 설명할 수 있는 반응변수 y의 변동 비율
- 모형의 적합도를 평가하는 지표
- 설명력은 0~1까지의 숫자로 나타내거나 몇%의 설명력을 가지는지 확률로 표현
- 회귀모형의 변동은 총변동(SST), 회귀변동(SSR), 오차변동(SSE) 3가지로 구분되며 이 3가지 제곱합을 자유도로 각각 나누면 일종의 분산이 된다.

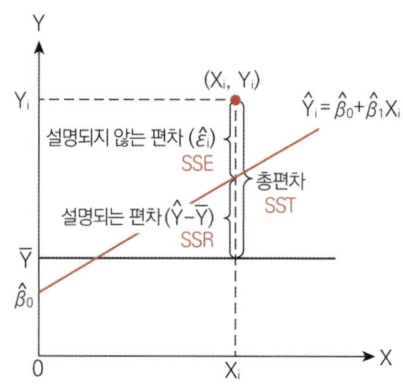

- (결정계수) $R^2 = \dfrac{SSR}{SST}$
- 독립변수의 개수가 다른 모형의 평가에는 적합하지 않다.
- R^2의 값이 1에 근접할수록 회귀선의 추정치를 잘 반영하고 있다고 볼 수 있다.

2) 수정된 결정계수
- 모형에 유의하지 않은 변수의 개수가 증가하더라도 결정계수가 증가하는 단점을 보완
- 수정된 결정계수는 결정계수보다 항상 작다.

$$R_{adj} = 1 - (\dfrac{n-1}{n-p-1})\dfrac{SSE}{SST}$$

3) 평균절대오차(MAE, Mean Absolute Error)

$$MAE = \dfrac{1}{n}\sum_{i=1}^{n}|Y_i - \hat{Y}_i|$$

- 실제 값과 예측값의 차이(=오차)를 절댓값으로 변환하여 평균한 값이다.
- 오차의 절대값 그 자체를 나타내기 때문에, 값은 낮을수록 좋다.

- MSE보다 특이치에 robust하다.

4) 평균제곱오차(MSE, Mean Squared Error)

$$MSE = \frac{1}{n}\sum_{i=1}^{n}(Y_i - \widehat{Y}_i)^2$$

- 머신러닝뿐만 아니라 영상처리 영역에서도 자주 사용되는 추정값에 대한 정확성 측정 방법
- 오차의 제곱에 대해 평균을 취한 것으로 작을수록 원본과의 오차가 적은 것이므로 추측한 값의 정확성이 높은 것이다.
- 머신러닝 영역에서는 비용함수(Cost Function)에서 주로 사용되는 지표이다.

5) 평균제곱근오차(RMSE, Root Mean Squared Error)

$$RMSE = \sqrt{\frac{1}{n}\sum_{i=1}^{n}(Y_i - \widehat{Y}_i)^2}$$

- MSE에 루트를 씌운 지표
- 평균을 낼 때 1/n처리를 하는 게 아니라, $1/\sqrt{n}$ 처리를 하면 일반적인 평균(MAE)보다 커진다.
- RMSE는 큰 오류값 차이에 대해서 크게 패널티를 주는 방식이다.

6) 평균절대백분율오차(MAPE, Mean Absolute Percentage Error)

$$MAPE = \frac{100}{n}\sum_{i=1}^{n}\left|\frac{Y_i - \widehat{Y}_i}{Y_i}\right|$$

- 정확도를 오차의 백분율로 표시
- MAPE는 백분율이기 때문에 다른 정확도 측도 통계량보다 더 쉽게 이해할 수 있다.
  예 MAPE가 5이면, 예측 값은 평균 5% 벗어난 정도를 의미한다.

7) RMSLE(Root Mean Squared Log Error)

$$RMSLE = \sqrt{\frac{1}{n}\sum_{i=1}^{n}(\log(\widehat{Y}_i + 1) - \log(Y_i + 1))^2}$$

- RMSE에 로그를 취합 값을 의미한다.
- 로그값이 0이 나오는 것을 방지하기 위해 +1을 한다.

- 이상치에 덜 민감하고, 상대적 오차를 측정해 준다.
- 머신러닝 영역에서는 비용함수(Cost Function)에서 주로 사용되는 지표이다.

8) Mallow's C_p

- Mallows의 Cp 값이 작다는 것은 모형이 실제 회귀 계수를 추정하고 미래 반응 값을 예측하는 데 있어 비교적 정확하다(분산이 작다)는 것을 의미한다.

$$C_p = p + \frac{(MSE - \widehat{\sigma^2})(n-p)}{\widehat{\sigma^2}} = \frac{SSE}{\widehat{\sigma^2}} + 2p - n$$

n = 모든독립변수의 수, p = 선택된 독립변수의 수, $\widehat{\sigma^2}$ = 모든 예측변수를 포함한 평균제곱오차(MSE)

- 위의 기준에 따른 변수 선택은 다음과 같다.
  ① 결정계수는 p에 대한 증가함수이다. 따라서 증가가 둔화되는 시점의 p를 선택한다.
  ② 수정결정계수는 결정계수의 단점을 보완하여 설명력이 약한 예측변수가 추가할 때는 오히려 감소한다. 따라서 가장 큰 값을 가지는 p를 선택한다.
  ③ 평균제곱오차가 최소가 되는 p를 선택한다. 수정결정계수의 결과와 동일하다.

》 기출유형 따라잡기

[03회] 다음 중 분석모형의 평가지표 중 MAPE를 나타내는 공식은?

① $\frac{100}{n}\sum_{i=1}^{n}\left|\frac{Y_i - \hat{Y}_i}{Y_i}\right|$ ② $\sqrt{\frac{1}{n}\sum_{i=1}^{n}(\log(\hat{Y}_i+1) - \log(Y_i+1))^2}$

③ $\sqrt{\frac{1}{n}\sum_{i=1}^{n}(Y_i - \hat{Y}_i)^2}$ ④ $\frac{1}{n}\sum_{i=1}^{n}|Y_i - \hat{Y}_i|$

정답 ①

[03회] 다음 중 이진분류의 성능지표가 아닌 것은?
① 정확도(Accuracy) ② 정밀도(Precision)
③ 재현율(Recall) ④ MAE(Mean Absolute Error)

정답 ④

해설 머신러닝 모델의 성능을 평가하는 지표인 성능평가지표는 모델이 분류모델이냐, 회귀모델이냐에 따라 달라진다.

2. 분류모형의 평가지표

- 분류 목적의 머신러닝 기법에서 분석모델 결과 평가를 위해서 일반적으로 가장 많이 사용하는 것은 혼동행렬(Confusion Matrix)을 이용한 분류정확도 등의 평가지표 계산이다.

1) 혼동행렬 또는 오분류표(Confusion Matrix), 이진 반응변수

- 오분류표는 목표 변수의 실제 범주와 모형에 의해 예측된 분류범주 사이의 관계를 나타내는 교차표 형태로 정리한 행렬이다.

① 오분류표 작성 방법

구분	분류	설명
예측값이 정확할 때	TP(True Positive)	• 실제값도 Positive, 예측값도 Positive
	TN(True Negative)	• 실제값도 Negative, 예측값도 Negative
예측값이 틀릴 때	FP(False Positive)	• 실제값은 Negative, 예측값은 Positive
	FN(False Negative)	• 실제값은 Positive, 예측값은 Negative

② 오분류표

구분		예측값	
		Positive	Negative
실제값	Positive	TP	FN
	Negative	FP	TN

③ 오분류표를 활용한 평가지표

평가지표	계산식	설명
정분류율 (Accuracy)	$\dfrac{TP+TN}{TP+TN+FP+FN}$	• 실제 분류범주를 정확하게 예측한 비율
오분류율 (Error Rate)	$\dfrac{FP+FN}{TP+TN+FP+FN}$	• 실제 분류범주를 잘못 분류한 비율 • (오분류율) = 1 - (정확도)
민감도 (Sensitivity) = Recall(재현율)	$\dfrac{TP}{TP+FN}$	• 참 긍정률(TP Rate)이라고도 불림 • 범주의 불균형 문제에 사용되는 지표
특이도 (Specificity)	$\dfrac{TN}{TN+FP}$	• 실제로 'Negative'인 범주 중에서 'Negative'으로 올바르게 예측(TN)한 비율 • 범주의 불균형 문제에 사용되는 지표

평가지표	계산식	설명
FP Rate	$\dfrac{FP}{TN+FP}$	• 실제로 'Negative'인 범주 중에서 'Positive'로 잘못 예측(FP)한 비율 • FP Rate=1-(특이도)
정밀도 (Precision)	$\dfrac{TP}{TP+FP}$	• 'Positive'로 예측한 비율 중에서 실제로 'Positive'(TP)인 비율
F_1	$2 \times \dfrac{Precision \times Recall}{Precision + Recall}$	• 정밀도와 민감도(재현율)를 하나로 합한 성능평가 지표 • 0~1사이의 범위를 가짐 • 정밀도와 민감도 양쪽이 모두 클 때 F1-Score 큰 값을 가짐
F_β	$\dfrac{(1+\beta^2) \times Precision \times Recall}{\beta^2 \times Precision + Recall}$	• 정확도와 재현율의 조화평균이 F1지표 • F_β 지표에서 β의 양수로 β의 값만큼 재현율에 가중치 주어 평균 • F2는 재현율에 정확도의 2배만큼 가중치 부여
카파 통계량	$K = \dfrac{\Pr(\alpha) - \Pr(e)}{1 - \Pr(e)}$	• 두 관찰자가 측정한 범주 값에 대한 일치도를 측정하는 방법 • 0~1의 값을 가지며 1에 가까울수록 모델의 예측값과 실젯값이 정확히 일치하며, 0에 가까울수록 모델의 예측값과 실젯값이 불일치

기출유형 따라잡기

[02회] 특정 분류모델의 성능을 평가하는 지표로, 실제값과 모델이 예측한 예측값을 한 눈에 알아볼 수 있게 배열한 행렬을 무엇이라 하는가?
① 확률분포표
② 적합도 검정
③ 분할표
④ 혼동행렬

정답 ④

해설 혼동행렬은 목표변수의 실제 범주와 모형에 의해 예측된 분류범주 사이의 관계를 나타내는 교차표 형태로 정리한 행렬이다.

[02회] 다음 중 분석모형 평가지표에 대한 설명으로 옳지 않은 것은?
① 종속변수 유형에 따라 평가지표가 달라질 수 있다.
② 종속변수가 연속형일 때 RMSE를 사용할 수 있다.
③ 종속변수가 범주형일 때 혼동행렬을 이용하여 평가지표를 구할 수 있다.
④ 종속변수가 범주형일 때 임계값이 바뀌더라도 정분류율은 달라지지 않는다.

정답 ④

해설 임계값의 변화는 이진분류의 정답이 변동을 의미하므로 정분류율도 달라지게 된다.

기출유형 따라잡기

[02회] 다음 중 정밀도와 재현율의 조화평균으로 구해지는 평가지표는?
① F_1 score
② 결정계수
③ 거짓 긍정률
④ 참 긍정률

정답 ①

해설 F1 score은 정밀도와 재현율의 조화 평균으로 정밀도와 재현율이 비슷할수록 F1 score도 높아진다. 0~1의 값을 가지며 일반적으로 f1 score가 높을수록 분류기 성능이 좋다고 할 수 있다.

[02회] 다음 중 아래 보기 조건에서 분석 모형 평가 지표에 대한 설명으로 옳지 않은 것은?

- TP(True Positive)
- TN(True Negative)
- FP(False Positive)
- FN(False Negative)

① 카파값(Kappa Value)은 0 ~ 1사이의 값을 가지며 0에 가까울수록 예측값과 실제값이 일치함을 의미한다.

② 머신러닝 평가 지표 중 정확도(Accuracy)를 표기하는 식은 $\frac{TP+TN}{TP+FP+FN+TN}$ 이다.

③ 긍정적으로 예측한 범주 중 실제 긍정인 범주의 비율을 정밀도(Precision)라 하고, 표기하는 식은 $\frac{TP}{FP+TP}$ 이다.

④ 긍정인 범주 중 긍정으로 올바르게 예측한 비율을 민감도(Sensitivity)라 하면 표기하는 식은 $\frac{TP}{TP+FN}$

정답 ①

해설 카파 통계량(Kappa Statistics)은 일종의 신뢰도 척도로서 두 평가자 간의 일치율 지표이다.

[03회] 다음 중 아래의 혼동행렬을 통해 구한 민감도와 정밀도의 값으로 올바른 것은?

		예측값		합계
		True	False	
실제값	True	80	20	100
	False	40	60	100
합계		120	80	200

① 민감도 : 4 / 5, 정밀도 : 2 / 3
② 민감도 : 3 / 5, 정밀도 : 1 / 3
③ 민감도 : 2 / 3, 정밀도 : 4 / 5
④ 민감도 : 2 / 5, 정밀도 : 1 / 3

정답 ①

해설 민감도 $= \frac{80}{100}$, 정밀도 $= \frac{80}{120}$

기출유형 따라잡기

[03회] 다음 중 혼동행렬에서 실제값이 음성인 것 중에 예측값이 음성으로 판단되는 지표를 무엇이라 하는가?
① 특이도　　　　　　　　　② 민감도
③ 정밀도　　　　　　　　　④ 정확도

정답 ①

해설 특이도(Specificity), 진음성률(true negative rate)
negative 집단내 관측치들을 negative 집단으로 정확하게 분류한 확률

[05회] 분류모형 평가에 대한 설명으로 옳지 않은 것은?
① ROC 커브로 혼동행렬을 구할 수 있다.
② 혼동행렬에서 모델이 참으로 예측한 수는 TP+FP로 구할 수 있다.
③ F1-Score는 정밀도와 재현율의 조화평균 값이다.
④ AUC 값이 1에 가까울수록 분류 모델의 성능이 좋다.

정답 ①

해설
- 혼동 행렬은 Confusion Matrix 라고 하며 분석 모델에서 구한 분류의 예측 범주와 데이터의 실제 분류 범주를 교차 표 형태로 정리한 행렬이다.

[05회] 분석 모형 평가지표에 대한 수식으로 옳지 않은 것은?

① $MAE = \frac{1}{n}\sum_{i=1}^{n} |y_i - \hat{y_i}|$　　　② $MSE = \frac{1}{n}\sum_{i=1}^{n}(y_i - \hat{y_i})$

③ $RMSE = \sqrt{\frac{1}{n}\sum_{i=1}^{n}(y_i - \hat{y_i})^2}$　　　④ $MAPE = \frac{100}{n}\sum_{i=1}^{n}|\frac{y_i - \hat{y_i}}{y_i}|$

정답 ②

해설 $MSE = \frac{1}{n}\sum_{i=1}^{n}(y_i - \hat{y_i})^2$

[05회] 민감도가 0.6, 정밀도가 0.4일 때 F1-Score 값은?
① 0.24　　　　　　　　　② 0.48
③ 0.5　　　　　　　　　　④ 1

정답 ②

해설 $\frac{2 \times 0.6 \times 0.4}{0.6 + 0.4} = 0.48$

[05회] 혼동행렬 중 재현율(Recall)의 수식은?

		예측값	
		TRUE	FALSE
실제값	TRUE	TP	FN
	FALSE	FP	TN

① TN/(TN+FP)　　　　　　② TN/(TN+TP)
③ TP/(TP+FN)　　　　　　④ TP/(TP+TN)

정답 ③

》 기출유형 따라잡기

[06회] 다음 혼동행렬의 평가지표 중 옳지 않은 것은?

		실제 답	
		True	False
예측결과	True	True Positive	False Positive
	False	False Negative	True Negative

① 정확도는 (TP+TN)/(TP+TN+FP+FN)이다.
② 정밀도는 TP/(TP+FP)이다.
③ F1 스코어는 정밀도와 재현율의 기하평균이다.
④ 재현율은 TP/(TP+FN)이다.

정답 ③

해설 F1 스코어(F1 Score)는 정밀도(Precision)와 재현율(Recall)의 조화 평균을 나타내는 성능 평가 지표이다.

[06회] 다음 보기 중 혼동행렬에 관한 내용으로 옳지 않은 것은?
① 재현율은 TP / (TP+FN)이다.
② F1 score는 정밀도와 재현율의 기하평균이다.
③ 정확도는 (TP+TN) / (TP+TN+FP+FN)이다.
④ 정밀도는 TP / (TP+FP)이다.

정답 ②

해설 F1 스코어는 정밀도(Precision)와 재현율(Recall)의 조화 평균(harmonic mean)으로 계산되는 성능 평가 지표이다.

[04회] 다음 중 불규형 데이터를 평가하기 위한 혼동행렬의 평가지표가 아닌 것은?
① 민감도   ② F1-Score
③ 특이도   ④ 정분류율

정답 ④

해설 • 범주 불균형 문제를 갖고 있는 데이터에 대한 분류분석 모형의 평가지표는 중요한 분류 범주만 다루어야 한다.

[04회] 다음 중 혼동행렬에 대한 설명 중 옳지 않은 것은?
① 특이도는 실제 거짓인 데이터 중 모형이 거짓으로 예측한 데이터의 비율이다.
② F1 스코어는 정밀도와 재현율의 조화평균으로 데이터가 불균형일 경우 사용하는 지표다.
③ 거짓긍정률은 실제 거짓인 데이터 중 모형이 참으로 예측한 데이터의 비율이며 1-민감도를 의미한다.
④ 참 긍정률은 실제 참인 데이터 중 모형이 참으로 예측한 비율이면 민감도와 같다.

정답 ③

해설 ③ 1-민감도→1-특이도

> **기출유형 따라잡기**
>
> [06회] 다음 중 다중선형회귀모형의 평가지표로 모델의 예측 정확도를 평가하는 지표를 무엇이라 하는가?
> ① MSE   ② AIC
> ③ BIC   ④ AUC
>
> **정답** ①
>
> **해설** 평균 제곱 오차(Mean Squared Error, MSE)는 모델의 예측 정확도를 평가하는데 흔히 사용되며, 모델의 학습 및 평가 시에 사용될 수 있다.

2) ROC 곡선

- ROC curve는 1-특이도(False Positive Rate, FPR, 거짓 긍정률)와 민감도(True Positive Rate, TPR, 참 긍정률)을 각각 x축, y축에 나타낸 그래프이다.
- 머신러닝에서 1-특이도는 이항분류가 0인 Case에 대해 1로 잘못 예측한 비율이며 민감도는 이항분류가 1인 Case에 대해 1로 잘 예측한 것을 말한다.
- ROC 커브의 대각선은 "예측값이 없는 분류기"를 의미하며 분류 모델이 참 긍정과 거짓 긍정을 정확히 같은 비율로 탐지하는 것을 나타낸다.
- 이는 분류기가 긍정과 부정을 구별하지 못한다는 것을 의미한다.
- ROC 커브의 대각선은 다른 분류기를 판단하기 위한 기준선으로 사용된다. 즉, 이 선에 가까운 ROC 곡선은 유용하지 않은 모델을 나타낸다.
- AUC - ROC Curve는 임계값(threshold)를 변화시키면서 분류 문제에 대한 성능을 측정한다.
- ROC는 확률 곡선(probability curve)이고 AUC는 분리의 정도를 나타낸다.
- ROC 곡선 아래에 있는 면적이 AUC이다. AUC - ROC Curve는 모델이 클래스를 얼마나 잘 분류할 수 있는지 알려준다.
- AUC가 높을수록 모델이 0 클래스를 0으로, 1 클래스를 1로 예측을 잘한다는 것을 의미한다.

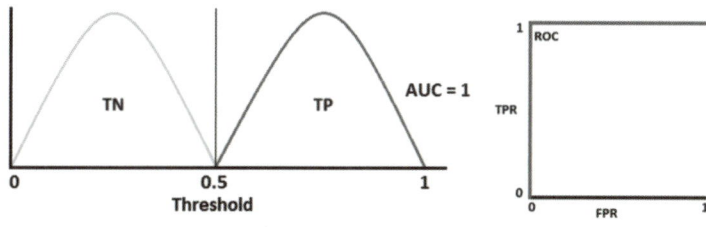

1) AUC = 1
   - 두 개의 곡선이 전혀 겹치지 않는 경우 모델은 이상적인 분류 성능을 보임
   - 양성 클래스와 음성 클래스를 완벽하게 구별 할 수 있음

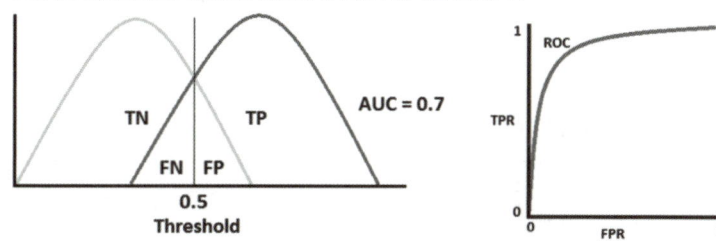

2) AUC = 0.7
   - 두 분포가 겹치면 'type 1 error' 및 'type 2 error'가 발생
   - 설정한 threshold에 따라, 위에 오류값들을 최소화 또는 최대화 할 수 있음
   - AUC 값이 0.7이면, 해당 분류 모델이 양성 클래스와 음성 클래스를 구별 할 수 있는 확률은 70%임을 의미

3) AUC = 0.5
   - 분류 모델의 성능이 최악인 상황
   - AUC가 0.5정도인 경우, 해당 분류 모델은 양성 클래스와 음성 클래스를 구분할 수 있는 능력이 없음

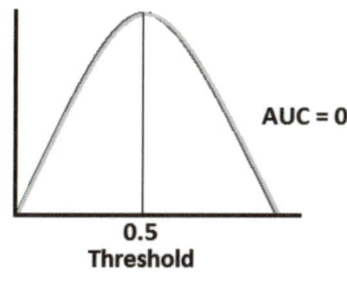 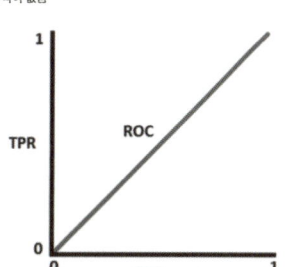

- 가장 이상적인 완벽한 분류의 모형의 경우 x축은 '0', y축은 '1'의 값을 보여 AUC가 '1'로 도출된다.

> **용어정리**
>
> **Sensitivity, Specificity, FPR, Threshold(임계값) 관계**
> - Sensitivity와 Specificity은 반비례 관계
> - TPR와 FPR은 비례관계
>   - 만약 어떤 의사가 모든 환자에 대하여 질병이 있다고 진단한다면 TPR과 FPR이 모두 올라감
>
>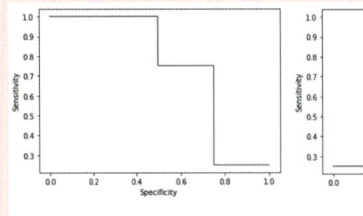
> ROC curve
>
> - 높은 AUC를 가지려면 낮은 FPR 영역대에서 높은 TPR을 가져야 한다.
> - 이 때 AUC는 사각형에 가까운 형태를 띄며 1에 가까워진다.

(1) Precision-Recall Trade-off

- 예를 들면 로지스틱 회귀모형의 경우 임계값보다 높은 값은 '스팸'을 나타내고 임계값보다 낮은 값은 '스팸이 아님'을 나타낸다.
- 분류 임계값(분류기준)은 항상 0.5여야 한다고 생각하기 쉽지만 임계값은 문제에 따라 달라지므로 값을 조정해야 한다.

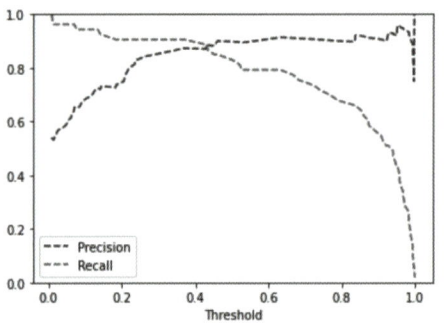

- 어떤 분류기의 임계값에 따른 정밀도와 재현율을 그래프로 나타내면 위과 같으며, Precision과 Recall이 만나는 점이 최적의 임계값이다.
- 임계값을 높이면 정밀도는 올라가고 재현율은 낮아진다.
- 반대로 임계값을 낮추면 정밀도는 낮아지고 재현율은 높아진다.
- 이를 정밀도-재현율 트레이드 오프(Precision-Recall Trade-off)라 한다.

- 임계값을 낮추면 재현율은 올라가고 정밀도는 떨어진다.
    => 임계값이 낮을수록 True 값이 많아지게 된다.
    => True 예측을 많이 하다 보니 실제 양성을 음성으로 예측하는 횟수가 상대적으로 줄어든다.
- 임계값이 낮아지면 거짓음성이 줄어들지만 거짓양성이 증가한다.
- 임계값에 따라 FPR을 0~1까지 변화시켜가며 그에 따라 TPR이 어떻게 변화하는지 기록한 것이 ROC curve이다.

≫ 기출유형 따라잡기

[02회] 다음 중 ROC 곡선에 대한 설명으로 옳지 않은 것은?

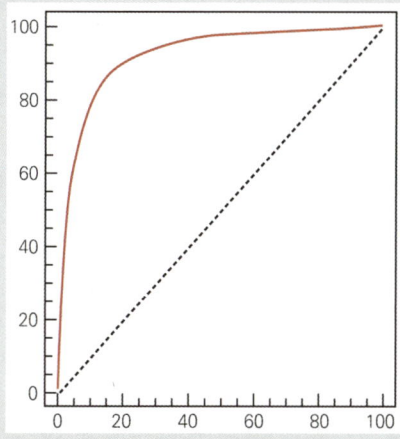

① x축은 특이도와 동일한 값을 나타낸다.
② y축은 민감도와 동일한 값을 나타낸다.
③ 곡선 아래 면적이 1에 가까울수록 분석모형의 성능이 좋다.
④ 이진 분류 문제에서 곡선 아래 면적이 0.5이면 랜덤 선택과 비슷한 성능을 보인다.

정답 ①

해설 ROC 그래프의 x축에는 FP Ratio(1-특이도), y축에는 민감도를 나타내어, 이 두 평가값의 관계로 모형을 평가한다. 모형의 성과를 평가하는 기준은 ROC 그래프의 밑부분 면적(Area Under the ROCcurve, AUC)이 넓을수록 좋은 모형으로 평가한다. AUC = 0.5란 분류 성능이 전혀 없음을 의미하게 된다.

> **기출유형 따라잡기**

[03회] 다음 중 ROC 곡선에 대한 설명으로 옳지 않은 것은?
① ROC Curve(Receiver-Operating Characteristic curve)의 아래 면적을 나타내는 수치로 분류 모델(분류기)의 성능을 나타내는 지표로 사용된다.
② AUC가 1에 가까우면 민감도와 특이도가 모두 100%에 가까운 지표라는 것이며, 일반적으로 0.7 이상은 되어야 의미 있다고 판단하고 있다.
③ AUC가 기준선에 있을 때 가장 이상적인 분석 모형이다.
④ 특이도가 1일 때 민감도는 0, 특이도가 0일때 민감도는 1이 되는 비율이 정확하게 Trade Off 관계로, 두 값의 합이 항상 1이다.

정답 ③
해설 AUC = 0.5란 것은 분류성능이 전혀 없음을 의미하게 된다.

[06회] ROC 곡선에 대한 설명으로 옳은 것은?
① 특이도가 증가할수록 민감도도 증가한다.
② 곡선 아래 면적이 0.5에 가까울수록 성능이 좋다.
③ 로지스틱 회귀분석 모형의 성능을 측정하는 데 사용할 수 있다.
④ 특이도는 음성인 케이스를 양성으로 잘못 예측한 비율이다.

정답 ③
해설 ① 특이도(Specificity)가 증가하면 민감도(Sensitivity)는 감소하는 경향이 있다. 이 두 지표는 서로 반비례하는 관계를 가지고 있다.
② ROC AUC 값은 이진 분류 모델의 성능을 측정하는 지표 중 하나이며, 값이 0.5에 가까울수록 모델이 클래스를 구별하는 능력이 낮다는 것을 의미한다.
④ 특이도(Specificity)는 이진 분류 모델의 평가 지표 중 하나로, 실제 음성 중에서 모델이 음성으로 정확하게 예측한 비율을 나타낸다.

3) 이익도표

- 이익(Gain)은 목표 범주에 속하는 개체들이 각 등급에 얼마나 분포하고 있는지를 나타내는 값으로, 해당 등급에 따라 계산된 이익값을 누적으로 연결한 도표가 이익도표이다.
- 분류분석모형을 사용하여 분류된 관측치가 각 등급별로 얼마나 포함되는지를 나타내는 도표이다.
- 이익도표에서의 통계량

구분	설명
%Captured Response	$\dfrac{\text{해당등급에서 } Y=1 \text{ 빈도}}{\text{전체자료에서 } Y=1 \text{ 빈도}} \times 100$
%Response	$\dfrac{\text{해당등급에서 } Y=1 \text{ 빈도}}{\text{해당등급의 자료의 수}} \times 100$
Baseline Lift	$\dfrac{\text{전체 자료에서 } Y=1 \text{인 자료의 수}}{\text{전체 자료의 수}} \times 100$
Lift	$\dfrac{\text{해당등급의 } \%Response}{\text{베이스라인}}$

- 상위등급에서 높은 반응률을 보이는 것이 좋은 모형이라 할 수 있다.
- 이익도표 Table

[Example] n = 2000, 1 = 381
Baseline = 381/2000 = 19%

Decile	Y = 1	% Captured	% Response	Lift
1	174	174/381 = 45.6	174/200 = 87.0	87.0 /19 = 4.57
2	110	110/381 = 28.8	110/200 = 55.0	55.0 /19 = 2.89
3	38	38/381 = 9.9	38/200 = 19.0	19.0 /19 = 1.00
4	14	14/381 = 3.6	14/200 = 7.0	7.0 /19 = 0.36
5	11	11/381 = 2.8	11/200 = 5.5	5.5 /19 = 0.28
6	10	10/381 = 2.6	10/200 = 5.0	5.0 /19 = 0.28
7	7	7/381 = 1.8	7/200 = 3.5	3.5 /19 = 0.18
8	10	10/381 = 2.6	10/200 = 5.0	5.0 /19 = 0.26
9	3	3/381 = 0.7	3/200 = 1.5	1.5 /19 = 0.07
10	4	4/381 = 1.0	4/200 = 2.0	2.0 /19 = 0.10

4) 향상도곡선(Lift Curve)

- 향상도곡선(Lift Curve)은 랜덤모델과 비교하여 해당 모델의 성과가 얼마나 향상되었는지를 각 등급별로 파악하는 그래프이다.
- 상위 등급에서 향상도가 매우 크고 하위 등급으로 갈수록 향상도가 감소하게 되며, 일반적으로 이러한 모형은 예측력이 적절함을 의미하지만, 등급에 관계없이 향상도가 차이가 없으면 모형의 예측력이 좋지 않음을 나타낸다.

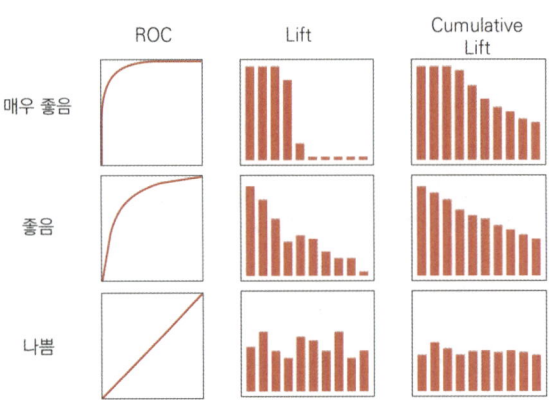

3. 비지도학습의 모델 평가지표

1) 외부평가(Exteranl Evaluation)

- 외부평가는 이미 정해진 정답을 바탕으로 얼마나 클러스터링 알고리즘의 정확도가 높은지를 판별하는 방법이다.
- 즉 이미 정해놓은 답안을 바탕으로 얼마나 비슷하게 묶음으로 군집화가 되었는지를 확인하는 방법이다. 그 중 하나의 방법이 자카드 지수이다.
- 두 데이터 집합 간의 유사도를 계산하는데 사용되며 최소값은 0 최대값은 1이다. 즉 1은 100 프로 동일, 0인 경우는 완전히 서로 다른 데이터를 의미한다.

$$J(A, B) = \frac{|A \cap B|}{|A \cup B|}$$

2) 내부평가(Internal Evaluation)

- 위에서 언급한 외부평가는 이미 답을 정해놓은 상태에서 결과를 검사하기 때문에 평가 결과물이 쉽게 나올 수 있으나 내부평가는 몇개의 적절한 군집 클러스터링 개수(K값)을 결정하는데 도움을 주는 방법이다.

① Dunn index
- 이 알고리즘은 밀도가 높게 나뉜 결과를 목표로 한다. 즉 묶음 or 군집간의 최소거리 및 최대 거리의 비율로 계산을 하게 된다.
- 군집 간 거리가 멀면 멀수록 군집 내부의 분산값이 작을수록 군집화 아 클러스터링 or 묶음이 잘 된 결과라고 볼 수 있다. 즉 높은 수지를 가신 클러스터링 알고리즘이

잘된 것으로 평가가 가능하다.
- $d(i,j)$는 클러스터 간의 거리를 나타내며 $d(k)$는 k군집 or 클러스터 내부에서의 거리를 계산하게 된다.

$$D = \frac{\min_{1 \leq j \leq n} d(i,j)}{\max_{1 \leq k \leq n} d'(k)}$$

- 분자는 군집 간 거리의 최소값이며 분모는 군집 내 군집 내에서 거리의 최대값이라고 볼 수 있다.

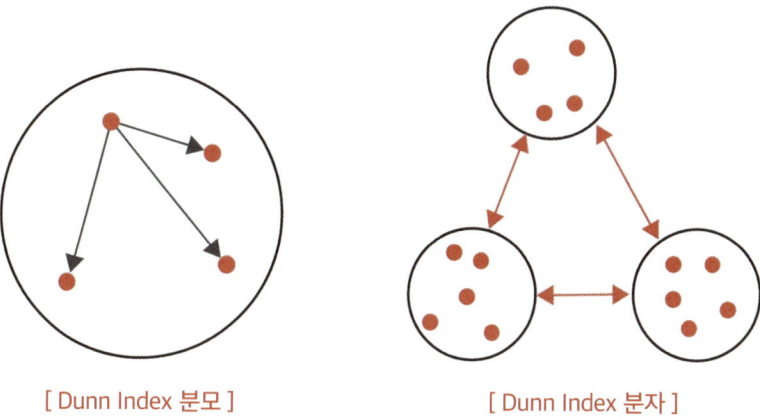

[Dunn Index 분모]   [Dunn Index 분자]

② Elbow Method
- 말 그대로 팔꿈치(elbow) 모습을 나타내는 곳의 값이 K값(클러스터링, 군집 개수)로 지정 될 수 있음을 의미하는 방법이다.
- K = 3일 때 가장 알맞는 클러스터 및 군집화 개수를 알려주는 예이다.
- 엘보우 기법은 다양한 클러스터 수에 대해 K-means 알고리즘을 실행하고 클러스터 내의 분산 또는 오차를 측정하여 클러스터 수에 따른 오차의 변화를 시각적으로 확인할 수 있다.
- 그래프를 통해 오차의 변화가 감소하다가 어느 시점에서 급격하게 변화하는 지점을 찾는다. 이 지점을 엘보우 지점이라고 한다. 엘보우 지점에서의 클러스터 수를 적절한 클러스터 수로 선택한다.

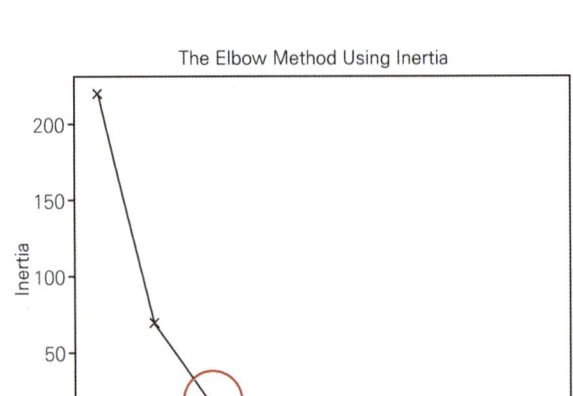

③ 실루엣 기법
- 실루엣 기법은 클러스터링의 품질을 정량적으로 계산해주는 방법이다. i번째 데이터 $x(i)$ 에 대한 실루엣 계수 $s(i)$값은 아래의 식으로 정의된다.

$$S^{(i)} = \frac{b^{(i)} - a^{(i)}}{\max\{a^{(i)}, b^{(i)}\}}$$

- 여기서 $a(i)$는 클러스터내 데이터 응집도(cohesion)를 나타내는 값으로, 데이터 $x(i)$와 동일한 클러스터내의 나머지 데이터들과의 평균 거리이다. 이 거리가 작으면 응집도가 높다.
- $b(i)$는 클러스터간 분리도(separation)를 나타내는 값으로, 데이터 $x(i)$와 가장 가까운 클러스터 내의 모든 데이터들과의 평균거리이다.
- 만약 클러스터 개수가 최적화 되어 있다면 $b(i)$의 값은 크고, $a(i)$의 값은 작아진다. 따라서 $s(i)$의 값은 1 에 가까운 숫자가 된다. 반대로 클러스터내 데이터 응집도와 클러스터 간 분리도의 값이 같으면 실루엣 계수 $s(i)$는 0이 된다. 즉 실루엣 계수가 0이라는 것은 데이터들을 클러스터로 분리하는 것이 무의미하다.
- 클러스터의 개수가 최적화되어 있으면 실루엣 계수의 값은 1에 가까운 값이 된다.

여기서:
- S(i)는 데이터 포인트 i의 실루엣 계수,
- a(i)는 같은 군집 내의 다른 모든 포인트와의 평균 거리,

- b(i)는 가장 가까운 다른 군집의 모든 포인트와의 평균 거리이다.
- 실루엣 계수는 각 데이터 포인트마다 계산되며, 모든 데이터 포인트의 실루엣 계수의 평균을 취하여 전체 군집의 품질을 평가한다.
- 이 지표는 군집 내의 응집력(cohesion)이 군집 간의 분리도(separation)보다 큰 경우 높은값을 갖는다.
- 실루엣 계수의 해석은 다음과 같다:
- 1에 가까운 값: 군집 할당이 잘 되어 있음.
- 0에 가까운 값: 군집 구분이 모호하거나 중첩되어 있음.
- -1에 가까운 값: 잘못된 군집 할당.
- 실루엣 계수를 통해 군집의 품질을 측정하고, 적절한 군집 수를 선택하는 데 활용할 수 있다. 실루엣 계수가 높은 경우 군집화가 잘 되었다고 판단할 수 있다.

≫ 기출유형 따라잡기

[07회] K-means 군집분석에서 최적의 군집 수를 결정하는 방법을 무엇인가?
① 엘보우 기법 ② ROC
③ 오류분포 ④ 특이도

정답 ①

2 분석모형 진단

학습 목표
1. 분석모형 가정 조건에 대해 학습한다.

출제 KEYWORD
① 정규성 검정 종류 ★★
② 회귀모형 잔차 진단 ★★

1. 모형진단

- 데이터분석에서 분석모형의 기본 가정에 대한 진단 없이 모형이 사용될 경우 그 결과가 오용될 수 있다.

1) 정규성 검정
- 데이터셋의 분포가 정규분포를 따르는지를 검정하는 것이다.
- 모수적 검정들이 데이터의 정규분포를 가정하고 수행되기 때문에 데이터 자체의 정규성을 확인하는 검정과정이 필수적이다.

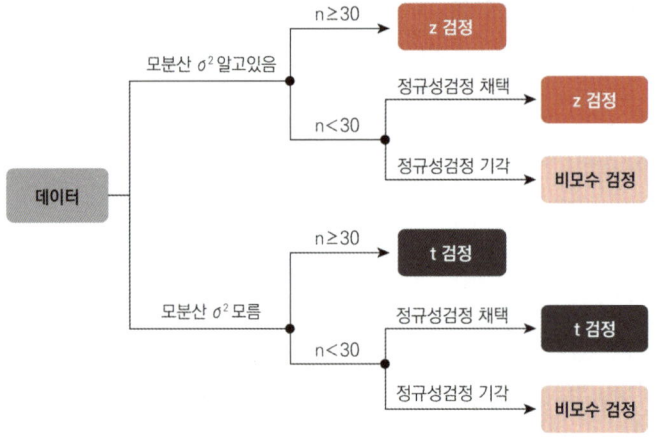

[정규성에 따른 검정의 분류]

2) 회귀모형에 대한 진단
- 회귀모형에서 오차항에 대한 3가지 가정을 전제로 한다. 정규성, 등분산성, 독립성에 대한 가정이 필요하며 이런 가정이 성립해야 회귀분석 결과가 타당한 것이 된다.

- 잔차를 오차항의 관찰값으로 해석할 수 있으므로, 잔차들을 분석해봄으로써 오차항에 대한 가정들의 성립 여부를 확인할 수 있다.
- 회귀분석 결과에 대한 이러한 분석을 잔차(Residual)분석이라 한다.

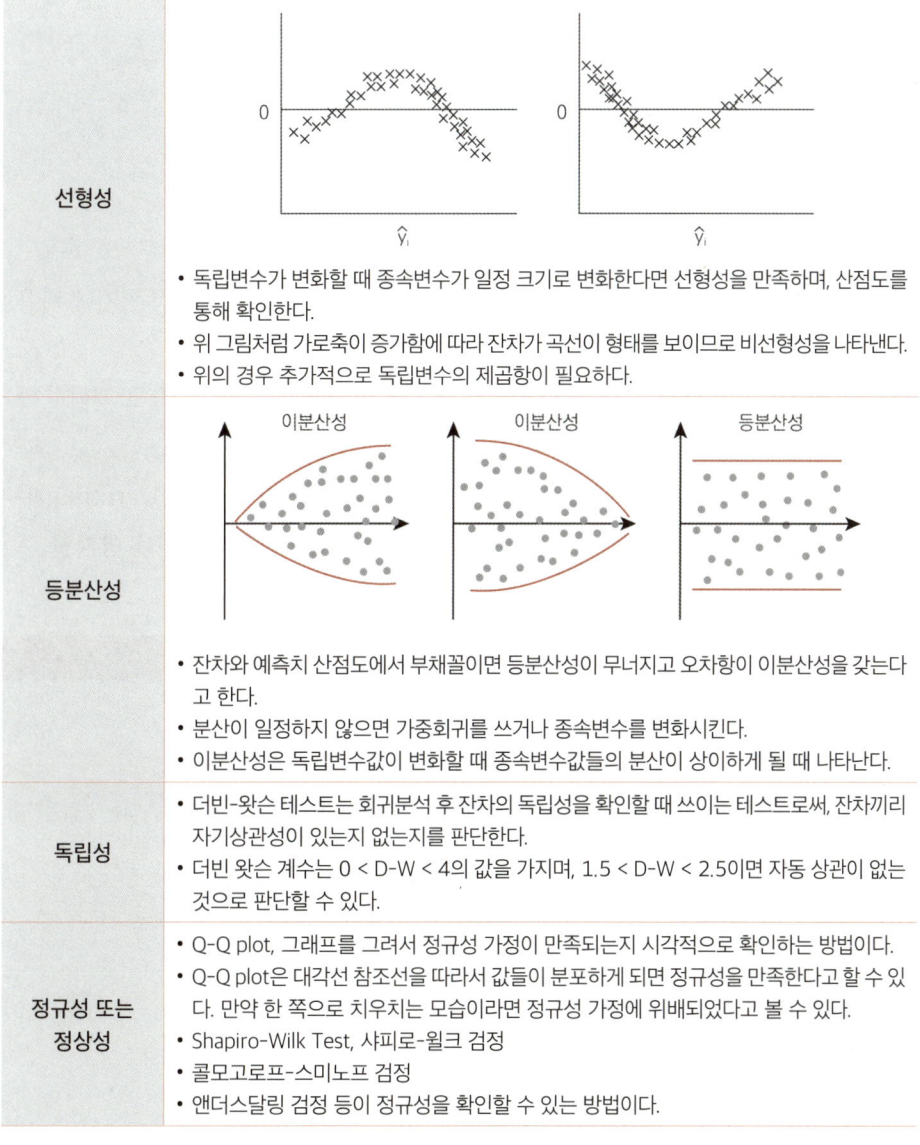

선형성	· 독립변수가 변화할 때 종속변수가 일정 크기로 변화한다면 선형성을 만족하며, 산점도를 통해 확인한다. · 위 그림처럼 가로축이 증가함에 따라 잔차가 곡선이 형태를 보이므로 비선형성을 나타낸다. · 위의 경우 추가적으로 독립변수의 제곱항이 필요하다.
등분산성	· 잔차와 예측치 산점도에서 부채꼴이면 등분산성이 무너지고 오차항이 이분산성을 갖는다고 한다. · 분산이 일정하지 않으면 가중회귀를 쓰거나 종속변수를 변화시킨다. · 이분산성은 독립변수값이 변화할 때 종속변수값들의 분산이 상이하게 될 때 나타난다.
독립성	· 더빈-왓슨 테스트는 회귀분석 후 잔차의 독립성을 확인할 때 쓰이는 테스트로써, 잔차끼리 자기상관성이 있는지 없는지를 판단한다. · 더빈 왓슨 계수는 0 < D-W < 4의 값을 가지며, 1.5 < D-W < 2.50이면 자동 상관이 없는 것으로 판단할 수 있다.
정규성 또는 정상성	· Q-Q plot, 그래프를 그려서 정규성 가정이 만족되는지 시각적으로 확인하는 방법이다. · Q-Q plot은 대각선 참조선을 따라서 값들이 분포하게 되면 정규성을 만족한다고 할 수 있다. 만약 한 쪽으로 치우치는 모습이라면 정규성 가정에 위배되었다고 볼 수 있다. · Shapiro-Wilk Test, 샤피로-윌크 검정 · 콜모고로프-스미노프 검정 · 앤더스달링 검정 등이 정규성을 확인할 수 있는 방법이다.

3 교차 검증(Cross Validatiion)

학습 목표
1. 교차검증의 개념 및 교차검증의 종류를 이해한다.

출제 KEYWORD
① 교차검증 vs 과적합 관계 ★★
② 홀드아웃 · K-Fold · LOOCV 정의 ★★

1. 교차검증의 개념
- 데이터셋을 모형구축에 사용될 훈련용 셋(Training Set)과 예측력 평가에 사용될 평가용 셋(Validation Set)으로 나누어 모형을 평가하는 방법이다.
- 데이터 양이 충분히 많은 경우에는 두 데이터 셋의 비율을 50:50으로 랜덤하게 나누어 적용한다.
- 이는 주어진 데이터에서만 높은 성과를 보이는 모형의 과대적합(Overfitting)문제를 해결하기 위한 단계로 잘못된 가설을 가정하게 되는 2종 오류의 발생을 방지할 수 있다.
- 교차검증의 데이터 구분

데이터 구분	설명
학습데이터 Training Data	• 훈련용 데이터라고 한다. • 분류기를 만들 때 사용하는 데이터이다. • 데이터마이닝의 모델을 학습할 때 사용한다.
검증(검정)데이터 Validation Data	• 구축된 모형의 과대추정 또는 과소추정을 미세조정을 하는데 활용한다. • 분류기의 파라미터 값을 최적화하기 위해 사용하는 데이터이다.
평가(시험) 데이터 Test Data	• 모형의 구축과는 상관없는 외부데이터를 의미한다. • 모델의 성능을 검증하기 위한 데이터이다.

2. 교차검증의 종류

1) 홀드아웃(Hold-Out) 교차검증
- 주어진 원천 데이터를 랜덤하게 두 분류로 분리하여 교차검정을 실시하는 방법으로 하나는 모형의 학습 및 구축을 위한 훈련용 자료로 하나는 성과 평가를 위한 검증용 자료로 사용한다.

- 홀드아웃 방법에서는 일반적으로 전체 데이터 중 70%의 데이터는 훈련용 자료로 사용하고 나머지는 검증용 자료로 사용한다.
- 검증용 자료의 결과는 분류분석모형에는 영향을 미치지 않고 성과 측정만을 위하여 사용한다.

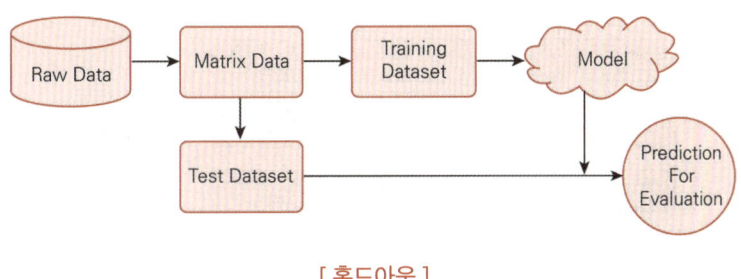

[홀드아웃]

2) K-Fold 교차검증(K-Fold Cross Validation)
- 교차검증은 주어진 데이터를 가지고 반복적으로 성과를 측정하여 그 결과를 평균한 것으로 분류분석모형을 평가하는 방법이다.
- 대표적인 K-Fold 교차검증은 전체 데이터를 사이즈가 동일한 k개의 하부집합(Subset)으로 나누고 k번째의 하부집합을 검증용 자료로, 나머지 k-1개의 하부집합을 훈련용 자료로 사용, 이를 k번 반복 측정하고 각각의 반복측정 결과를 평균 낸 값을 최종 평가로 사용한다.
- 일반적으로 10-fold 교차검증이 사용된다.

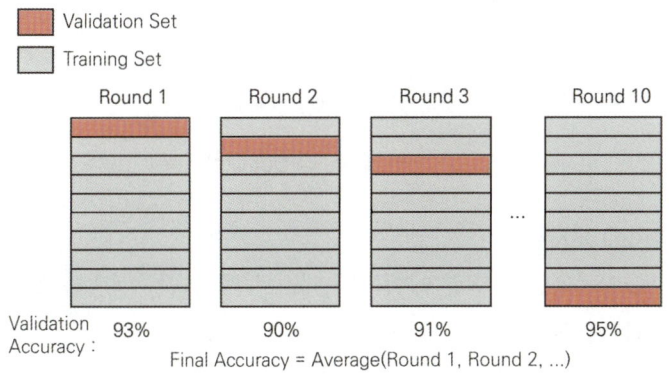

[k-fold 교차검증]

3) Leave - One - Out Cross Validation(LOOCV)
- 한 하나의 샘플만을 test set으로 사용하기 때문에 그만큼 많은 수의 training data를 활용하여 model을 만들어 볼 수 있다.
- 단점은 그만큼 많은 수의 model을 만들고 test 하기 때문에 computing time이 오래 걸릴 수 있다.

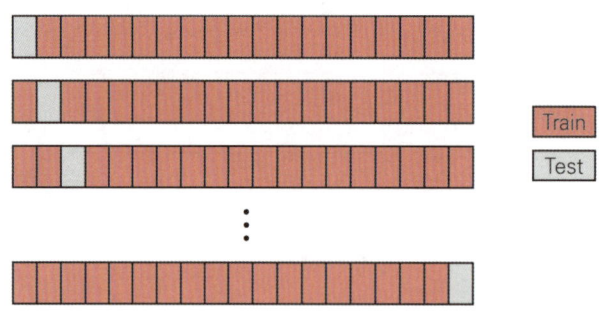

[Leave - One - Out 교차검증]

4) Leave - pair - out cross - validation(LPOCV)
- 전체 데이터 N개에서 p개의 샘플을 선택하여 그것을 평가 데이터셋으로 모델 검증에 사용하고 나머지(N-p)개는 모델을 학습시키는 훈련 데이터로 사용하는 방법이다.

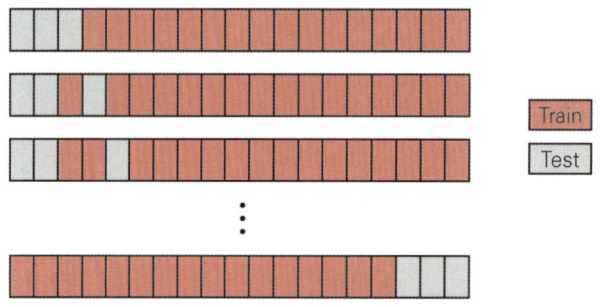

[LPO for p=3, Leave-P-Out 교차검증]

5) MONTE CARLO 교차검증
- 몬테카를로 교차검증은 훈련 데이터와 테스트 데이터를 랜덤하게 분리한다.
- 이와같은 과정을 반복한다.
- 몇몇 데이터는 선택되지 않을 수 있는 반면에 몇몇 데이터는 반복해서 선택될 수 있는 단점이 발생한다.

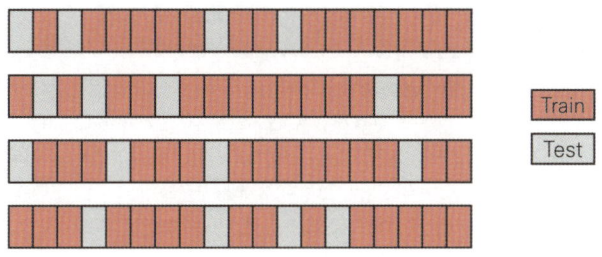

[LPO for p=3, Leave-P-Out 교차검증]

6) STRATIFIED K-Fold 교차검증
- 데이터 세트의 클래스 불균형에 대처하기 위해 사용한다.
- STRATIFIED K-Fold는 원래 데이터 세트에서와 거의 동일한 레이블 비율을 포함하는 방식으로 데이터 세트를 분할하여 클래스 비율을 유지한다.
- STRATIFIED K-Fold는 데이터 범주의 비율이 불균형일 때 사용하는 교차검증 방법이다.

7) 붓스트랩(Bootstrap)
- 붓스트랩은 주어진 자료에서 단순 랜덤 복원추출 방법을 활용하여 동일한 표본을 여러 개 생성하는 복원 추출법이다.
- 붓스트랩은 평가를 반복한다는 측면에서 K-Fold 교차검증과 유사하나 훈련용 자료를 반복 재산정한다는 점에서 차이가 있다.
- 붓스트랩은 전체 데이터의 양이 크지 않은 경우의 모형 평가에 가장 적합하다.
- 전체 데이터 sample이 N개이고 붓스트랩으로 N개의 Sample을 추출하는 경우 특정 샘플이 학습 데이터에 포함될 확률은 약 63.2%이다.
- 반대로 Sample에 한 번도 선택되지 않는 확률은 약 36.8%이다.
- 한 번도 포함되지 않는 Sample은 평가용 데이터로 사용한다.

» 기출유형 따라잡기

[02회] 다음 중 분석모형 검증에 대한 설명으로 옳지 않은 것은?
① 교차검증(Cross Validation)은 샘플의 갯수가 적을 때 사용하는 알고리즘이다.
② 주어진 데이터셋에 학습된 알고리즘이 얼마나 잘 일반화되어있는지 평가하는 데 이용한다.
③ K-Fold 교차검증은 총 K개의 성능 결과가 나오며, 이 K개의 평균을 해당 학습 모델의 성능이라고 한다.
④ 데이터 수가 많으면 검증데이터로 충분하므로, 테스트 데이터는 불필요하다.

정답 ④
해설 모델의 성능을 검증하기 위해 데이터가 필요하다.

[04회] 데이터를 학습데이터, 검증 데이터, 평가 데이터로 분할하여 분석 모형을 평가하는 방법을 무엇이라 하는가?
① 붓스트랩   ② Holdout
③ K-fold   ④ LOOCV

정답 ②
해설 홀드아웃 데이터셋(holdout dataset)
- 학습 데이터셋으로만 알고리즘을 학습
- 검증 데이터셋으로 알고리즘의 하이퍼파라미터를 튜닝
- 기대 성능이 달성될 때까지 1, 2번을 반복적으로 수행
- 알고리즘과 하이퍼파라미터를 고정하고, 테스트 데이터셋으로 성능을 평가

[04회] 다음은 k-fold 교차검증을 수행하는 절차를 나타낸 것이다. 빈칸에 알맞은 용어는?

> ⓐ 학습에 사용할 데이터를 k개의 fold로 나눈다.
> ⓑ k-1개 fold는 (㉠)데이터 세트로, 나머지 한 개는 (㉡)데이터 세트에 사용하여 모형의 성능을 계산한다.
> ⓒ 교차 검증 결과 (㉢)개의 성능의 평균값을 얻는다.

① ㉠ 훈련, ㉡ 검증, ㉢ k   ② ㉠ 검증, ㉡ 훈련, ㉢ k
③ ㉠ 훈련, ㉡ 검증, ㉢ k-1   ④ ㉠ 검증, ㉡ 훈련, ㉢ k-1

정답 ①
해설 K-Fold 교차검증은 전체 데이터를 사이즈가 동일한 k개의 하부집합(Subset)으로 나누고 k번째의 하부집합을 검증용 자료로, 나머지 k-1개의 하부집합을 훈련용 자료로 사용, 이를 k번 반복 측정하고 각각의 반복측정 결과를 평균 낸 값을 최종 평가로 사용한다.

[04회] 다음 중 k-fold 교차검증에 대한 설명으로 옳지 않은 것은?
① 데이터를 분할하여 일부는 분석모형 학습에 사용하고 나머지는 검증용으로 사용한다.
② 데이터를 충분히 확보했을 때 효과적인 교차검증 방법이다.
③ Stratified K-Fold는 층화된 folds를 반환하는 기존 K-Fold의 변형된 방식이다.
④ K-Fold 교차검증은 전체 데이터를 사이즈가 동일한 k개의 하부집합(Subset)으로 나누고 k번째의 하부집합을 검증용 자료로, 나머지 k-1개의 하부집합을 훈련용 자료로 사용한다.

정답 ②
해설 • k-fold는 모든 데이터 셋을 평가에 활용하기 때문에 데이터셋이 부족할 때 적용하는 방법이다.

기출유형 따라잡기

[06회] 하나의 데이터 포인트를 테스트 세트로 사용하고, 나머지 데이터를 훈련 세트로 사용하는 교차검증 기법을 무엇이라 하는가?
① Leave-One-Out
② 5-fold 교차검증
③ Train-Validation-Test Process
④ 부트 스트래핑

정답 ①

해설 LOOCV는 데이터가 적은 경우에 유용한 교차 검증 방법 중 하나이다. 특히, 데이터가 작고 모델을 신뢰성 있게 평가해야 할 때 사용한다.

[06회] k-fold 교차검증 중 올바르지 않은 것은?
① 데이터셋을 k개의 폴드로 나누고 이 중 하나를 학습 데이터셋으로 선택하고 나머지 k-1개의 폴드를 검증 데이터셋으로 사용한다.
② 학습과 검증을 k번 반복하여 평균값으로 모델의 성능을 평가한다.
③ 반복으로 얻은 성능 지표들을 평균하여 최종 성능 지표를 계산한다.
④ k값이 클수록 더 정확한 성능 지표를 추정할 수 있다.

정답 ①

해설 한 폴드를 테스트 세트로 사용하고, 나머지 k-1개의 폴드를 훈련 세트로 사용하여 모델을 훈련하고 평가한다. 이 과정을 k번 반복한다.

[06회] 데이터 분할 방법에 대한 설명으로 틀린 것은?
① 홀드아웃(Holdout)은 데이터를 훈련 데이터셋과 테스트 데이터셋으로 분할한다.
② 훈련 데이터셋으로 학습한다.
③ Stratified 교차검증(Stratified Cross-Validation) 방법은 데이터를 여러 개의 세트로 나누고 각 그룹을 한 번씩 검증 세트로 사용한다.
④ 테스트 데이터셋으로 성능을 확인한다.

정답 ③

해설 Stratified 교차검증(Stratified Cross-Validation)은 데이터셋을 나눌 때 각 폴드에서 클래스의 분포가 전체 데이터셋과 유사하도록 보장하는 교차검증 방법이다.
Stratified 교차검증은 다음과 같은 절차를 따른다:
- 전체 데이터셋을 클래스에 따라 층화 샘플링(stratified sampling)하여 k개의 폴드로 나눈다.
- 각 폴드에는 전체 데이터셋의 클래스 비율이 유사하도록 데이터가 포함된다.
- 모델을 훈련하고 평가하는 과정을 k번 반복한다.

[04회] 분류 모형 평가에서 복원 추출 방식을 사용하여 훈련용 데이터 선정을 충분히 한다고 가정했을 때 훈련용 데이터셋의 비율은?
① 63.2%
② 36.8%
③ 45.6%
④ 46.4%

정답 ①

해설 • n회 복원추출을 진행했을 때 그 샘플이 추출되지 않았을 확률이 36.8%이고 붓스트랩 세트는 표본의 63.2%에 해당하는 샘플을 가진다. 이때 63.2%(학습용)이고, 36.8%(평가용) 사용한다.

4 모수 유의성 검증

학습 목표
1. 모수의 유의성 검정을 위한 통계적 추정과 검정방법을 학습한다.

출제 KEYWORD
평균차이 vs 분산차이 가설검정 구분 ★
모수검정 vs 비모수 검정 구분 ★

- 모수를 추정하고 모수의 유의성을 판단하기 위하여 통계적 추정과 검정 방법을 이용하며, 모집단의 일부분인 표본의 특성을 이용하여 모집단의 특성을 추정하거나 가설 검정하는 방법을 다루는 통계 분야를 추측 또는 추론 통계학이라 한다.

1. 가설검정을 통한 평균차이 검정

1) 집단평균과 특정평균의 비교

- 한 집단의 평균 μ가 특정 평균값 μ_0과 같은지를 비교하는 경우, 가설은 다음과 같이 설정한다.
    - 귀무가설 : 모평균이 특정 평균값과 같다($\mu = \mu_0$).
    - 대립가설 : 모평균이 특정 평균값과 같지 않다($\mu \neq \mu_0$).

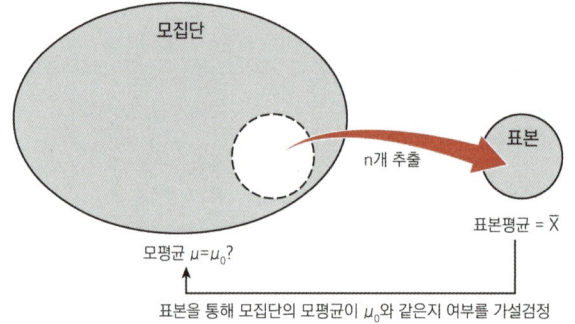

① 검정통계량

평균이 μ, 분산이 σ^2인 정규분포를 따르는 모집단에 대해 모평균 μ에 대한 가설을 검정하기 위해서, n개의 표본을 추출하여 표본평균 및 표본 표준편차를 각각 $\overline{X}$와 s라고 한다.

㉮ 모집단의 표준편차 σ를 아는 경우

검정통계량은 $z = \dfrac{\overline{X} - \mu_0}{\sigma/\sqrt{n}}$ 으로 표준정규분포를 따른다.

㉯ 모집단의 표준편차 σ를 알지 못하는 경우

검정통계량은 $t = \dfrac{\overline{X} - \mu_0}{s/\sqrt{n}}$ 으로 $t_{(n-1)}$ 분포를 따른다. 여기서 t 통계량의 자유도는 n-1이다.

2) 두 집단 평균의 비교

- 두 집단의 모평균이 서로 같은지 여부를 비교하기 위한 경우로, 두 모집단의 모평균을 각각 μ_1과 μ_2라 하면 가설설정은 다음과 같다.
  - 귀무가설 : 두 모집단의 평균은 같다($\mu_1 = \mu_2$).
  - 대립가설 : 두 모집단의 평균은 같지 않다($\mu_1 \neq \mu_2$).

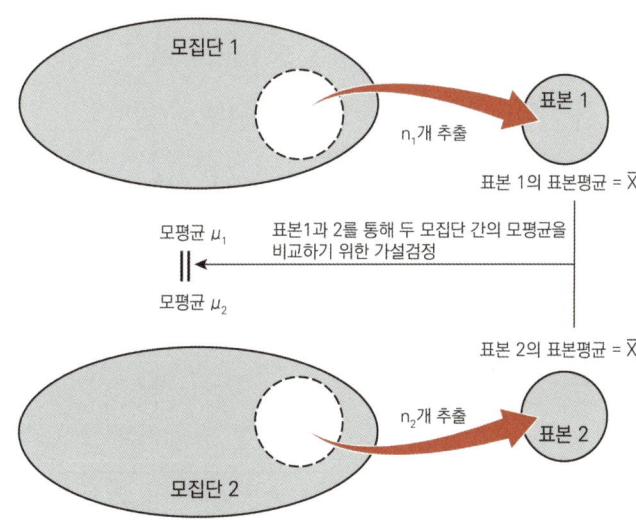

① 검정통계량

평균이 μ, 분산이 σ_i^2 인 정규분포를 따르는 모집단에 $i = 1, 2$에 대해 두 모평균 μ_i간의 차이에 대한 가설을 검정하기 위해서 각 모집단으로부터 n_i개의 표본을 추출하여 표본평균 및 표본 표준편차를 각각, $\overline{X_i}$ 와 s_i라고 한다.

㉮ 모집단의 표준편차 σ_i를 아는 경우

검정통계량은 $Z = \dfrac{\overline{X_1} - \overline{X_2}}{\sqrt{\dfrac{\sigma_1}{n_1} + \dfrac{\sigma_2}{n_2}}}$ 으로 표준정규분포를 따른다.

㉯ 모집단의 표준편차 σ_i를 알지 못하는 경우

검정통계량은 $t = \dfrac{\overline{X_1} - \overline{X_2}}{(\dfrac{(n_1-1)s_1^2 + (n_2-1)s_2^2}{n_1+n_2-2})\sqrt{\dfrac{1}{n_1}+\dfrac{1}{n_2}}}$ 으로 $t_{(n_1+n_2-2)}$ 분포를 따른다.

3) 동일한 집단의 두 평균 비교

- 일반적으로 연구의 효과성 검증을 위해 동일한 집단을 대상으로 실험 전후의 결과값을 비교하여 차이가 존재하는지를 검증한다. 이러한 상황에서 평균적으로 실험 전후의 차이가 존재하는지를 검정하기 위한 경우로, 동일한 집단의 실험 전후 차이에 대한 모평균을 μ_D라 하면 가설설정은 다음과 같다.
  - 귀무가설 : 차이에 대한 모평균은 0과 같다($\mu_D = 0$).
  - 대립가설 : 차이에 대한 모평균은 0이 아니다($\mu_D \neq 0$).

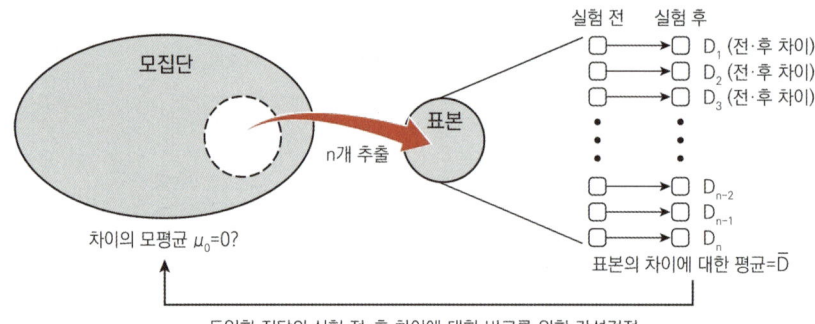

동일한 집단의 실험 전·후 차이에 대한 비교를 위한 가설검정

① 검정통계량

모집단에서 표본을 추출하여 이의 실험 전후의 차이에 대한 표본 평균 및 표본 표준편차를 각각 $\overline{D}$와 $s_{\overline{D}}$라고 한다면 이때 검정통계량은 $t = \dfrac{\overline{D}}{s_{\overline{D}}/\sqrt{n}}$ 으로 $t_{(n-1)}$ 분포를 따른다.

2. 가설검정을 통한 분산차이 분석법

모평균에 대한 가설검정 외에도 모분산에 대한 가설검정(예를들면, 측정오차 허용범위)이 요구되는 경우도 많다.

1) 집단 모분산과 특정분산의 비교

- 한 집단의 분산 σ^2이 특정 평균값 σ_0^2과 같은지를 비교하는 경우, 가설은 다음과 같이 설정한다.
    - 귀무가설 : 모분산이 특정 분산값과 같다($\sigma^2 = \sigma_0^2$).
    - 대립가설 : 모분산이 특정 분산값과 같지 않다($\sigma^2 \neq \sigma_0^2$).

① 검정통계량

- 모분산 σ^2에 대한 가설을 검정하기 위해서, n개의 표본을 추출하여 이때 표본분산을 s^2라고 한다.
- 이때 검정통계량은 $x^2 = \dfrac{(n-1)s^2}{\sigma^2}$으로 $x^2_{(n-1)}$ 분포를 따른다.

2) 집단 모분산과 특정분산의 비교

- 두 집단의 모분산이 서로 같은지 여부를 비교하기 위한 경우로, 두 모집단의 모분산을 각각 σ_1^2과 σ_2^2라 할 경우 가설설정은 다음과 같다.
    - 귀무가설 : 두 모집단의 모분산은 같다($\sigma_1^2 = \sigma_2^2$).
    - 대립가설 : 두 모집단의 모분산은 같지 않다($\sigma_1^2 \neq \sigma_2^2$).

① 검정통계량

모집단 $i = 1, 2$에 대해 두 모분산 σ_i^2간의 차이에 대한 가설을 검정하기 위해서, 각 모집단으로부터 n개의 표본을 추출하여 이때 표본분산을 각각 $s_i^2(i = 1, 2)$라고 한다. 이러한 경우 검정통계량은 $F = \dfrac{s_j^2}{s_k^2}\,(s_j^2 > s_k^2,\ j, k = 1, 2,\ j \neq k)$으로 $F_{(n_j - 1,\, n_k - 1)}$ 분포를 따른다.

> **기출유형 따라잡기**

[04회] 모수 유의성 검정에 대한 설명으로 옳지 않은 것은?
① 모수 유의성 검정은 수집된 자료가 통계적으로 유의한지를 판단하는 과정이다.
② 모집단이 특정 분포임을 가정할 때 비모수 검정을 사용한다.
③ 비모수검정은 표본수가 30개 미만이거나 변수의 척도가 범주형 자료일 경우에 사용한다.
④ 모수 유의성 검정 방법에는 Z-검정, T-검정, 카이제곱 검정 등의 방식이 있다.

정답 ②

해설 • 비모수 검정은 특정 모수를 사용하여 모집단의 분포를 특성화하지 않아도 되는 가설검정이다.

5 적합도 검정

학습 목표

1. 이산형 분포와 연속형 분포의 적합성 검정을 학습한다.

출제 KEYWORD

① 카이제곱 적합성 검정 해석 ★★
② 연속형 분포의 적합성 검정 종류 ★★

- 적합성검정(goodness of fit test)이란 모집단이 특정한 분포를 따른다는 가설에 대해 표본의 도수분포를 이용하여 검정하는 것이다.
- 이산형 분포의 적합성검정과 연속형 분포의 적합성검정으로 구분할 수 있다.

1. 이산형 분포의 적합성 검정

1) 카이제곱 적합성 검정(Chi-Square Goodness of Fit Test)

- 모집단의 분포에 대한 가정이 옳은지를 실제 관측된 자료를 바탕으로 검정하는 것을 적합성검정이라 한다.
- n개의 표본자료를 k개의 범주로 분류하여 각 범주에 속하는 관찰도수(관찰빈도)와 귀무가설하에서 주어진 확률분포에 대해 각 범주에 속하는 기대도수(기대빈도) 간에 현저한 차이가 있는가를 규명하는 것이다.

- 카이제곱 적합성 검정의 자료구조 형태

범주	1	2	.....	k	합계
관측도수	O_1	O_2	.....	O_k	n
범주에 속할 확률	p_1	p_2	.....	p_k	1

- 예제를 통한 카이제곱 적합성 검정 이해하기

  예제 3)
  국내자동차 시장점유율은 현대 37%, 기아 33%, 한국지엠 13%, 르노삼성 9%, 쌍용 8%라고 알려져 있다. 1,000명을 랜덤추출하여 조사한 결과가 다음과 같다고 할 때 이 자료로부터 기존에 알려진 국내자동차 시장점유율이 옳다고 할 수 있는지 유의수준 5%에서 검정해보자.

상표	현대	기아	한국지엠	르노삼성	쌍용
선호도(단위 : 명)	242	354	168	152	94

  [표<3> 국내자동차 선호도조사 결과]

- 단일표본에서 I번째 범주에 속할 확률 p_i가 미리 주어진 확률과 같은지를 검정하므로 카이제곱 적합성 검정을 실시한다.

① 가설을 설정한다.
  - 귀무가설 : 현대, 기아, 한국지엠, 르노삼성, 쌍용의 시장점유율은 각각 37%, 33%, 13%, 9%, 8% 이다.
  - 대립가설 : 현대, 기아, 한국지엠, 르노삼성, 쌍용의 시장점유율은 각각 37%, 33%, 13%, 9%, 8% 아니다.

② 범주에 속할 확률에 표본크기 1,000명을 곱하여 기대도수를 구하면 다음과 같다.

상표	현대	기아	한국지엠	르노삼성	쌍용
관측도수	242	354	168	152	94
범주에 속할 확률	0.37	0.33	0.13	0.09	0.08
기대도수	370	330	130	90	80

③ 각 범주별 기대도수가 적어도 5이상이면 카이제곱 통계량은 아래와 같다.

$$\chi^2 = \sum_{i=k}^{k} \frac{(O_i - E_i)^2}{E_i}$$

④ 유의수준과 그에 상응하는 기각 범위를 결정한다.
- 귀무가설 하에서 관측도수와 기대도수의 차이가 큰지를 검정하기 때문에 유의수준 α에서의 기각치는 $x^2_{\alpha,(k-1)}$이 되고 기각범위는 기각치보다 큰 경우 귀무가설을 기각한다.

⑤ 카이제곱 검정통계량 값을 계산한다.

$$\chi^2 = \sum_{i=1}^{5} \frac{(O_i - E_i)^2}{E_i} = \frac{(242-370)^2}{370} + \frac{(354-330)^2}{330} + \ldots \frac{(94-80)^2}{80} = 102.3$$

⑥ 검정통계량 값이 102.3으로 유의수준 5%에서의 기각치 $x^2(4, 0.05) = 9.488$보다 크므로 귀무가설을 기각한다. 즉 유의수준 5%에서 국내자동차 현대, 기아, 한국지엠, 르노삼성, 쌍용의 시장점유율은 각각 37%, 33%, 13%, 9%, 8%가 아니라고 할 수 있다.

2. 연속형 분포의 적합성 검정

- '연속형' 자료에 대한 여러 가지 모수적 통계적 검정을 위해서는 모집단이 정규분포라는 가정이 필요한데, 이때 정규분포의 적합성 검정이 이용된다.

1) 정규성 검정의 종류

① Q - Q plot
- 그래프를 그려서 정규성 가정이 만족되는지 시각적으로 확인하는 방법이다.
- Q-Q plot은 대각선 참조선을 따라서 값들이 분포하게 되면 정규성을 만족한다고 할 수 있다. 만약 한쪽으로 치우치는 모습이라면 정규성 가정에 위배되었다고 볼 수 있다.

② Shapiro-Wilk Test, 샤피로-윌크 검정
- 오차항이 정규분포를 따르는지 알아보는 검정으로, 회귀분석에서 모든 독립변수에 대해서 종속변수가 정규분포를 따르는지 알아보는 방법이다.
- 귀무가설은 'H0 : 정규분포를 따른다'는 것으로 p-value가 0.05보다 크면 정규성을 가정하게 된다.

③ Kolmogorov-Smirnov Test, 콜모고로프-스미노프 검정
- 자료의 평균/표준편차와 히스토그램을 표준정규분포와 비교하여 적합도를 검정한다.
- Shapiro-Wilk Test와 마찬가지로 p-value가 0.05보다 크면 정규성을 가정하게 된다.

④ Anderson-Darling 통계량, 앤더슨 다링 검정
- Anderson-Darling(AD) 통계량은 데이터가 특정 분포를 얼마나 잘 따르는지 측정한다.
- 일반적으로 분포가 데이터에 더 적합할수록 AD 통계량이 더 작다.

> **용어정리**
> - 콜모고로프-스미르노프 검정(Kolmogorov-Smirnov test)은 두 확률 분포가 같은지를 검정하는 비모수적인 통계적 방법 중 하나이다.
> - 이 검정은 특히 표본 크기가 작거나 분포가 정규분포를 따르지 않을 때 유용하다.
> - 콜모고로프-스미르노프 검정은 누적 분포 함수를 사용하므로 어떠한 분포에도 적용할 수 있다.
> - 그러나 **표본 크기가 커질수록 정규성 검정이나** 다른 통계적 방법이 더 효과적일 수 있다. 이 검정은 주로 작은 표본이나 비모수적인 상황에서 사용된다.

≫ 기출유형 따라잡기

[05회] 다음 중 정규성 검정 기법으로 옳은 것은?
① Q-Q plot
② 카이제곱검정
③ 샤피로-위크 검정
④ 콜모코르프-스미르노프 검정

정답 ②
해설 두 범주형 변수가 서로 상관이 있는지 독립인지를 판단하는 통계적 검정방법을 카이제곱 검정(Chi-Square Test)이라 한다.

[07회] 적합도 검정(Goodness-of-Fit Test)에 대한 설명 중 옳지 않은 것은?
① 적합도 검정에서 사용되는 대표적인 통계 검정 방법 중 하나는 카이제곱 검정이다.
② 귀무가설은 주어진 분포와 실제 데이터 간에 차이가 없다는 것이다.
③ 귀무가설이 기각된다는 것은 주어진 분포와 실제 데이터가 통계적으로 다르다는 것을 의미한다.
④ 귀무가설이 기각되더라도 기대도수 합과 전체도수의 합은 동일하다.

정답 ④
해설 적합도 검정을 통해 귀무가설이 기각되면, 해당 분포에 대한 가정이 데이터와 일치하지 않는다고 판단할 수 있다. 그러나 이는 분포에 대한 가정이지 전체 도수의 합이나 기대도수 합에 대한 가정이 아니다.

[06회] 콜모고로프-스미르노프 검정에 대한 설명으로 맞지 않는 것은?
① 2개의 집단이 동일한 분포를 이루고 있는지를 검증한다.
② 비모수 검정방식이다.
③ 데이터가 정규분포를 따르는지를 검증할 때 사용된다.
④ 확률 밀도함수를 사용하여 두 분포의 차이를 측정한다.

정답 ④
해설 콜모고로프-스미르노프 검정은 누적 분포 함수(Cumulative Distribution Function, CDF)를 사용하여 두 분포의 차이를 측정한다. 특히, 누적 분포 함수는 두 분포의 누적 분포를 나타내는 함수로서, 검정에서는 주어진 데이터와 특정 분포의 이론적인 누적 분포 간의 차이를 검정한다.

02 분석모형 개선

1 과대적합 방지

학습 목표
1. 과대적합(Overfitting)의 문제점을 이해하고 해결방안을 학습한다.

출제 KEYWORD
① 과대적합 해결방안 ★★★

1. 과대적합(Overfitting) 이해하기

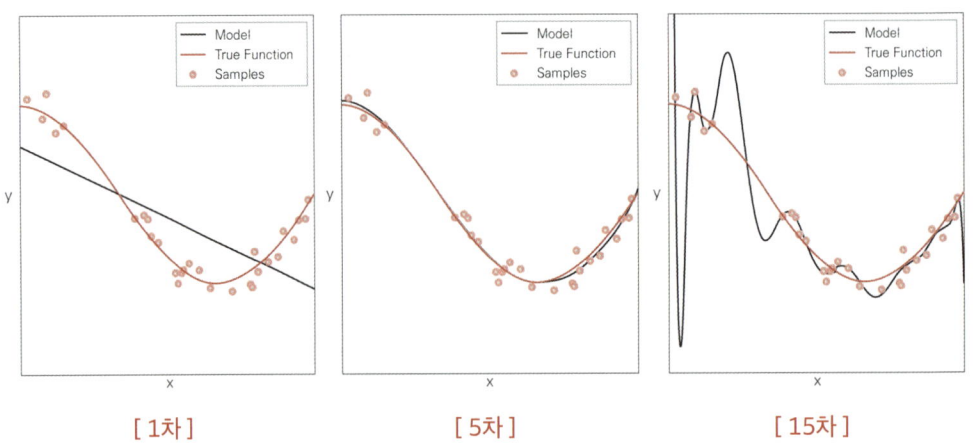

[1차]　　　　　　　　[5차]　　　　　　　　[15차]

- 위의 그림에서 x는 설명변수, y는 반응변수이다. 훈련데이터 집합 약 30개의 샘플을 가지고 모델을 만들었을 때 차수(Degree)가 1일 때의 오차가 가장 많이 발생하는 현상을 과소적합(Overfitting)이라 부른다.
- 과소적합을 해결하려면 모델의 차수를 늘리면 된다. 결국 15차 방정식을 적용한 모델이 가장 오차가 적은 것을 알 수 있다.
- 하지만 모델링의 목적은 훈련 집합에 없는 새로운 데이터에 대해 높은 성능 즉 일반화(Generalization)능력을 높이는 것이다.
- 일반화 능력으로만 본다면 15차 모델은 심각한 문제를 안고 있다.

- 차수가 큰 모델은 훈련 집합에 과도하게 적응하여 일반화 능력을 상실하는 현상을 과대적합(Overfitting)이라 부른다.

2. 과대적합 해결방안

- 과대적합을 해결하기 위해 데이터 증가, 가중치 규제, 모델 복잡도 감소, 드롭아웃의 방법을 적용한다.

① 데이터 증가(Data Augmentation / Gather more Data)
- 데이터의 양을 늘리게 되면 아래 그림처럼 일반화 성능이 향상됨을 확인할 수 있다.
- 즉 추가된 데이터에 의해 과대적합이 감소가 되는 것을 알 수 있다.

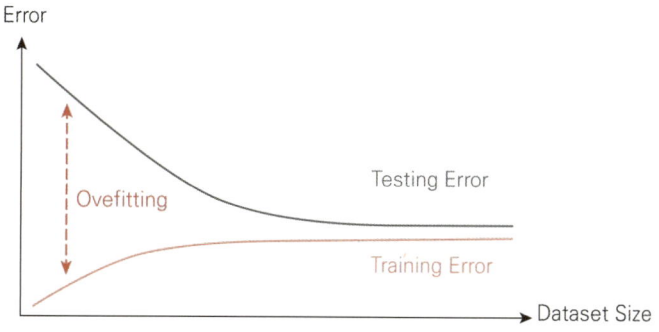

② 가중치 감소(규제(Regularization)기법)
- 가중치 감소(Weight Decay)란 훈련 데이터가 매우 많다면 과대적합을 줄일 수 있지만, 현실적인 이유로 그러지 못하는 경우가 있다.
- 이런 상황에서 과대적합을 줄이도록 하는 여러 기법 중 하나가 바로 가중치 감소이다.
- 이것은 학습 과정에서 큰 가중치에 대해서 그에 상응하는 큰 패널티를 부과하여 과대적합을 억제하는 방법이다.
- 과대적합은 가중치 매개변수의 값이 커서 발생하는 경우가 많기 때문이다.
- 가중치 감소에는 규제(Regularization)가 이용된다.
- 규제란 가중치의 절댓값을 가능한 작게 만드는 것으로, 가중치의 모든 원소를 0에 가깝게 하여 모든 특성이 출력에 주는 영향을 최소한으로 만드는 것(기울기를 작게 만드는 것)을 의미한다.

- 규제에는 L1, L2 규제가 있다.
- 3과목 정규화 선형회귀에서 L1, L2 규제에 대한 설명을 참고해주세요.

③ 모델의 복잡도 감소
- 모델 복잡도란 모델이 가진 학습 가능한 가중치 개수를 말하는데, 은닉층의 개수나 피쳐(Feature)의 개수가 많아지면 복잡도가 높은 모델이 만들어진다.
- 모델이 복잡해지면 좋지 않다. 모델이 훈련세트에만 잘 맞는 형태로 만들어 지면 훈련세트에서만 좋은 성능을 내고 일반화 성능이 떨어지는 과대적합이 발생하기 때문이다.
- 과대적합이 발생하게 되면 은닉층의 수를 감소하거나 모델의 차수를 낮춰야 한다.

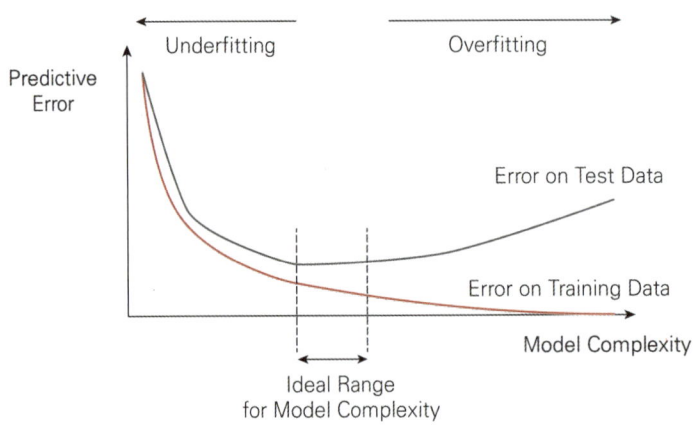

④ 드롭아웃(Dropout)
- 드롭아웃은 신경망의 뉴런을 부분적으로 생략하여 모델의 과적합(Overfitting)을 해결해주기 위한 방법 중 하나이다.
- 과적합이란 Training Dataset으로 학습한 모델의 정확도가 x 축을 Layer 수라고 할 때 Layer를 쌓으면 쌓을수록 Training에 대하여 Loss 값은 줄어들지만 오히려 Test Set에 대해서는 Loss 값이 올라가는 것을 의미한다.
- 드롭아웃은 전체 뉴런을 계산에 참여시키는 것이 아니라 각 뉴런에 포함된 weight 중에서 일부만 참여시키는 것이다.
- 여기서 일부만 참여시킨다는 것은 나머지를 제외시키는 것이 아니라 나머지 뉴런을 0으로 만드는 것을 의미한다.

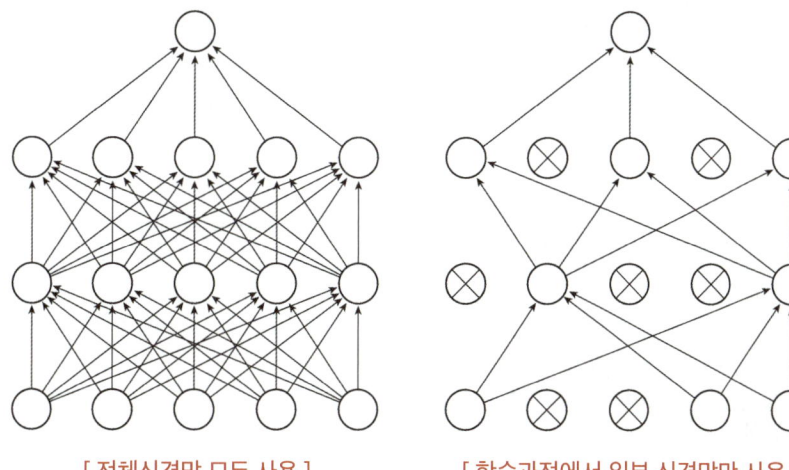

[전체신경망 모두 사용]　　　[학습과정에서 일부 신경망만 사용]

- 드롭아웃을 적용한 신경망은 뉴런을 임의로 삭제하여 적은수의 뉴런만으로 학습을 한다.
- 만약 드롭아웃 비율을 0.5로 한다면 학습과정마다 랜덤으로 절반의 뉴런을 사용하지 않고 절반의 뉴런만을 사용하게 된다.
- 드롭아웃은 신경망 학습 시에만 사용하고 예측 시에는 사용하지 않는다.
- 드롭아웃 유형

유형	설명
초기 드롭아웃	• 학습과정에서 노드들을 p의 확률로(일반적으로 0.5) 학습회수마다 임의로 생략하고, 남은 노드들과 연결선만을 이용하여 추론 및 학습을 수행하는 기법 • DNN(Deep Neural Network) 알고리즘에 적용
공간적 드롭아웃	• CNN 알고리즘에 적용 • 특정 맵내의 노드 전체에 대해 드롭아웃의 적용여부를 결정하는 기법
시간적 드롭아웃	• RNN 알고리즘에 적용 • 노드들을 생략하는 방식이 아니라 연결선 일부를 생략하는 방식으로 **드롭 커넥트 방식**의 개선 기법

》기출유형 따라잡기

[05회] 다음 중 드롭아웃 효과와 동일한 효과를 가져올 수 있는 기법은?
① 풀링(Pooling)　　② 패딩(Padding)
③ 데이터 증강(Data Augmentation)　　④ 커널 트릭(Kernel Trick)

정답 ③

해설
- 드롭아웃(Dropout)은 전체 weight을 계산에 참여 시키는 것이 아니라 layer에 포함된 weight중 일부만 참여시키는 것으로 overfitting에 좋은 성능을 나타낸다.
- 데이터 증강(Data Argumentation)은 데이터를 늘려서 네트워크의 일반화 성능을 높이기 위해서 사용하는 과대적합 방지 방법이다.

[05회] 과대적합(overfitting)을 해결하기 위한 방법으로 옳은 것은?
① 정규화 선형회귀를 사용하여 제약조건을 추가한다.
② 학습 시간을 증가 시킨다.
③ 모델의 복잡성을 증가시킨다.
④ 데이터의 다양성을 줄여 패턴을 더 잘 인식하도록 한다.

정답 ①

해설 정규화 선형회귀
- 회귀계수에 벌점(penalty)을 적용하는 회귀분석
- 어떤 기준에 따라 회귀계수에 벌점을 부여하여 모형의 복잡도를 낮추는 회귀분석

[05회] 과대적합(overfitting)에 대한 설명으로 옳지 않은 것은?
① 일반화 성능이 떨어지는 경우를 말한다.
② 모형의 분산이 커지는 경우를 말한다.
③ 모형이 과도하게 복잡한 경우를 말한다.
④ 비선형모델보다 선형모델에서 자주 발생한다.

정답 ④

해설 선형모델보다 복잡한 비선형모델이 과대적합 발생이 쉽다.

[04회] 다음 과대적합과 과소적합에 대한 설명 중 적절하지 않은 것은?
① 분석모형이 과대적합일 경우 일반화 성능이 좋지 않다.
② 분석모형이 과대적합일 경우 모형의 복잡도는 상대적으로 높다.
③ 분석모형이 과소적합일 경우 학습데이터에서는 성능이 낮게 나타난다.
④ 분석모형이 과소적합일 경우 검증데이터에서는 성능이 높게 나타난다.

정답 ④

해설
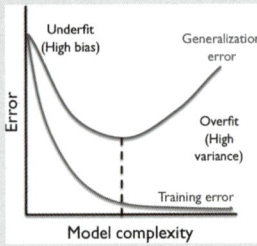
분석모형이 과소적합일 경우 검증데이터에서는 성능이 낮게 나타난다.

용어정리

- **드롭 커넥트**
  - 드롭커넥트를 적용한 경우는 결합 가중치를 0으로 하기 때문에, 드롭아웃보다 누락되는 조합이 훨씬 많다. 그 때문에 드롭아웃보다 과대적합이 일어나기가 한층 어렵게 된다고 할 수 있다.
  - 드롭커넥트는 드롭아웃보다 높은 성능을 달성하였으나 그만큼 학습에 어려움이 따른다. 드롭커넥트는 어떤 가중치를 0으로 할지를 무작위로 선택하지만, 이 무작위 선택이 어떻게 되느냐에 영향을 받으므로 항상 같은 성능을 달성하기 어렵다.

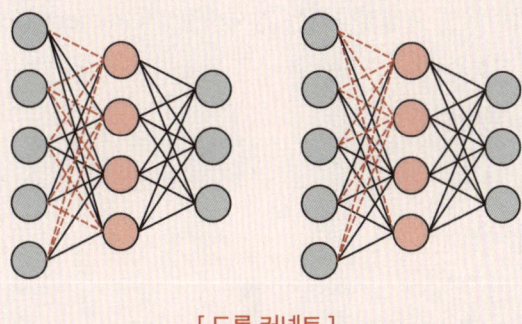

[드롭 커넥트]

2 매개변수 최적화(Parameter Optimization)

📝 학습 목표

1. 파라미터 및 하이퍼 파라미터 최적화의 개념을 학습한다.

🔍 출제 KEYWORD

① 파라미터 최적화 기법 ★★★
② 하이퍼 파라미터 탐색 기법 ★

1. 매개변수 최적화 개념

- 최적화(Optimization)는 손실함수 또는 비용함수(Loss Function)의 값을 최소화하는 분석 모형의 매개변수(Parameter)를 찾는 것이고, 경사하강법은 최적화를 수행하기 위해 사용되는 대표적 알고리즘 중 하나이다.
- 손실함수는 분석모형이 예측한 값과 실제값의 차이를 정의하는 함수를 말한다.

2. 경사 하강법(Gradient Descent) 개념

- 최적의 예측 모델을 만들기 위해서는 실제값(True)과 예측값(Predict)과의 Error(Cost Function)가 최소가 되는 모델을 찾는 것이다.
- 하지만 분석자가 직접 모델의 Cost Function을 최소화시키는 파라미터 값을 찾기 위해서는 수십 번의 파라미터 변경이 필요하기 때문에 모델이 학습과정에서 스스로 Cost Function이 최소가 되도록 파라미터를 조정해나가는 경사하강법(Gradient Decent)이 사용된다.
- 경사하강법이란 손실함수(Cost Function)을 최소화하기 위하여 반복적으로 파라미터를 조정해나가는 것을 말한다.

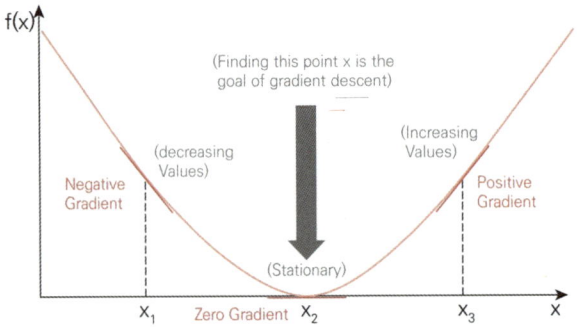

- 해당 함수의 최소값 위치를 찾기 위해 손실함수(Cost Function)의 경사 반대 방향으로 정의한 Step Size를 가지고 조금씩 움직여 가면서 최적의 파라미터를 찾으려는 방법이다.
- 여기에서 경사(기울기)는 파라미터에 대해 편미분한 벡터를 의미하며 이 파라미터를 반복적으로 조금씩 움직이는 것이 관건이다.

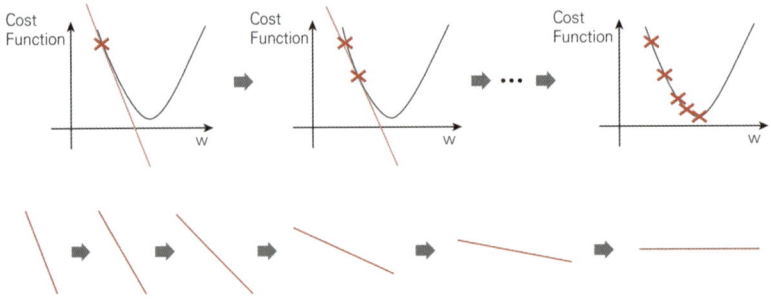

- 경사 하강법에서는 학습 시 스텝의 크기(Step Size)가 중요하다.

- 학습률이 너무 작을 경우 알고리즘이 수렴하기 위해 반복해야 하는 값이 많으므로 학습 시간이 오래 걸린다.
- 그리고 지역 최소값(Local Minimum)에 수렴할 수 있다. 반대로 학습률이 너무 클 경우 학습 시간은 적게 걸리나, 스텝이 너무 커서 전역 최소값(Global Minimum)을 가로질러 반대편으로 건너뛰어 최소값에서 멀어질 수 있다.

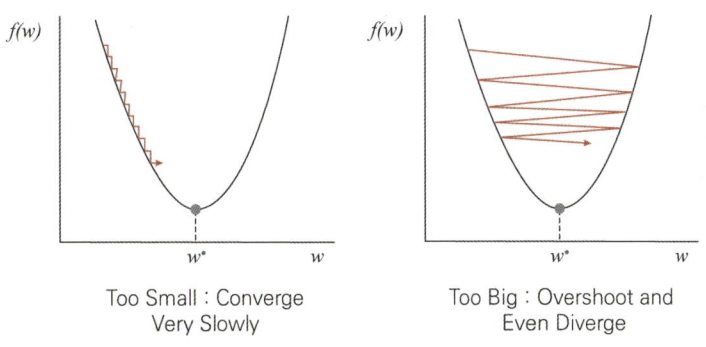

- 경사 하강법은 전체 데이터를 모두 사용해서 기울기를 계산(Batch Gradient Descent)하기 때문에 학습하는데 많은 시간이 필요하다.
- 그래서 학습 데이터가 큰 경우 부담이 있다. 이런 단점을 보완하기 위해서 확률적 경사 하강법(Stochastic Gradient Descent)을 사용한다. 이 방법은 매 Step에서 딱 한개의 샘플을 무작위로 선택하고 그 하나의 샘플에 대한 기울기를 계산한다.

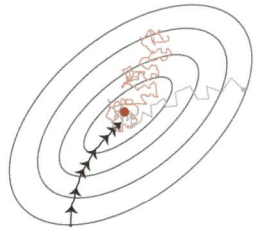

> **용어정리**
>
> Batch gradient descent vs Mini-batch gradient descent vs stochastic gradient descent 차이
> ① Batch gradient descent
>   • 전체 데이터 셋에 대한 에러를 구한 뒤 기울기를 한번만 계산하여 모델의 파라미터를 업데이트 하는 방법
>   • 한 스텝에 모든 학습 데이터 셋을 사용하므로 학습이 오래 걸린다.
> ② Mini-batch gradient descent
>   • 전체 데이터 셋을 여러개의 mini-batch로 나누어, 한 개의 mini-batch마다 기울기를 구하고 모델을 업데이트 하는 방법
>   • 분석자가 batch size(mini-batch size)를 설정해야 한다.
> ③ Stochastic gradient descent
>   • 추출된 데이터 한 개에 대해서 error gradient를 계산하고, Gradient desent 알고리즘 적용하는 방법
>   • step에 걸리는 시간이 짧기 때문에 수렴속도가 상대적으로 빠르다.

1) 확률적 경사 하강법(SGD, Stochastic Gradient Descent)

- 기존의 경사하강법(Gradient descent method)에서 특정 데이터만을 샘플링하여 학습하는 확률적 경사 하강법(SGD)은 Deep Neural Network를 학습시키기 위해 주로 이용되고 있는 최적화 기법이다.
- 확률적 경사하강법(SGD)은 Learning Rate와 Gradient라는 두 가지 요소로 구성된다.
- 첫 번째는 Momentum이라는 개념을 이용하여 Gradient를 조절하는 알고리즘과 두 번째는 Learning Rate를 조절하는 알고리즘이다.

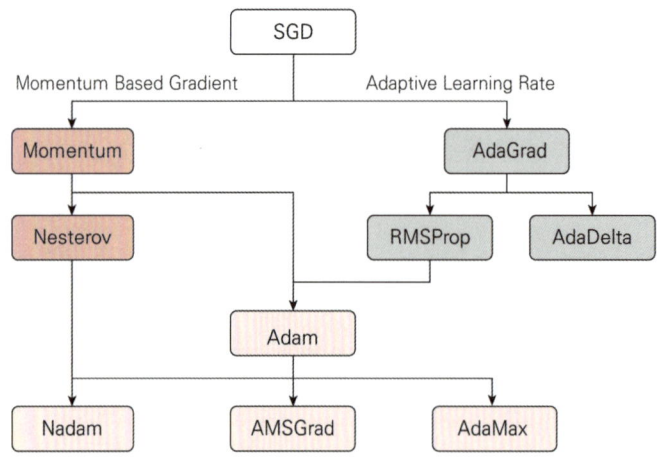

[SGD 기반의 알고리즘 분류]

기출유형 따라잡기

[03회] 다음 중 확률적 경사하강법(SGD)이 아닌 것은?
① Adaboost
② RMSProp
③ adam
④ Nesterov

정답 ①

해설 Adaboost 알고리즘은 분류 기반 기계학습 모형으로, 예측 성능이 조금 낮은 약한 학습기(Weak Classifier)를 다량 구축 및 조합하여 가중치 수정을 통해 좀 더 나은 성능을 발휘하는 하나의 강한 분류기(Strong Classifier)를 합성하는 방법의 알고리즘이다.

[04회] 다음 매개변수 최적화에 대한 설명 중 옳지 않은 것은?
① 손실함수란 실제값과 예측값의 오차를 최소화하기 위해 정의되는 함수이다.
② 분석모형 학습은 손실함수의 값을 최소화 하는 매개변수의 값을 찾아가는 과정이다.
③ 매개변수 최적화 기법으로 경사하강법, AdaGard, 모멘텀 등의 방식이 있다.
④ 매개변수 최적화를 통해서 하이퍼파라미터가 튜닝된다.

정답 ④

해설 파라미터는 모델 내부에 존재하는 매개변수이다. 파라미터는 학습의 대상으로, 학습 알고리즘을 통해 자동적으로 학습하게 된다. 하이퍼파라미터는 경험, 데이터의 특성 등에 근거해 사용자가 설정하는 값이다. 경사 하강법에서의 학습률(learning rate), k-NN 모델에서의 k값 등이 하이퍼파라미터의 사례이다.

[04회] 다음 아래 보기가 설명하는 매개변수 최적화 기법은?

〈보기〉
• 전체 데이터를 모두 사용해서 기울기를 계산하기 때문에 학습하는데 많은 시간이 필요하다.

① Batch Gradient Descent
② Mini Batch Gradient Descent
③ Stochastic Gradient Descent
④ Momentum

정답 ①

해설 경사 하강법은 전체 데이터를 모두 사용해서 기울기를 계산(Batch Gradient Descent)하기 때문에 학습하는데 많은 시간이 필요하다.

[04회] 아래 그림과 관련이 있는 하이퍼 파라미터(Hyperparameter)는?

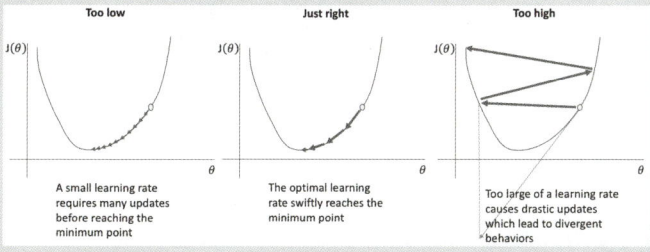

① Learning Rate
② Batch Size
③ Iteration Rate
④ Cost Size

정답 ①

해설 Learning Rate는 "gradient"의 방향으로 얼마나 빠르게 이동을 할 것인지를 결정한다.
학습진도율이 너무 작으면 학습의 속도가 너무 느리게 되고, 반대로 너무 크면 학습이 안되고 진동할 수 있다.

> **기출유형 따라잡기**

[06회] 학습률(learning rate)에 대한 설명으로 옳지 않은 것은?
① 학습률은 하이퍼파라미터 튜닝의 중요한 부분 중 하나이다.
② 학습률은 일반적으로 0과 1 사이의 값으로 초기화한다.
③ 학습률이 작으면 학습 시간이 오래 걸린다.
④ 학습률이 크면 반복 횟수도 많아진다.

정답 ④

해설 학습률의 크기가 반복 횟수와 직접적으로 연결되는 것은 아니다.
- 학습률(Learning Rate): 학습률은 각 반복(에폭)에서 모델의 가중치를 얼마나 업데이트할지를 결정한다. 너무 크면 발산할 가능성이 있고, 너무 작으면 수렴하는 데 많은 시간이 걸릴 수 있다.
- 반복 횟수(에폭 수): 반복 횟수는 전체 훈련 데이터셋을 몇 번 사용하여 모델을 업데이트할지를 결정한다. 에폭 수가 많을수록 모델은 더 많은 정보를 활용할 수 있다. 그러나 너무 많은 에폭을 사용하면 모델이 훈련 데이터에 과적합(overfitting)될 수 있다.

① 모멘텀(Momentum)
- 경사하강법(Gradient Descent Method)의 문제점인 지역해(Local Minimum), 기울기가 완만한 지점에 빠지거나 수렴속도가 느리다는 단점을 개선해주는 기법이 바로 모멘텀(Momentum)이다.
- 모멘텀은 경사하강법(Gradient Descent Method) 통해 W가 이동하는 과정에서 일종의 '관성'을 부여하는 것이다.
- 즉 W를 업데이트 할 때에 이전 단계의 업데이트 방향을 반영하는 것이다.

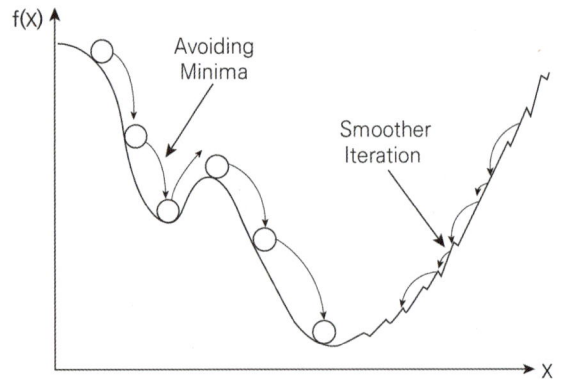

- 위 그림처럼 Local Minimum을 피할 수 있게 해주며, 이전 속도가 더 반영되므로 수렴속도도 빨라지게 된다. 결과적으로 최적점을 빠르게 수렴할 수 있게 된다.

- Momentum에도 단점이 있는데, W를 업데이트 할 때마다, 과거에 이동했던 양을 변수별로 저장해야 하므로 변수에 대한 메모리가 2배로 소모된다는 것이다.
- 경사 하강법은 기본적으로 learning rate의 크기만큼 gradient의 방향으로 이동하기 때문에 많은 경우에 SGD는 최적점의 방향으로 곧장 이동하는 것이 아니라, 그림 1과 같이 진동하며 이동한다. Momentum을 이용하는 경우에는 이러한 비효율적인 이동을 최소화 할 수 있다.

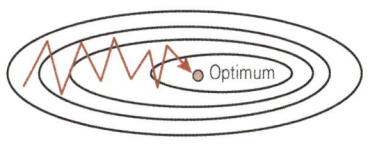

[그림 1 기본적인 SGD를 통한 최적화]

- 그림 2는 momentum의 개념을 이용하는 SGD의 최적화 과정을 보여준다. 최적화 과정을 보면 알 수 있는 것이 진동을 하면서도 모든 진동 방향에는 optimum으로 이동하고자 하는 직선 방향의 이동이 존재한다는 것이다.

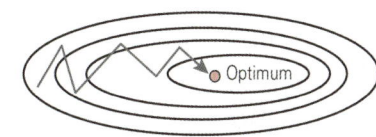

[그림 2 SGD와 momentum을 결합한 최적화]

② AdaGrad
- AdaGrad는 2011년에 제안된 SGD 기반의 알고리즘으로써, 최적화 과정을 효율적으로 만들기 위해 고정된 Learning Rate가 아니라 각각의 변수마다 적합한 Learning Rate를 자동으로 설정한다.
- AdaGrad의 알고리즘은 지금까지 변화가 많았던 변수들은 Optimum의 근처에 있을 확률이 높기 때문에 Learning Rate를 작게 함으로써 더욱 세밀하게 Update가 되도록 만들고, 변화가 적었던 변수들은 Optimum에서 멀리 벗어나 있을 확률이 높기 때문에 Learning Rate를 크게 함으로써 더욱 빠르게 Optimum으로 수렴하도록 만드는 것이다.

- 그러나 AdaGrad는 학습이 오래 진행될 경우에는 변수의 Update가 이루어지지 않는다는 문제점이 존재한다.
- 이러한 문제점을 해결하기 위해 제안된 알고리즘이 AdaDelta와 RMSProp이다.

③ Adam(Adaptive Momentum Estimation)
- Adam은 Deep Neural Network의 학습에 가장 광범위하게 이용되고 있는 알고리즘이다.
- Adam은 Momentum과 AdaGrad방식(RMSProp)를 합친 것 같은 알고리즘이다.
- 최적점 탐색경로는 모멘텀방식처럼 공이 굴러가는 듯하고, AdaGrad로 인해 갱신강도가 조정되므로 모멘텀방식보다 좌우 흔들림이 덜 한 것을 볼 수 있다.

④ RMSProp(Root Mean Square Propagation)
- RMSProp은 학습이 진행될수록 learning rate가 극단적으로 감소하는 AdaGrad 문제점을 해결하기 위해 제안되었다.

⑤ Nesterov Accelerated Gradient(NAG)
- 기본적인 momentum 방식은 이전의 시간의 momentum과 독립적으로 gradient를 계산하여 momentum과 gradient를 더함으로써 update의 방향을 결정한다. 반면에 NAG에서는 먼저 momentum 만큼 update를 했다고 가정한 뒤에 gradient를 계산하고, 이를 기반으로 update의 방향을 결정한다. 기본적인 momentum 방식은 현재의 가속도를 고려하지 않고 속도를 설정한다면, NAG는 현재의 가속도를 어느 정도 고려하여 속도를 설정한다고 생각할 수 있다.
- 이러한 update 방식을 통해 NAG는 momentum을 이용한 빠른 이동이라는 장점을 유지하면서도 momentum에 의해 과하게 이동하는 단점을 완화했다.

3. 하이퍼 파라미터 최적화(Hyper Parameter Optimization, HPO)

- 하이퍼 파라미터는 머신러닝 및 딥러닝 모델의 입력값으로 해당 모델이 목표 데이터 특성으로부터 일반화된 추론 성능을 훈련할 수 있도록 제어하는 기능을 수행한다.
- 이러한 하이퍼 파라미터는 학습률, 학습률 스케줄링 방법, 손실함수, 훈련 반복횟수, 가중치 초기화 방법, 정규화 방법, 적층할 계층의 수 등과 같이 모델 훈련 성능에 직접적인 영향을 미치는 다양한 변수들로 구성되어 있다.

- 즉 개별 변수 조율 방식에 따라 다양한 하이퍼 파라미터 설정이 도출될 수 있어, 최적 조합을 탐색하는 기술이 요구된다.

① 그리드 탐색과 랜덤 탐색
- 그리드 탐색은 특정 하이퍼 파라미터 구간에서 일정 간격으로 하이퍼 파라미터값을 선택하여 성능을 측정하고, 가장 높은 성능을 보장하는 하이퍼 파라미터값을 최적해로 도출한다.
- 그리드 탐색은 구간 전역을 탐색하기 때문에 하이퍼 파라미터의 종류가 많아질수록 탐색 시간이 기하급수적으로 증가한다는 단점이 있다. 또한, 균일한 간격으로 탐색하기 때문에 하단의 좌측 예처럼 최적 하이퍼 파라미터값을 찾지 못하는 경우가 발생할 수 있다.
- 이와 같은 문제를 차단하기 위해 랜덤 탐색이 제안되었는데, 본 탐색 기법은 그리드 탐색과 달리 아래의 우측 예처럼 하이퍼 파라미터 구간 내에서 임의로 값을 선택한다. 따라서 불필요한 반복 탐색을 줄여 보다 빠르게 최적 하이퍼 파라미터를 발견할 수 있는 가능성을 높였다.
- GridSearch에 비해 시간은 적게 걸리지만, 말 그대로 "랜덤"하게 몇 개만 뽑아서 확인해보는 식이라 정확도가 다소 떨어질 수 있다.

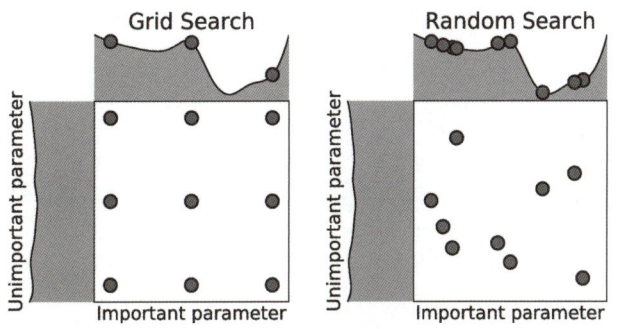

[그리드 탐색과 랜덤 탐색]

② 베이지안 최적화(Bayesian Optimization)
- 베이지안 최적화는 알려져 있지 않은 목적함수를 최대화(혹은 최소화)로 하는 최적해를 찾는 기법으로 지금까지 확보된 데이터화 평가지표의 숨겨진 관계를 모델링하는 Surrogate model과 Surrogate Model를 활용해 다음 탐색지점을 결정하는 Acquisition function으로 구성되어 있다.

- 기본적으로 Surrogate Model은 가우시안 프로세스를 거쳐 만들어지며, Acquisition function은 maximize expected improvement하며 학습이 진행된다.
- 베이지안 최적화 알고리즘은 미지의 목적함수가 최대화 혹은 최소화 되는 매개변수를 찾기 위해서 사전 분포를 활용한다.
- 격자탐색이나 랜덤탐색처럼 모델의 사전분포를 활용하지 않는 것보다 베이지안 최적화를 통해서 사전 분포를 이용하는 것이 더 좋은 성능을 도출하는 매개변수를 찾을 수 있게 된다.

용어정리
- Surrogate Model : 기존 입력값들을 바탕으로, 미지의 목적 함수 f의 형태에 대한 확률적인 추정을 하는 모델
- Acquisition Function : Surrogate Model이 목적 함수에 대해 확률적으로 추정한 결과를 바탕으로, 바로 다음번에 탐색할 입력값 후보를 추천해 주는 함수

≫ 기출유형 따라잡기

[04회] 다음 중 하이퍼 파라미터의 최적화 기법으로 옳지 않은 것은?
① 베이지안 최적화　　　　② 랜덤 탐색
③ 그리드 탐색　　　　　　④ 경사하강법

정답 ④

해설 경사하강법(Gradient Descent)은 기본적인 함수 최적화(optimization) 방법 중 하나이다.

[06회] 하이퍼파라미터 튜닝 알고리즘에 대한 설명으로 맞지 않은 것은?
① 그리드 서치(Grid Search)는 정해진 범위 내에서 가능한 모든 조합을 시도한다.
② 랜덤 서치(Random Search)는 정해진 범위 내에서 랜덤하게 하이퍼파라미터를 추출하여 시도한다.
③ 베이지안 최적화(Bayesian Optimization)는 이전에 학습한 결과를 참고하여 하이퍼파라미터를 설정한다.
④ AdaGrad는 이동거리 기반으로 최적의 하이퍼파라미터를 추출한다.

정답 ④

해설 AdaGrad(Adaptive Gradient Descent)는 각각의 매개변수에 대해 학습률을 조절해가면서 경사 하강법을 수행하는 최적화 알고리즘 중 하나이다. AdaGrad는 각 매개변수에 대해 학습률을 조절함으로써 희소한 데이터나 각 매개변수에 대해 스케일이 크게 다를 때 성능이 향상될 수 있는 특징을 가지고 있다.

> **기출유형 따라잡기**

[06회] 파라미터(Parameters)와 하이퍼파라미터(Hyperparameter)에 대한 설명으로 옳은 것은?
① 둘 다 학습을 시작하기 전에 정해야 한다.
② 매개변수는 모델에서 학습의 결과로 정해진다.
③ 선형회귀 모델에서 매개변수는 기울기이고, 초매개변수는 절편이다.
④ 초매개변수는 학습 데이터에 의해서 모델 내부에서 조정되는 값이다.

정답 ②

해설
- 파라미터(Parameters)는 모델이 학습하는 과정에서 최적화되어 업데이트되는 값들을 나타낸다.
- 하이퍼파라미터(Hyperparameter)는 모델 학습 과정에 영향을 주는데, 모델이 직접 학습하는 파라미터와는 구분된다.
- 하이퍼파라미터는 모델의 구조나 학습 알고리즘에 대한 설정값으로, 사용자에 의해 사전에 정의되고 튜닝되어야 한다.
- 일반적으로 하이퍼파라미터는 모델을 학습하기 전에 설정되며, 학습 과정 동안에는 변하지 않는다. 이들은 모델이 학습 데이터에 적응하면서 최적화되는 대상이 아니라, 모델의 구조나 학습 알고리즘을 제어하는 역할을 한다.

3 분석모형 융합(Aggregation)

학습 목표

1. 분류모형에 대한 분석모형 융합 방법을 이해한다.

출제 KEYWORD

① 하드 보팅 vs 소프트 보팅 ★★
② 부스팅 알고리즘 ★

- 분석모형의 성능을 높이기 위해 구축된 여러 모형을 결합·융합한다.
- 모형 융합 방법에는 배깅, 부스팅, 랜덤포레스트 등이 있으며, 본 교재 Part3의 앙상블 모형에서 자세히 다루고 있다.

1. 융합(Aggreation) 방법

1) Majority Voting Classifiers

다수결 분류를 뜻하는 경우로 두 가지 방법으로 분류할 수 있다.

① Hard Voting
- 여러 모델을 생성하고 그 결과를 비교한다.

- 이때 Classifier의 결과들을 집계하여 가장 많은 표를 얻는 클래스를 최종 예측값으로 정하는 것을 Hard Voting Classifiers라고 한다.

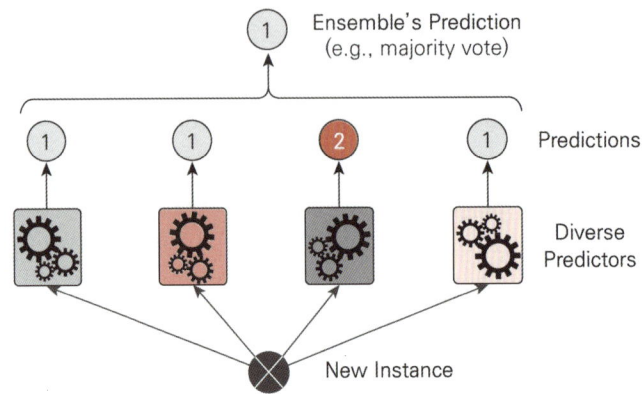

- 위와같이 최종결과를 1로 예측 모델이 3개, 2로 예측한 모델이 1개 이므로 최종결과는 1로 분류한다.

② Soft Voting
- 앙상블에 사용되는 모든 분류기가 클래스의 확률을 예측할 수 있을 때 사용한다.
- 각 분류기에 예측을 평균으로 계산하여 확률이 가장 높은 클래스로 예측하게 된다.

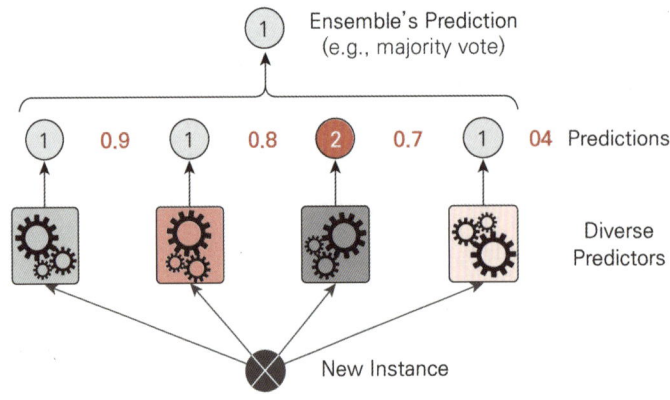

- 분류가 1이 될 확률은 (0.9 + 0.8 + 0.3 + 0.4) / 4 = 0.6, 따라서 2가 될 확률은 0.4 이므로 위와 같이 예측확률에 대한 평균이 높게 나오는 1로 예측 클래스를 정하게 된다.

③ Weighted Voting
- Weighted Voting은 각각의 모델별로 가중치를 주는 것이다.

2) 앙상블 부스팅의 분류
- 부스팅 알고리즘
  - 여러 개의 알고리즘이 순차적으로 학습-예측을 하면서 이전에 학습한 알고리즘의 예측이 틀린 데이터를 올바르게 예측할 수 있도록, 다음 알고리즘에, 가중치를 부여하여 학습과 예측을 진행하는 방식이다.
  - 부스팅은 기본적으로 앙상블(Ensemble) 아이디어에서 Sequential이 추가된 형태이다.
  - 부스팅 알고리즘에는 다음과 같은 알고리즘이 있다.
    - AdaBoost
    - GBM(Gradient Boosting Machine)
    - XGBoost
    - LightBoost

① Adaboost
- Adaboost는 앙상블 부스팅에서 가장 대표적인 방법이다.
- Adaptive Boosting으로서 분류기가 틀린 부분에 가중치를 부여하여 잘못 분류되는 데이터에 집중하도록 하여 강한 분류기를 만들게 된다.

② Gradient Boosting
- 일반적인 머신러닝 앙상블 부스팅과 똑같이 약한 학습기를 결합하고 틀린 것에 가중치를 부여해서 보다 좋은 강력한 분류기를 만드는 방식을 말한다.
- 가중치를 부여하는 방법이 Adaboost와 달리 경사하강법(Gradient Descent)을 사용한다.
- 경사하강법 계열의 알고리즘으로 Gradient Boosting Machine(GBM), XGBoost, LightGBM 등이 있다.
- GBM은 AdaBoost처럼 앙상블에 이전까지의 오차를 보정하도록 예측기를 순차적 (Sequential)으로 추가한다. 그렇지만, AdaBoost처럼 매 반복 마다 샘플의 가중치를 조정하는 대신에 이전 예측기가 만든 잔여 오차(Resudial Error)에 새로운 예측기를 학습시킨다.

- XGBoost는 GBM의 과적합문제 및 속도를 개선하기 위해 모델이다. CART (Classification And Regression Tree) 기반 즉, 분류(Classification)와 회귀(Regression) 둘 다 가능하다.
- LightGBM는 Tree 기반 알고리즘인 XGBoost의 경우 균형 트리 분할(Level Wise) 방식을 사용했다면, LightGBM은 리프 중심 트리 분할(Leaf Wise) 방식을 사용한다.
- Level Wise 트리 분석은 균형을 잡아주어야 하기 때문에 Tree의 깊이(depth)가 줄어들고 연산이 추가되는 것이 단점이면, Leaf Wise은 트리의 균형을 맞추지 않고 최대 손실 값(Max Data Loss)를 가지는 Leaf 노드를 지속적으로 분할하면서 Tree의 깊이(Depth)가 깊어지고 비대칭적인 트리가 생성된다.

4 최종 모형 선정

학습 목표
1. 분석 모형에 대한 다양한 평가 기준을 이해한다.

출제 KEYWORD
① 지도학습과 비지도학습의 평가지표 정의 ★★

- 최종 모형을 선정하기 위해 분석 모형 평가지표들을 활용, 구축된 부문별 다수의 모형을 비교하여 선택한다.

1. 머신러닝 문제 정의

- 머신 러닝 문제들은 크게 3가지로 분류, 정의한다. 지도학습형(Supervised Learning), 비지도학습형(Unsupervised Learning), 강화학습형(Reinforced Learning)이다.

① 지도학습
- 지도형 머신러닝은, 쉽게 말하면 기계에게 데이터와 데이터의 레이블을 함께 주고 학습시키는 것이다.

- 가령 우리가 손글씨 판별모델을 개발한다고 생각해보자. 손으로 쓴 글자 이미지들을 많이 준비하고, 그 각각의 손글씨들에 실제 의미 레이블을 붙여주고 학습시키는 것이다. 이때 지도학습형 알고리즘을 사용할 수 있다.

② 비지도학습
- 비지도 머신러닝은 기계에게 레이블이 없는 데이터를 학습시키는 것으로, 주로 데이터 안에 내재된 숨겨진 패턴이나 분포를 알고 싶을 때에 사용한다.

③ 강화학습
- 기계가 피드백을 통해 학습하는 것. 예를 들어 기계가 문제를 맞추면 YES라는 피드백을 주고, 문제를 틀리면 NO라는 피드백을 준다. 이 피드백에 의해 기계는 다시 학습한다.

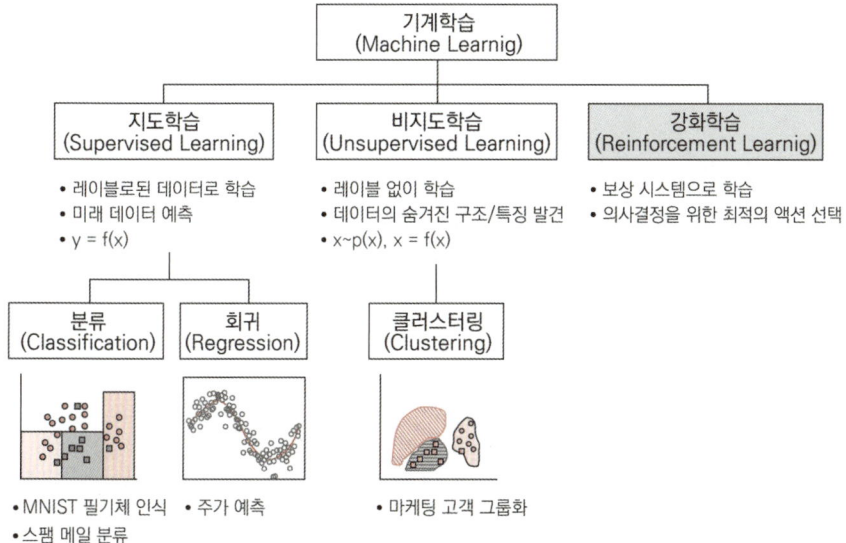

2. 분석모형의 평가기준

- 지도학습의 분류와 회귀라는 분석목적에 부합하는 여러 알고리즘별로 동일한 데이터에 학습을 시켜 모델성능을 최종 선정기준을 통해 평가를 실시한다.
- 비지도학습에 사용되는 데이터는 레이블이 없으므로 지도학습처럼 단순하게 정확도를 지표로 분석모형의 정확도를 평가할 수 없다.
- 따라서 군집을 만든 결과가 얼마만큼 타당한지는 군집간의 거리, 군집의 지름, 군집의 분산도 등을 종합적으로 고려하여 평가할 수 있다.

3. 분석모형의 검토사항

- 분석모형을 선정할 때에는 예측용이성, 데이터의 차원수, 해석 편의성 등을 고려하여 모형을 선정한다.
- 최종 분석모형을 선정할 때에는 다양한 분석 프로젝트 이해관계자가 분석모델에 대한 결과를 검토하고 최적의 분석모델을 선정하는 과정이 필요하다.
- 최종 분석모형은 성능평가지표와 더불어 모델의 현업에서의 실질적인 활용 가능성도 필수적으로 검토해야 한다.
- 마지막으로 분석 기획 단계에서 설정된 기준에 따라 분석모형의 성과를 정량적, 정성적 평가를 하고 분석모형의 최종보고서를 작성한 후 분석모형의 프로젝트를 종료한다.

예상문제

CHAPTER 01 분석모형 평가 및 개선

01 다음 중 회귀모형에 대한 평가지표의 계산식으로 올바르지 않은 것은?

① 오차제곱합(Error Sum of Square)은 $\sum_{i=1}^{n}(y_i-\hat{y_i})^2$ 이다.

② 평균오차(Average Error)는 $\frac{1}{n}\sum_{i=1}^{n}|(y_i-\hat{y})|$ 이다.

③ 평균제곱근오차(Root Mean Squared Error)는 $\sqrt{\frac{1}{n}\sum_{i=1}^{n}(y_i-\hat{y})^2}$ 이다.

④ 평균절대백분율오차(Mean Absolute Percentage Error)는 $\frac{100}{n}\sum_{i=1}^{n}\left|\frac{y_i-\hat{y_i}}{y_i}\right|$ 이다.

해설_ 평균절대오차(MAE)로 실제값과 예측값의 차이에 절대값을 취해 평균한 값이다.
- 회귀평가를 위한 지표로 주로 쓰인다. 기계학습 모델의 퀄리티를 요약하고 평가하기 위한 여러 메트릭 중 하나라고 할 수 있다.
- MSE와 마찬가지로 0에 가까울수록 좋은 모델이라고 할 수 있다.

02 다음 중 모형평가 기준으로 올바르지 않은 것은?

① 일반화의 가능성
② 효율성
③ 예측과 분류의 정확성
④ 확장성

03 회귀모델 평가지표에 해당하지 않은 것은?

① RMSE
② ROC
③ MAPE
④ MAE

해설_ 모델을 만드는 이유는 일반화를 통해 예측을 추정하고자 하는 것이다. 그래서 우리는 Train Data로 학습시키고, 알고리즘을 계속해서 수정하고, 주어진 가설 공간에서 최고의 성능을 발휘하는 모델을 선택하게 된다.
- 이로인해 만든 모델을 서로 비교해서 좋은 모델을 선택해야하는데 이때 모델평가지표를 사용해서 성능을 평가한다. 연속된 값에 대한 평가 지표(회귀모델)와 분류에 대한 평가지표를 다르게 사용한다.

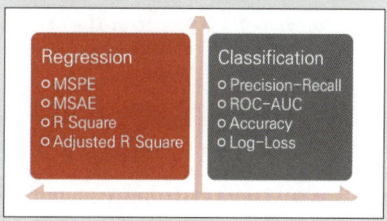

04 다음 중 회귀모형의 모형평가지표 중 모형의 실제값과 예측값의 차에 절대값을 취하고 평균한 값을 무엇이라 하는가?

① RMSE
② MSE
③ MAPE
④ MAE

정답 01 ② 02 ④ 03 ② 04 ④

예상문제

05 정확도를 오차의 백분율로 표시하는 회귀모형의 평가지표는?

① RMSE(평균제곱근오차)
② MAE(평균절대오차)
③ MAPE(평균절대백분율오차)
④ MSE(평균제곱오차)

> 해설_ 평균 절대 백분율 오차(MAPE)는 정확도를 오차의 백분율로 표시한다. MAPE는 백분율이기 때문에 다른 정확도 측도 통계량보다 더 쉽게 이해할 수 있다. 예를들어 MAPE가 5이면 예측 값은 평균 5% 벗어난다.

06 다음 중 회귀모형 평가지표에 대한 설명 중 옳지 않은 것은?

① 회귀모형평가지표는 예측값과 실제값의 차이를 기반으로 구한다.
② 오차의 절대값을 취하는 평가지표가 오차의 제곱을 취하는 평가지표보다 이상값에 더 취약하다.
③ 수정된 결정계수는 독립변수의 수를 고려하기 때문에 다중회귀분석을 할 때 결정계수보다 수정된 결정계수가 선호된다.
④ 모형이 예측한 추정치와 실제값의 차이가 작을수록 해당 모형의 성능이 좋다고 평가할 수 있다.

> 해설_ 이상치가 있는 데이터에서는 오차를 제곱하여 계산하는 지표보다 절대값을 취하여 계산하는 지표가 더 유리하다.

07 회귀모형의 평가지표 중 결정계수를 의미하는 것은? (단 회귀모형의 변동은 총변동(SST), 회귀변동(SSR), 오차변동(SSE) 3가지로 구분한다.)

① $\dfrac{SSR}{SST}$ ② $\dfrac{SSE}{SST}$

③ $\dfrac{SSE}{SSR}$ ④ $\dfrac{SSR}{SSE}$

08 다음의 혼동행렬을 이용하여 구한 F1 값은 얼마인가?

		예측값		합계
		True	False	
실제값	True	30	70	100
	False	60	40	100
합계		90	110	200

① 6 / 19
② 7 / 16
③ 11 / 16
④ 5 / 16

> 해설_ $F_1 - score = 2 \times \dfrac{preision \times recall}{preision + recall}$
> • precision = 30 / 30 + 60,
>   recall = 30 / 30 + 70
> • 위 식에 대입하면 9 / 16 이다.

정답 05 ③ 06 ② 07 ① 08 ①

09 다음 아래 보기에서 설명하는 혼동행렬의 평가 지표는?

- precision과 recall을 조합하여 하나의 통계치
- 주로 분류 클래스 간 데이터가 심각한 불균형을 이루는 경우에 사용

① 카파통계량　② 정확도
③ 민감도　　　④ F1 - score

해설_ 정확도와 재현율은 모형의 평가에 대표적으로 사용되는 지표이긴 하지만 한 지표의 값이 높아지면 다른 지표의 값이 낮아질 가능성이 높은 관계를 가지고 있다. 이러한 보정의 지표로 나타낸 것이 바로 F1 - score이다.

10 다음 아래 보기에서 설명하는 혼동행렬의 평가 지표는?

- 두 관찰자가 측정한 범주 값에 대한 일치도를 측정하는 방법
- 0 ~ 1사이의 값을 가지며 1에 가까울수록 모델의 예측값과 실제값이 일치

① Kappa Statistic
② Accuracy
③ Sensitivity
④ Specificity

해설_ 카파는 여러 평가자가 동일한 표본을 평가할 때 명목형 또는 순서형 평가의 합치도를 측정한다.
- 카파 값의 범위는 -1에서 +1 사이이며, 카파 값이 클수록 합치도가 강하다. 카파 값에 따라 다음과 같이 결론을 내릴 수 있다.
- 카파 = 1이면 완전하게 합치
- 카파 = 0이면 합치가 우연히 발생하기를 기대하는 것과 같다.

11 아래 혼동 행렬에서 민감도와 특이도값은?

		확진결과	
		질병유	질병무
검사결과	양성	30	20
	음성	40	10

① 민감도 = 3 / 7 특이도 = 1 / 3
② 민감도 = 3 / 7 특이도 = 2 / 3
③ 민감도 = 4 / 7 특이도 = 2 / 3
④ 민감도 = 2 / 5 특이도 = 1 / 3

해설_ 민감도는 실제 참인 것 중에서 예측한 참값을 의미 = 30 / (30 + 40) = 3 / 7, 특이도는 실제 거짓인 것 중에서 거짓으로 분류한 값을 의미 10 / (10 + 20) = 1 / 3

정답　09 ④　10 ①　11 ①

12 모델이 positive로 예측한 것 중에서 실제값이 positive인 비율을 나타내는 용어를 고르시오.
   ① accuracy   ② precision
   ③ recall   ④ specificity

13 다음 중 ROC(Reveiver Operating Characteristic) 곡선에 대한 설명으로 가장 옳지 않은 것은?
   ① 가로 X축을 혼동행렬의 1-특이도(거짓긍정률)로 두고 세로 Y축을 민감도(참긍정률)로 두어 그 관계를 시각화한 그래프이다.
   ② AUC값은 전체적인 민감도와 특이도의 상관 관계를 보여줄 수 있어 매우 편리한 성능 측정 기준이다.
   ③ 민감도와 1-특이도는 서로 반비례하는 관계에 있다.
   ④ AUC의 값은 항상 0~1의 값을 가지며 1에 가까울수록 좋은 모형이다.

   해설_ ROC커브의 밑면적(The Area Under a ROC Curve; AUC; AUROC)
   • ROC 커브의 X,Y축은 [0,1]의 범위며, (0,0) 에서 (1,1)을 잇는 곡선
   • ROC 커브의 밑 면적이 1에 가까울수록(즉, 왼쪽 상단 꼭지점에 다가갈수록) 좋은 성능
   • 이때의 면적(AUC)은 0.5~1의 범위이다.(0.5일 때 성능이 전혀 없음. 1이면 최고의 성능)

14 ROC Curve(Receiver Operating Characteristic Curve)에 대한 설명 중 틀린 것은?
   ① FPR과 TPR을 각각 x, y축으로 놓은 그래프
   ② ROC curve는 x, y가 둘다 [0,1]의 범위이고, (0,0)에서 (1,1)을 잇는 곡선이다.
   ③ AUC = 1.0은 민감도가 1이고 가양성률이 0이므로 완벽한 검사(perfect test)를 의미한다.
   ④ AUC = 0.5란 의미는 평균적인 분류모형 성능을 의미한다.

   해설_ TPR : True Positive Rate(= 민감도, True Accept Rate)
   • 1인 케이스에 대해 1로 잘 예측한 비율(암환자를 진찰해서 암이라고 진단 함)
   • FPR : False Positive Rate(= 1-특이도, False Accept Rate)가 0인 케이스에 대해 1로 잘못 예측한 비율.(암환자가 아닌데 암이라고 진단 함)
   • AUC = 0.5인 경우인데, 이는 진양성률과 가양성률이 동일한 경우로 감염여부를 판정할 때 진단 검사 결과가 동전을 던져 판정하는 것과 마찬가지로 유용한 정보를 제공하지 못한다는 것을 의미한다(Noninformative Test).

정답 12 ② 13 ④ 14 ④

15 다음 아래 보기가 설명하는 분류모형의 성과지표는?

> - 분류모형의 성능을 평가하기 위한 척도로, 분류된 관측치에 대해 얼마나 예측이 잘 이루어졌는지 나타내기 위해 임의로 나눈 각 등급별로 반응검출율, 반응률, 리프트 등의 정보를 산출하여 나타내는 도표이다.
> - 대상(응답고객, 이탈고객 등)을 랜덤하게 확인할 수 있는 것과 비교하여, 모형을 사용했을 때 얼마나 이익을 볼 수 있는지를 비율로 확인
> - 리프트 도표는 항상 x값이 100%일 때는 1이 된다. 즉 데이터를 모두 추출한다면 굳이 모형을 사용할 필요가 없음

① Lift Chart ② ROC curve
③ F1 Score ④ Lift Curve

> 해설_ 상위 등급에서 최대한 많이 참값을 걸러내는 모형이 좋은 모형이다.

16 다음 아래 보기가 설명하는 분류모형의 성과지표는?

> - 랜덤모델과 비교하여 해당 모델의 성과가 얼마나 향상되었는지를 등급별로 파악하는 그래프이다.
> - 등급에 관계없이 향상도에 차이가 없으면 예측력이 좋지 않음을 의미한다.

① 향상도 곡선
② ROC
③ 혼동행렬
④ 이익도표

17 혼동 행렬 중 실제 값이 True인 관측치 중에 예측치가 맞는 정도를 나타내어 모형의 완전성(completeness)을 평가하는 지표를 무엇이라고 하는가?

① F1 score
② 정확도(Precision)
③ 특이도(Specificity)
④ 재현율(Recall)

> 해설_ 정확도와 더불어 모형의 완전성을 평가하는 지표가 바로 재현율이다.

18 혼동행렬을 통해 작성한 평가지표(Matrix)가 알맞게 설명된 것은 무엇인가?

① TP(True Positive)는 실제값이 Positive이고, 예측값은 Negative인 경우이다.
② TN(True Negative)는 실제값이 Negative이고, 예측값도 Negative인 경우이다.
③ FP(Fasle Positive)는 실제값은 Positive이고, 예측값도 Positive인 경우이다.
④ FN(False Negativew)는 실제값은 Negative이고, 예측값도 Negative인 경우이다.

> 해설_ ① 예측값 Negative → Positive
> ③ 실제값 Positive → Negative
> ④ 실제값 Negative → Positive

정답 15 ① 16 ① 17 ④ 18 ②

예상문제

19 아래는 혼동행렬을 통한 분류 모형의 평가지표를 설명한 글이다. 빈칸(Ⓐ)와 (Ⓑ) 들어갈 평가지표로 알맞은 것은?

> - (Ⓐ)는 실제로 긍정인 개체 중에서 긍정으로 올바르게 예측한 비율이다.
> - (Ⓑ)는 실제로 부정인 개체 중에서 부정으로 올바르게 예측한 비율이다.

① Ⓐ : 특이도, Ⓑ : 민감도
② Ⓐ : 정밀도, Ⓑ : 민감도
③ Ⓐ : 민감도, Ⓑ : 특이도
④ Ⓐ : 정밀도, Ⓑ : 특이도

20 다음 혼동행렬(Confusion Matrix)의 평가지표 중 정밀도(Precision)의 공식으로 올바른 것은?

① $\dfrac{TN}{TN+FP}$ ② $\dfrac{TP}{TP+FP}$
③ $\dfrac{TP}{TP+FN}$ ④ $\dfrac{FP}{TN+FP}$

21 아래 보기는 분석 모형의 오류 중 어떤 것에 대한 설명인가?

> - 분석모형을 만들 때 주어진 데이터 집합의 특성을 지나치게 반영
> - 과대적합 되었다고 한다.

① 일반화 오류   ② 학습오류
③ 유의확률   ④ 검정력

22 다음 중 데이터 정규성 검정방법이 아닌 것은?

① Q - Q plot
② shapiro - wilk test
③ kolmogorov - smironov test
④ 카이제곱검정

> **해설** 정규성 검정이란 데이터셋의 분포가 정규분포를 따르는지를 검정하는 것이다.

23 아래 회귀분석 모형에 대한 잔차분석의 결과로 옳은 것은?

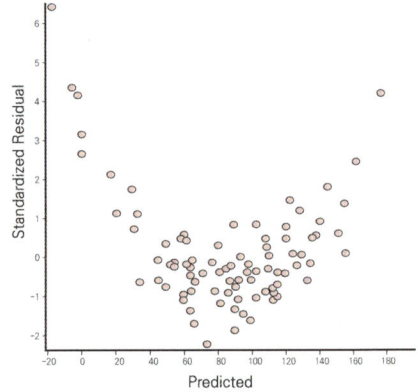

① 선형성을 만족하지 않는다.
② 정규성을 만족하지 않는다.
③ 독립성을 만족하지 않는다.
④ 등분산성을 만족하고 있다.

> **해설** 가로축이 증가함에 따라 잔차가 곡선이 형태를 보이므로 비선형을 나타낸다. 위의 경우 다항회귀(2차) 독립변수가 필요하다.

정답   19 ③   20 ②   21 ①   22 ④   23 ①

24 아래 보기가 설명하는 교차검증을 무엇이라 하는가?

> - 전체 데이터를 비복원 추출 방법을 이용하여 랜덤하게 학습 데이터(Training Set)와 시험 데이터(Test Set)로 나누어 검증하는 기법이다.
> - 일반적으로 학습 데이터와 시험 데이터는 8:2로 나누어 사용하지만, 7:3, 9:1 비율로도 나누어 사용한다.

① Holdout Cross Validation
② Bootstrap
③ LOOCV
④ K-Fold Cross Validation

해설_ 교차 검증을 사용하는 이유는 동일한 Training Set으로 모델을 구축할 경우 특정 Training Set에만 잘 맞는 모델이 Fitting이 된다.
- 모델을 만드는 목적은 충분한 정확도로 일반화를 시켜야 하기에 전체 데이터를 학습 데이터와 시험 데이터로 나누어 교차 검증을 수행하는 것이다.

25 전체 데이터 N개에서 1개 샘플만을 평가 데이터에 사용하고 나머지(N-1)는 훈련데이터로 사용하는 과정을 N번 반복하는 교차검증을 무엇이라 하는가?

① LOOCV
② K-Fold Cross Validation
③ Bootstrap
④ Holdout Cross Validation

해설_ K-Fold와 같은 방법을 사용한다. 가능한 많은 데이터를 학습할 수 있지만 그만큼 수행시간과 계산량이 많아지는 단점이 있다.

26 교차검증의 방법 중 단일 관측자료만 검증 데이터 세트에 사용되고 나머지 관측자료는 모두 모형을 학습하는 데 사용되는 교차검증 방법은?

① 붓스트랩
② 리브 - 원 - 아웃 - 교차검증
③ 리브 - p - 아웃 - 교차검증
④ 홀드아웃

해설_ 리브-원-아웃-교차검증은 단일 관측자료에만 검증 데이터셋에 사용하고 나머지는 관측자료는 모두 모형을 학습하는데 사용한다.

27 다음 중 Bootstrap에 대한 설명 중 옳지 않은 것은?

① 주어진 자료에서 랜덤하게 비복원 추출 방법을 활용하여 샘플링을 수행한다.
② 원래의 데이터 셋으로부터 관측치를 반복적으로 추출하여 데이터셋을 얻은 방법이다.
③ 한번도 포함되지 않은 샘플들은 시험(Test)에 사용한다.
④ 전체 데이터에서 중복을 허용하여 데이터 크기만큼 샘플을 추출하고 이를 학습 데이터(Training Set)으로 사용한다.

해설_ 부트스트랩은 기존의 데이터 집합에서 복원 추출을 통해 여러 개의 샘플을 생성하고, 이를 이용하여 추정치의 분포를 구하거나 모델의 안정성을 평가하는 데 활용된다.

정답 24 ①   25 ③   26 ②   27 ①

예상문제

28. 데이터 집합을 임의의 수 N개의 동일한 크기를 갖는 부분 집합(Set)으로 나누고, 그 중 1개 집합을 시험 데이터로 나머지(N-1)개의 집합을 학습 데이터로 사용하여 분석 모형을 평가하는 기법은?

   ① LOOCV
   ② K-Fold Cross Validation
   ③ LpOCV
   ② Holdout Cross Validation

   > 해설_ K-Fold 교차검증은 주어진 데이터를 가지고 반복적인 성과를 측정하여 그 결과를 평균한 것이다.

29. 범주형 자료에 대해 얻어진 관찰값이 이론적으로 계산된 기대값과 얼마나 차이를 보이는지를 이용한 검정법을 무엇이라 하는가?

   ① 카이제곱 검정(Chi-Square Test)
   ② F-검정(F-Test)
   ③ Z-검정(Z-Test)
   ④ T-검정(T-Test)

   > 해설_ 카이제곱검정에는 3가지 형태로 분류, 같은 카이제곱 통계량과 분포를 사용하지만 다른 목적을 가진다.
   > • 적합도검정(단일표본)
   > • 동질성검정(두개의 표본)
   > • 독립성검정(두개의 표본)

30. 두 모집단의 분산에 대한 차이가 통계적으로 유의한지를 판별하는 유의성 검정 기법은?

   ① 카이제곱 검정(Chi-Square Test)
   ② T-검정(T-Test)
   ③ Z-검정(Z-Test)
   ④ F-검정(F-Test)

   > 해설_ 표본의 분산에 대한 차이를 검정할 때 카이제곱 검정과 F-검정을 사용한다. 이때, 카이제곱 검정은 단일 표본이 대상이고, F-검정은 두 개의 표본이 대상이다.

31. 표본집단의 분포가 주어진 특정 이론을 따르고 있는지를 판단하는 검정 기법은 무엇인가?

   ① 동질성 검정(Test of homogeneity)
   ② 독립성 검정(Test for independence)
   ③ 적합도 검정(Goodnesss of fit test)
   ④ 등분산성 검정(Homogeneity of Variance Test)

32. 다음은 정규성 검정의 유형에 대한 설명이다. 적절하지 않은 것은?

   ① 샤피로-윌크 검정은 데이터가 정규분포를 따르는지 확인하기 위한 검정 기법으로 사용된다.
   ② Q-Q Plot 정규성의 시각화를 위해 수집데이터를 표준정규분포의 분위수와 비교하여 그리는 그래프이다.

정답 28 ② 29 ① 30 ④ 31 ③ 32 ④

③ K-S 검정은 데이터가 어떤 특정한 분포를 따르는가를 비교하는 검정 기법이다.
④ 샤피로-윌크 검정은 데이터의 누적 분포 함수와 비교하고자 하는 분포의 누적 분포 함수 간의 최대 거리를 통계량으로 사용하는 가설 검정 방법이다.

해설_ 샤피로-윌크 검정(Shapiro-Wilk Test)은 주어진 데이터가 정규 분포를 따르는지를 확인하는 비모수적인 통계적 검정 방법 중 하나이다.

33 다음 과대적합(Over-fitting)의 대한 설명 중 옳지 않은 것은?

① 학습데이터 세트에 너무 지나치게 특화되어 새로운 데이터에 일반화가 어려워지는 현상을 말한다.
② 과대적합이 발생하면 새로운 데이터에 대한 편향이 커진다.
③ 과대적합이 발생하면 모델은 훈련 데이터에 대해 성능이 부족하게 되며, 새로운 데이터에 대한 예측 성능도 떨어진다.
④ 과대적합이 있는 모델의 결과는 분산(variance) 오차가 높다.

해설_ 과소적합(Underfitting)은 모델이 훈련 데이터에 대해 너무 간단하거나 복잡하지 않아서 데이터의 구조를 충분히 학습하지 못하는 상태를 나타낸다. 과소적합이 발생하면 모델은 훈련 데이터에 대해 성능이 부족하게 되며, 새로운 데이터에 대한 예측 성능도 떨어질 수 있다.

34 유연성이 큰 분석 모형의 편향과 분산은 어떻게 나타나는가?

① 편향 : 작다, 분산 : 작다
② 편향 : 작다, 분산 : 크다
③ 편향 : 크다, 분산 : 작다
④ 편향 : 크다, 분산 : 크다

해설_

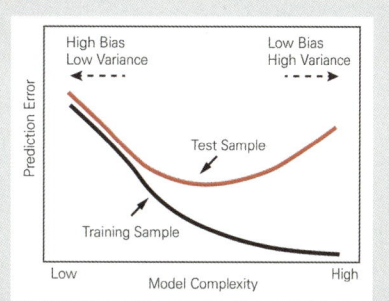

- 편향과 분산은 정확도와 정밀도라고 볼 수 있다. 예상하는 결과가 얼마나 맞는지가 편향, 얼마나 변동이 심한지가 분산이 된다. 그 편향과 분산의 균형을 고려하여 한쪽으로 치우치지 않는 모델을 찾는 것을 편향 분산 트레이드오프라 한다.
- 통계학습 모델의 Complexity(복잡도, 유연성)가 증가함에 따라 Train Error는 감소하지만 Test Error는 U 모양을 보인다.
- 일반적으로 통계학습모델의 복잡도(유연성)가 높을수록 편향이 작아지고 분산에 크게 나타난다.

정답 33 ③   34 ②

예상문제

35 다음 그림은 과소적합된 모형, 일반화된 모형, 과대적합된 모형 중 일부를 나타낸 것이다. 2번 모형이 1번 모형처럼 되기 위한 방법으로 옳지 않은 것은?

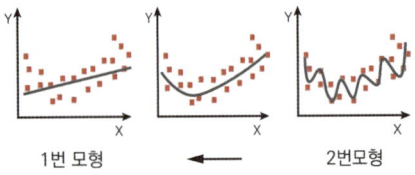

① 데이터를 나누고 학습하는 과정을 여러 번 반복한다.
② 모델의 변수의 차수를 낮춘다.
③ 검증에 사용하는 데이터 비율을 높인다.
④ 변수의 계수에 패널티를 부여한다.

해설_ 학습 + 검증데이터를 모두 증가시켜야 한다.

36 다음 중 과대적합을 방지하는 방법으로 옳지 않은 것은?

① 모델 복잡도 증가
② 가중치 규제
③ 드롭아웃
④ 데이터 증가

37 다음 중 과대적합(Overfitting)의 발생 원인에 대한 설명으로 가장 부적절한 것은?

① 과대적합이 발생할 것으로 예상되면 학습을 종료하고 업데이트 하는 과정을 반복해 과대적합을 방지할 수 있다.
② 과대적합은 분석변수가 너무 많이 존재하고 분석 모델이 복잡할 때 발생한다.
③ 분석 데이터가 모집단의 특성을 설명하지 못하면 발생한다.
④ 생성된 모델은 분석 데이터에 최적화되었기 때문에 훈련 데이터의 작은 변화에 민감하게 반응하는 경우는 발생하지 않는다.

해설_ 과대적합의 주요 원인 중 하나는 훈련 세트에 충분히 다양한 패턴의 샘플이 포함되지 않은 경우이다. 훈련 세트에 다양한 패턴의 샘플이 없으니 검증 세트에 제대로 적응하지 못한 것이다. 이런 경우에는 더 많은 훈련 샘플을 모아 검증 세트의 성능을 향상시킬 수 있다.
- 현실적인 한계로 훈련 샘플을 더 많이 모을 수 없는 경우에는 모델이 훈련 세트에 집착하지 않도록 가중치를 제한할 수 있다. 이를 '모델의 복잡도를 낮춘다'라고 말하기도 한다.
- 과대적합된 모형은 새로운 데이터에 민감하게 반응하게 된다.

38 다음 중 과대적합(Overfitting)에 대한 설명으로 가장 부적절한 것은?

① 과대적합은 제한된 학습 데이터셋에 너무 과하게 특화되어 새로운 데이터에 대한 오차가 매우 커지는 현상이다.

정답 35 ③ 36 ① 37 ④ 38 ③

② 과대적합을 방지하기 위해 데이터셋 증가, 모델 복잡도 감소, 가중치 규제, 드롭아웃 방법을 적용한다.
③ 가중치 규제는 개별 가중치 값을 제한하여 복잡한 모델을 좀 더 간단하게 하는 방법으로 종류는 R1 규제와 R2 규제가 있다.
④ 드롭아웃은 학습 과정에서 신경망 일부를 사용하지 않는 방법이다.

해설_ 가중치 규제는 분석모형에대한 제약조건을 추가함으로써 모형이 과도하게 최적화되는 현상, 즉 과대적합을 막는 방법이다.
- 모형이 과도하게 최적화되면 모형계수의 크기도 과도하게 증가하는 경향이 나타난다. 따라서 정규화방법에서 추가하는 제약 조건은 일반적으로 계수의 크기를 제한하는 방법이다.
- 추정계수의 제곱합을 최소로 하는 것(릿지회귀), 딥러닝 Loss Function에서 L2 Norm로 사용됨
- 추정계수의 절댓값 합을 최소로 하는 것(라쏘회귀), 딥러닝 Loss Function에서 L1 Norm로 사용됨

39 과대 적합을 방지하기 위한 기법으로 알맞지 않은 것은?

① 훈련 데이터 확보
② 드롭아웃
③ 모델 제약 감소
④ 가중치 규제 적용

해설_ 과대적합의 해결 방법은 아래와 같다.
- 파라미터 수가 적은 모델을 선택하거나, 모델에 제약을 가하여 단순화한다.
- 드롭아웃, 훈련데이터 확보 등이 있다.

40 과대적합 방지를 위한 기법에 해당되지 않는 것은?

① 데이터 증가 ② L2 규제
③ L1 규제 ④ 매개변수 최적화

해설_ 매개변수 최적화는 모델과 실제 값의 차이가 손실함수로 표현될 때 손실함수의 값을 최소화하는 매개변수의 탐색 과정이다.

41 다음 중 절대값을 이용하여 가중치의 값을 제한하는 과대적합 방지 방법은?

① L1 규제 ② L2 규제
③ 드롭아웃 ④ 데이터 수 증가

해설_ 추정계수의 절댓값 합을 최소로 하는 것(라쏘회귀), 딥러닝 Loss Function에서 L1 Norm로 사용됨

42 분석 모형 학습 시 손실함수의 값을 가장 적게 만드는 매개변수의 최적값을 찾아나가는 과정을 일컫는 말로 가장 옳은 것은?

① 앙상블 모형
② 매개변수 최적화
③ 모델 복잡도 조정
④ 분석모형 가중치 조정

해설_ 매개변수 최적화(Optimization)의 뜻은 학습(예측)모델과 실제 값의 차이가 손실함수로 표현될 때 손실함수의 값을 최소화하도록 하는 매개변수, 즉 가중치와 편향을 찾는 매개변수의 최적값을 탐색하는 과정이라고 할 수 있다.

정답 39 ③ 40 ④ 41 ① 42 ②

43 다음 중 경사하강법에 대한 설명으로 옳지 않은 것은?

① 학습률이라는 하이퍼파라미터가 존재한다.
② 확률적 경사하강법은 무작위로 선택한 1개의 데이터 샘플을 이용한다.
③ 배치 경사하강법은 미니 배치 경사하강법보다 시간이 오래 걸리지만 부드럽게 수렴한다.
④ 미니 배치 경사하강법은 확률적 경사하강법보다 불규칙하게 이루어지며, 배치 경사하강법보다 빠른 계산 속도를 보인다.

해설_ Gradient Descent 방법은 Steepest Descent 방법이라고도 불리는데, 함수 값이 낮아지는 방향으로 독립 변수 값을 변형시켜가면서 최종적으로는 최소 함수 값을 갖도록 하는 독립 변수 값을 찾는 방법이다.
• 미니 배치 경사하강법은 파라미터 업데이트에 전체 샘플을 사용하는 배치 경사 하강법을 경량화한 버전이라고 할 수 있다.
• 각 업데이트 스텝마다, 전체 샘플에서 일부 샘플 세트를 추출한 뒤, 배치 경사 하강법을 똑같이 적용하는 방법이다.
• 파라미터 업데이트가 SGD보다 덜 불규칙하게 이뤄지면서, 배치 경사 하강법보다 빠른 계산 속도를 보인다.

해설_ 모멘텀은 경사 하강법에 관성을 더해 주는 것이다. 경사 하강법과 마찬가지로 매번 기울기를 구하지만, 가중치를 수정하기전 이전 수정 방향(+,-)을 참고하여 같은 방향으로 일정한 비율만 수정되게 하는 방법이다.
• 수정이 양(+) 방향, 음(-) 방향 순차적으로 일어나는 지그재그 현상이 줄어들고, 이전 이동 값을 고려하여 일정 비율만큼 다음 값을 결정하므로 관성의 효과를 낼 수 있다.

45 다음 중 경사하강법에서 다음 지점으로 이동할 때 얼마나 이동할지를 나타내는 값은?

① Learning Rate
② Hyperparameter
③ Gradient
④ Parameter

해설_ 경사하강법에서 학습률(learning rate) 값을 지정해야 한다. 학습률이 큰 경우 한번 이동하는 거리가 커지므로 빠르게 수렴할 수 있다는 장점이 있다. 하지만 학습률을 너무 크게 설정해버리면 최솟값을 수렴하지 못하고 손실함수값이 계속 커지는 방향으로 최적화가 진행될 수 있다. 한편 학습률이 너무 작은 경우 최적의 값을 구하는데 소요되는 시간이 너무 오래 걸린다는 단점이 있다.

44 다음 중 확률적 경사하강법의 매개변수 변경 반향에 가속도를 부여해 주는 방식에 해당하는 것은?

① SGD
② AdaGrad
③ RMSProp
④ Momentum

정답 43 ④ 44 ④ 45 ①

46 다음 중 아래에서 설명하고 있는 매개변수 최적화 기법으로 가장 올바른 것은?

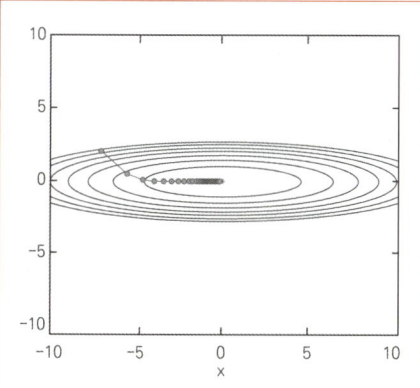

- y축 방향은 기울기가 커서 처음에는 크게 움직이지만, 그 큰 움직임에 비례해 갱신 정도도 큰 폭으로 작아지도록 조정된다.
- 그래서 y축 방향으로 갱신 강도가 빠르게 약해지고, 지그재그 움직임이 줄어든다.

① Momentum
② Stochastic Gradient Descent
③ Adaptive Gradient Algorithm
④ Adam

해설_ AdaGrad란 Adaptive Gradient의 줄임말로서 지금까지 많이 변화한 매개변수는 적게 변화하도록, 반대로 적게 변화한 매개변수는 많이 변화하도록 learning late의 값을 조절하는 개념을 기존의 SGD에 적용한 것이다.

47 다음은 확률적 경사 하강법(Stochastic Gradient Descent : SGD)에 대한 설명이다. ( ) 안에 들어갈 올바른 용어는?

- 확률적 경사하강법은 샘플 데이터 셋에 대해서만 경사를 계산하므로, 반복해서 다뤄야 할 데이터수가 적어 학습속도가 빠르다는 장점이 있다.
- 손실함수가 최솟값에 이를 때까지 요동치며 움직이다 보니 학습이 진행되다 보면 (Ⓐ)에서 탈출하기 쉬우나, (Ⓑ)에 다다르기 힘들다는 단점이 있다.

① Ⓐ Local Minimum   Ⓑ Global Minimum
② Ⓐ Global Minimum   Ⓑ Local Minimum
③ Ⓐ Global Minimum   Ⓑ Local Bias
④ Ⓐ Global Bias   Ⓑ Local Minimum

해설_ 확률적 경사하강법(SGD)은 속도가 빠르고 메모리를 적게 소비한다는 장점이 있으나, 경사를 구할 때 무작위성을 띄므로 지역최소값(Local Minimum)에서 탈출하기 쉬우나 전역최소값(Global Minimum)에 도달하기 힘들다는 단점을 가지고 있다.

48 인공지능 학습시 과대적합을 방지하기 위한 학습과정에서 신경망 일부를 사용하지 않는 학습 기법은?

① Dropout   ② 매개 변수 최적화
③ SGD   ④ 가중치 규제

해설_ 드롭아웃(Dropout)
- 과대적합을 방지하기 위해 인공지능 학습과정에서 일부 신경망만 동작하고 나머지 일부는 동작하지 않도록 하는 방법이다.

정답 46 ③   47 ①   48 ①

예상문제

49 매개변수 최적화 기법 중 학습을 진행하면서 학습률을 점차 줄여나가는 학습률 감소 기법을 적용한 기법은?

① Adam   ② AdaGrad
③ SGD   ④ Momentum

> 해설_ 전체 학습률을 일괄적으로 낮추는 것이 아니라 각각의 매개변수에 맞는 학습률 값을 만들어 주는 방식이다.

50 매개변수 최적화기법 중 모멘텀 방식과 AdaGrad 방식의 장점을 합친 기법은?

① SGD   ② AdaGrad
③ Adam   ④ Momentum

> 해설_ Adam은 모멘텀방식과 AdaGrad 기법을 융합한 기법이다. AdaGrad로 인해 갱신강도가 조정되므로 모멘텀 방식보다 좌우 흔들림이 덜하다.

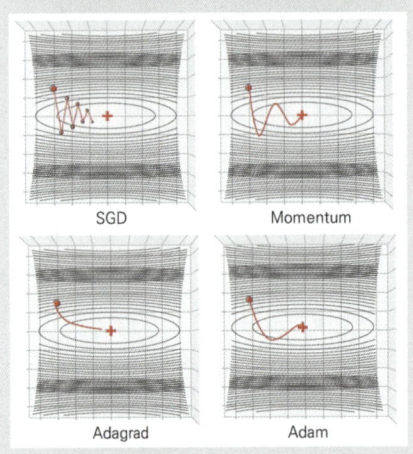

51 다음 중 분석모형 융합을 위한 방법으로 가장 올바르지 않은 설명은?

① 다수결(Majority Voting)은 여러모형에서 출력된 결과를 종합하여 다수결로 나온 모형을 최종모형으로 설정하는 방법이다.
② 에이다부스팅(AdaBoosting)모형은 분류/회귀 문제에 상관없이 개별 멤버 모형으로 회귀분석 모형을 사용한다.
③ 부스팅(Boosting) 방법은 미리 정해진 개수의 모형 집합을 사용하는 것이 아니라 하나의 모형에서 시작하여 모형 집합에 포함할 개별 모형을 하나씩 추가하는 방식이다.
④ 배깅은 하나의 데이터 세트를 가지고 여러 개의 훈련세트를 만든다. 이 훈련세트를 만들 때 붓스트랩을 사용하여 샘플을 추출하기 때문에 복원추출을 허용한다.

> 해설_ Adaboost
> - Adaptive Boosting의 줄임말이다. Adaboost의 컨셉은 '이전의 약한 분류기에서 잘못 분류된 데이터에 더 큰 가중치를 주어, 그 다음의 약한 분류기에 이를 반영하게끔 하는 것이다. 분류기마다 연속적으로 이루어지는 이 과정을 Adaptive하다고 말한다.
> - Gradient boosting이란?
> 데이터의 분포를 매번 바꾸는 것이 Adaboost의 주요한 특징이라면, GB는 이전 약한 분류기에서 발생된 잔차에 대해 다음의 약한 분류기를 적합시키는 것이 특징이다. 이때의 잔차가 바로 Gradient로 표현된다. GB에 대한 접근은 Loss Function에서부터 시작한다.
> - Gradient Boosting Algorithm(GBM)
> 회귀분석 또는 분류 분석을 수행할 수 있는 예측모형이며 예측모형의 앙상블 방법론 중 부스팅 계열에 속하는 알고리즘이다.

정답 49 ②　50 ③　51 ②

52 약한 분류기(Weak Classifier)들이 상호보완하도록 순차적(Sequential)으로 학습하고, 이들을 조합하여 최종적으로 강한 분류기(Strong Classifier)의 성능을 향상하는 부스팅 방법론은?

① Random Subspaces
② AdaBoost
③ Gradient Boost
④ Bagging

> 해설_ 에이다부스트(AdaBoost)
> • 약한 분류기(Weak Classifier)들이 상호보완하도록 순차적(Sequential)으로 학습하고, 이들을 조합하여 최종적으로 강한 분류기(Strong Classifier)의 성능을 향상시키는 기법이다.

53 의사결정트리와 배깅의 결합모델로서 주어진 데이터로부터 여러 개의 모델을 학습한 다음, 예측시 여러모델의 예측결과들을 종합해 사용하여 정확도를 높이는 앙상블 학습기법을 무엇이라 하는가?

① Random Forest ② AdaBoost
③ Gradient Boost ④ Bagging

> 해설_ 랜덤 포레스트는 두 가지 방법을 사용해 다양한 의사결정나무를 만든다. 첫 번째는 의사결정나무를 만들 때 데이터의 일부를 복원 추출로 꺼내고, 해당 데이터에 대해서만 의사결정나무를 만드는 방식이다. 즉, 각 의사결정나무는 데이터의 일부만을 사용해 만들어진다.
> • 두 번째는 노드내 데이터를 자식노드로 나누는 기준을 정할 때 전체 변수가 아니라 일부 변수만 대상으로 하여 가지를 나눌 기준을 찾는 방법이다.

54 분석모형 융합방법 중 여러개의 분석모형의 결과를 종합하여 많이 선택된 클래스를 최종결과로 예측하는 방법을 무엇이라 하는가?

① Voting ② Bagging
③ Boosting ④ Random Forest

> 해설_ 보팅(Voting)은 투표를 통해 최종 예측결과를 결정하는 방식이며, 서로 다른 유형의 알고리즘을 가진 분류기가 같은 데이터셋을 학습하여 도출한 결과들을 결합한다는 점에서 배깅(Bagging)과 구분된다.

55 다음 중 부스팅에 대한 설명으로 옳지 않은 것은?

① 부스팅은 머신러닝 앙상블 기법 중 하나로 약한 학습기(Weak Learner)들을 순차적으로 여러 개를 결합하여 예측 혹은 분류 성능을 높이는 알고리즘이다.
② 부스팅 알고리즘에는 AdaBoost, GBM(Gradient Boosting Machine), XGBoost, LightBoost 등이 있다.
③ 매 학습마다 데이터에 가중치를 업데이트하는 과정이 필요하다.
④ 분류가 잘 된 데이터에 가중치를 부여하는 방식이다.

> 해설_ 부스팅 알고리즘은 여러 개의 약한 학습기(Weak Learner)를 순차적으로 학습-예측하면서 잘못 예측한 데이터에 가중치를 부여해 오류를 개선해나가며 학습하는 방식이다.

정답 52 ② 53 ① 54 ① 55 ④

56. 다음 중 분석모형 융합 방법에 대한 설명으로 옳지 않은 것은?

① 배깅은 병렬적인 방법이고 부스팅은 순차적인 방법이다.
② 배깅은 부스팅에 비해 결과 해석이 쉽지만 속도가 느리다.
③ 부스팅은 배깅에 비해 성능이 좋지만 과대적합의 위험성이 있다.
④ 의사결정나무 모형의 성능이 낮을 경우 부스팅을 활용해 성능을 개선시킬 수 있다.

해설_ 배깅과 부스팅은 모두 의사결정나무의 안정성을 높인다는 공통점이 있다. 하지만 치우침은 부스팅이 줄일 수 있고, 과적합 문제의 해결은 배깅만이 할 수 있다.
- 둘다 표본추출에 있어서 데이터셋에서 복원 랜덤 추출하지만 부스팅은 가중치를 사용한다는 차이가 있다. 또한 배깅은 병렬적으로 모델을 만들지만, 부스팅은 하나의 모델을 만들어 그 결과로 다른 모델을 만들어 나가는데 즉 순차적으로 모델을 완성시켜 나간다.
- 또한 가중치에 대해서도 배깅은 1/n으로 가중치를 주지만, 부스팅은 오차가 큰 개체에 대해 더 높은 가중치를 부여한다. 마지막으로 훈련 및 평가 항목에 대해서도 차이점이 있는데, 배깅은 트레이닝 셋을 만들어 그냥 계속 가지고 있는 반면, 부스팅은 트레이닝 셋을 만든 후에 업데이트 및 조정하는 과정이 추가가 된다.
- 부스팅은 배깅에 비해 에러가 적고 성능이 우수하지만 속도가 느리고 과대적합 가능성이 높다.

57. 배깅(Bagging) 알고리즘이 사용되는 앙상블 기법은?

① Adam   ② XGBoost
③ GBM   ④ Random Forest

해설_ 랜덤포레스트(Random Forest)는 앙상블 중 배깅의 대표적인 방법이다.

58. Bootstrap에 대한 설명으로 옳지 않은 것은?

① 데이터 전체를 학습에 모두 사용하게 된다.
② Bootstrap는 복원추출(중복허용)을 한다.
③ 확률변수의 정확한 확률분포를 모르는 경우나 측정된 샘플이 부족한 경우에 사용한다.
④ Bootstrap은 데이터 내에서 반복적으로 샘플을 사용하는 Resampling 방법 중 하나이다.

해설_ 복원추출이므로 데이터의 일부분은 한번도 뽑히지 않을 수 있다.

59. 분석 모형 융합시 사용하는 방법 중 Aggregation 방법론이 아닌 분석 모형은?

① Bagging   ② Majority Voting
③ Adaboost ④ Random Forest

해설_ 에이다부스트는 부스팅 방법론의 한가지이다.

정답 56 ② 57 ④ 58 ① 59 ③

분석결과 해석 및 활용

01 분석결과 해석

1 분석모형 해석

학습 목표
- 분석 모형 분류에 대해서 학습한다.

1. 분석모형 해석의 중요성
- 많은 분야에서 모델을 이용하는 이유 중 하나는 의사결정에 도움을 얻기 위해서이다.
- 아무리 단일 평가지표에서 높은 성능이 나왔다고 하더라도, 우리 실제 생활에서 항상 완전한 지표인 것은 아니다. 때문에 의사결정에 직접적인 영향을 주기 위해서는, 지표뿐만 아니라 의사결정권자가 결국 납득할만한 이유를 제시해야 할 것이다.

2. 모델 해석의 분류
① 사전해석법(Intrinsic) vs 사후해석법(Post Hoc)
- 모델의 종류에 따라 변수를 줄임으로서 복잡도(Complexity)를 제한하는 방식의 사전해석법(Intrinsic)과 학습이 끝난 모델을 분석하는 사후해석법(Post Hoc) 방식이 있다.
- 선형 회귀(Linear Regression)처럼 직관으로 예측이 어느 정도 가능하다고 판단된다면 사전해석법(Intrinsic)으로 모델을 가늠해볼 수 있다.
- 반면에 추상적인 면이 강한 인공신경망(Neural Network)의 경우 변수를 직접 확인하기 어렵기 때문에 사후해석법(post hoc)을 사용하여 모델을 해석한다.

② 모델 특정법(Model-Specific) vs 모델 불특정법(Model-Agnostic)
- 모델특정법(Model-Specific)은 말 그대로 모델을 특정한 종류로 분류를 제한하는 방법이다. 예를들어 선형 모델에서 Regression Weights(회귀 가중치)를 해석하는 것을 의미한다.
- 인공신경망(Neural Network) 자체를 해석하기 위해 사용되는 도구 또한 모델특정법(Model-Specific)이라 할 수 있다.
- 반면 모델 불특정법(Model-Agnostic)의 경우 모델의 종류와 상관없이 사용할 수 있는 방법이다. 심지어 이미 학습이 완료된 모델에도 적용이 가능하다.
- 모델 불특정법(Model-Agnostic)의 대표적인 경우가 입력과 출력만을 보고 해석하는 경우이다. 그러므로 모델 불특정법(Model-Agnositc)은 모델의 내부구조는 분석하지 않고도 사용할 수 있다.

③ Global vs Local
- 모델을 어떤 범위에서 해석하는 지에 따라 해석 방법을 분류할 수 있다.
- 각 데이터 포인트, 각 인덱스마다 해석을 진행하는 방법을 Local로 분류한다.
- 대부분의 경우, 'Locally' 해석을 하게 되면, 해당 데이터의 변수 간 복잡한 관계보다는 선형적 또는 단조로운 형태를 띄게 될 것이다.
- 또한, Locally 해석을 하면 데이터를 더욱 문맥화하여 해석할 수 있기 때문에 전체적으로 한번에 해석하는 것보다 더욱 정확할 가능성이 높다.
- 한편, 전체 데이터를 아우르는 해석을 Global로 분류한다. 예를들면, 대체로 이 데이터에서 어떤 변수가 중요하고, 어떤 종류의 교호작용이 일어나는지에 대한 설명이 이에 해당한다. 데이터를 전반적으로 이해하는 데 중요한 해석이 되지만, 실제로 확실하게 Global한 해석을 얻기는 더 어려울 수 있다.

>> 기출유형 따라잡기

[05회] 분석 모형 해석에 대한 설명으로 옳은 것은?
① 의사결정나무는 해석이 어렵다는 단점이 있다.
② 군집분석의 성능은 지지도, 향상도 등으로 평가할 수 있다.
③ 연관성 분석은 두 변수의 선형관계 파악을 목적으로 한다.
④ 예측분석은 현재 분석 결과를 통해 미래를 예측한다.

정답 ④
해설 ① 어렵다 단점 → 쉽다는 장점
② 지지도, 향상도 → 실루엣계수, 엘보우 기법
③ 연관성 분석 → 상관 분석

> **용어정리**
>
> **분석모형 해석의 주요 속성**
>
> - **Fidelity**
>   모델의 예측결과와 이에 대한 해석이 얼마나 근접한지에 대한 성질을 의미. Intrinsic 해석 방법의 경우 Fidelity는 매우 높다. 하지만, Post-hoc 해석 방법의 경우, Fidelity가 높은지에 대한 여부는 매우 중요한 정보가 될 것이다. Fidelity가 너무 낮다면, 그 모델을 설명하는 의미가 없을 것이기 때문이다.
> - **Consistency**
>   같은 데이터셋으로 학습하고, 비슷한 예측을 한 두 모델에 대하여, 각각의 해석이 얼마나 다른지에 대한 성질이다. 두 모델의 예측 결과가 높은데 해석도 비슷하다면, 이 해석 방법은 매우 'Consistent'하다고 간주할 수 있다.
> - **Stability**
>   비슷한 사례 또는 인덱스에 대해, 해석이 얼마나 비슷한지에 대한 성질을 의미. 위에서 언급했던 Consistency 성질은 서로 다른 모델 간 해석이 얼마나 비슷한지에 대한 것이고, Stability의 경우는, 한 모델에 대하여 비슷한 인덱스 간 해석이 얼마나 비슷한지에 대한 것이다.
> - **Comprehensibility**
>   해석방법은 얼마나 이해할 수 있을 것인지에 대한 것이다. 즉, 사람들간 소통이 가능하고, 충분히 이해할 만한 해석은 Comprehensibility가 높다고 할 수 있다.

2 비즈니스 기여도 평가

학습 목표
- 비즈니스 기여도 평가 기법을 이해한다.

출제 KEYWORD
1. 비즈니스 기여도 평가 기법 ★

1. 비즈니스 기여도 평가의 개념

- 비즈니스 기여도 평가는 데이터분석 프로젝트가 비즈니스 성과와 가치 창출에 얼마나 기여했는지를 산출하는 평가방법을 의미한다.

2. 비즈니스 기여도 평가 기법

기법	주요 평가방법
총소유 비용(TCO)	• 하나의 자산을 획득하려 할 때 주어진 기간 동안 모든 연관 비용을 고려할 수 있도록 확인하기 위해 사용
투자대비 효과(ROI)	• 자본투자에 따른 순 효과의 비율의 의미(투자 타당성)
순 현재가치(NPV)	• 특정 시점의 투자 금액과 매출 금액의 차이를 이자율까지 고려하여 계산한 값
내수 수익률(IRR)	• 순 현재가치를 '0'으로 만드는 할인율
투자 수익 기간(PP)	• 누계 투자금액과 매출금액의 합이 같아지는 기간(흑자전환시점)

≫ 기출유형 따라잡기

[04회] 다음은 분석모형의 비즈니스 기여도 평가에 대한 설명으로 옳지 않은 것은?
① 의미 있는 분석결과를 확보하려면 비즈니스 영향도와 효과를 산출할 수 있어야 한다.
② 영향도와 효과는 실제 테스트를 통해 나온 최종결과로 산출해 이를 기반으로 정량적 효과를 도출할 수 있다.
③ 투자 회수 기간은 하나 또는 그 이상의 프로젝트의 현금흐름이 흑자로 돌아서는 시점까지의 기간이다.
④ 투자대비 효과(ROI)는 자본투자에 따른 순 효과의 비율의 의미이다.

정답 ③
해설 투자 회수기간(PP)는 누계 투자금액과 매출금액의 합이 같아지는 기간(흑자 전환 시점)이다.

02 분석결과 시각화

1 데이터 시각화

학습 목표

1. 시각화 인사이트 및 프로세스를 학습한다.

출제 KEYWORD

① 시각화 인사이트 프로세스 ★★
② 시각화 프로세스 ★★
③ 정보시각화 방법 ★★★

- 데이터 시각화는 그 자체가 목적이 아니며 결국 데이터로부터 유용한 정보와 인사이트를 얻어내기 위한 과정이다.

1. 시각화 인사이트 프로세스

- '시각화 인사이트 프로세스'는 시각화를 통해 통찰을 추출하는 전체 과정을 의미한다.

순환구조	대상(Input)	목표(Output)	시각화 형태
탐색	• 자료 (데이터, 정보, 지식, 지혜)	• 자료 사이에 존재하는 관계	패턴 분석
분석	• 자료 사이의 관계	• 관계의 구체적인 형태 • 자료의 상위 또는 확장 개념 (정보, 지식, 지혜 → 통찰)	그래프 분석
활용	• 자료의 상위/확장 개념 (정보, 지식, 지혜 → 통찰)	• 내부에서의 적용 • 외부에 대한 설명, 설득 • 통찰의 검증과 정교화	인포그래픽

[시각화 인사이트 프로세스]

1) 탐색
① 사용 가능한 데이터 확인
② 연결고리의 확인
- 탐색 범위 설정 시 여러 개의 데이터를 갖고 있으면 개별 데이터 안에서 먼저 탐색한 다음에, 데이터 간의 연결고리를 이용해 전체 데이터 집합 안에서의 탐색 범위를 설정하는 쪽이 낫다.

③ 관계의 탐색
- 시각화 인사이트 프로세스에서 탐색 및 분석의 대상이 되는 관계는 상관관계와 인과관계로 나뉘며, 이 관계들의 일부분은 앞서 태생적 연결고리를 통해 알아볼 수 있다.

2) 분석
① 분석 대상의 구체화
- 분석은 탐색을 통해 일차적으로 찾아낸 관계들을 좀 더 구체적이고 수치적으로 살펴보면서 의미 있는 관계를 수치적인 모델이나 특정 값으로 표현해내는 과정이다.

② 분석과 시각화 도구 선택
③ 지표 설정과 분석
- 지표는 추출한 인사이트 커뮤니케이션에 활용하는 단계에서도 유용한 개념이지만, 분석할 때에도 유용하게 사용되는 개념이다.
- 도출한 관계를 무언가 하나의 지표로 축약해 표현하면 다른 관계를 살펴보기 위한 기준으로 삼기가 훨씬 편해진다.

3) 활용
① 기존의 문제 해결 방식이나 설명 모델의 수정
② 새로운 문제 해결 방식의 도입
③ 새롭게 발견한 가능성에 대한 구체적인 탐색과 발전

2. 빅데이터 시각화 개념

- 빅데이터 분석결과를 분석하고 신속한 의사결정을 위하여 데이터와 정보를 통계적 기법을 통해 시각화하는 기술이다.

1) 시각화 목적

- 시각화의 목적은 시각화 결과물을 이용하는 사용자가 주제에 대해 더 잘 이해하고 느끼게 하는 것으로 '정보전달'과 '설득'으로 구분할 수 있다.

① 정보전달
- 데이터의 진실을 간단하고 정확하게 전달하고 분석할 수 있는 실용적이고 과학적 측면의 목적을 말한다.

② 설득
- 데이터의 창의적이고 심미적 표현을 통해 데이터를 통해 전달하고자 하는 메시지에 대한 공감, 설득 등의 감정적 반응을 유도하는 추상적이고 예술적 측면의 목적을 말한다.

2) 시각화 프로세스

- 데이터의 시각화 프로세스는 '구조화', '시각화', '시각표현'의 세 단계로 크게 구분된다.

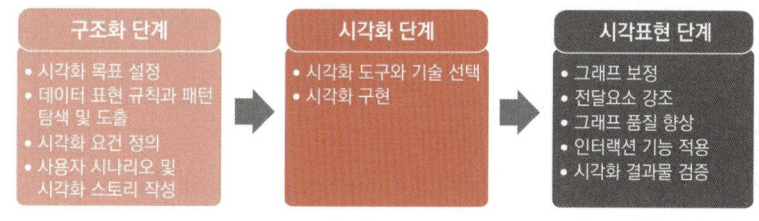

[시각화 프로세스]

① 구조화 단계
- 구조화 단계는 데이터 시각화 목표를 설정하고, 데이터 및 분석결과를 토대로 데이터의 표현 규칙과 패턴을 탐색하여 시각화를 위한 요건을 정의한 후 사용자에 따른 시나리오를 작성하고 스토리를 구성하는 단계이다.

② 시각화 단계
- 시각화 단계는 구조화 단계에서 정의된 시각화 요건과 스토리를 기반으로 적절한 시각화 도구와 기술을 선택하여 데이터분석 정보의 시각화를 구현하는 단계이다.
- 시각화 도구에서 제공하는 시각화 표현 요소를 이용하여 분석의 핵심 내용이 반영될 수 있도록 구조적으로 시각화하는데, 단순하고 명료한 메시지 전달을 위해 시각적 형태와 모양이 갖추어지도록 시각화 과정을 반복적으로 수행하여 시각화한다.

③ 시각 표현 단계
- 시각화 단계에서 만들어진 시각화 결과물을 바로잡고, 정보표현을 위한 그래픽 요소를 반영하여 정보전달 효과를 극대화하도록 그래픽 품질을 향상한 후, 최종 디자인된 시각화 결과물이 구조화 단계에서 정한 목적과 의도에 맞게 구현되었는지를 확인하는 단계이다.

> **» 기출유형 따라잡기**
>
> [03회] 다음 중 데이터 시각화에 대한 설명 중 올바르지 않은 것은?
> ① 데이터 탐색과정을 거쳐 여러 가지 관계들을 수치 기반으로 측정하다 보면 새로운 지표(Indicator)를 생성하지 않아도 된다.
> ② 데이터 시각화는 그 자체가 목적이 아니며 결국 데이터로부터 유용한 정보와 인사이트를 얻어내기 위한 과정이다.
> ③ 데이터 시각화를 위한 탐색의 시작은 차원과 측정값을 확인하는 것이다.
> ④ 시각화 단계는 구조화 단계에서 정의된 시각화 요건과 스토리를 기반으로 적절한 시각화 도구와 기술을 선택하여 데이터분석 정보의 시각화를 구현하는 단계이다.
>
> **정답** ①
> **해설** 탐색과정을 거쳐 분석 단계에서 여러 가지 관계들을 수치 기반으로 보다 보면 지표를 만들어야 할 필요가 있다.

3. 분석정보 시각화

1) 시각화 도구와 기술 선택
- 분석정보 및 데이터를 시각화하려면 기획된 스토리보드에 따라 차트나 그래프를 구현하기 위한 적절한 시각화 도구와 기술을 선택해야 한다.

분류	도구	특징
시각화 소프트웨어	마이크로소프트 엑셀 구글 스프레드시트 구글 차트 도구 구글 퓨전 테이블 Infogram Tableau QlikView	• 몇 번의 클릭으로 손쉽게 차트 및 그래프 작성 가능 • 설치 및 구축이 필요하며, 시각화 소프트웨어가 제공하는 기능을 실행하여 시각화 수행 • 제공되는 기능과 옵션 안에서만 차트와 그래프에 대한 디자인과 기능 수정이 가능
프로그래밍 환경	KendoUI D3.js JavaScript InfoVis Toolkit 파이썬(Python) HTML5 R	• 시각화를 위한 라이브러리나 프로그래밍 언어를 통해 차트나 그래프 작성 • 설치 및 구축이 필요 • 프로그래밍 관련 경험 또는 전문지식 필요 • 차트와 그래프에 대하여 사용자가 원하는 형식으로의 디자인과 동작에 대한 제어 가능

분류	도구	특징
지도 매핑 도구	ArcGIS 인디매퍼 인스턴트아틀라스 카르토DB(CartoDB) 모디스트맵 폴리맵스(Polymaps) 오픈스트리트맵	• 지리-공간 데이터에 대한 최적의 지도 및 시각화 기능과 공간분석
그래픽 소프트웨어	일러스트레이터 인디자인 잉크스케이프 코렐드로우	• 시각화 도구와 기술을 사용하여 작성된 그래프의 보정 작업을 위한 그래픽 소프트웨어

2) 정보 시각화 방법
- 정보를 시각화하는 방법은 시각화의 목적과 의도, 데이터유형에 따라 크게 시간시각화, 분포시각화, 관계시각화, 비교시각화, 공간시각화로 구분할 수 있다.

4. 빅데이터 시각화 프로세스와 요소 기술

1) 빅데이터분석 시각화 프로세스
- 데이터 분석결과 도출 후 다양한 관점의 결과분석을 위하여 그래프, 차트, 지도 등을 이용한 시각화 구성방법이다.

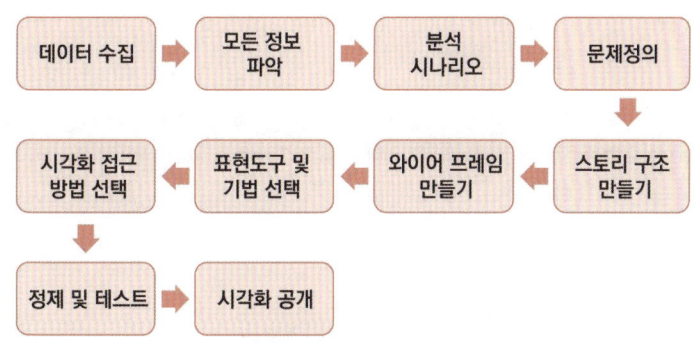

[빅데이터분석 시각화 프로세스]

① 정보구조화
- 정보의 조직화는 데이터를 수집하는 과정을 거쳐 혼돈의 상태로 존재하는 데이터를 분류하고 배열하고 조직화해 질서를 부여하는 작업을 의미한다.
- 정보를 이해하기 쉽도록 조직화해 배치할 때, 정보의 가치와 유용성은 더욱 증대된다. 또한 정보를 어떻게 조직하느냐에 따라 정보를 대하는 관점과 정보가 전하는 이야기도 달라진다.

② 정보시각화
- 대부분의 시각화 도구에서는 다양한 차트와 그래프를 지원하고 있다. 이러한 차트와 그래프를 분석의 내용을 반영하기 위해 어떤 방식으로 써야 하는지 그 쓰임새를 익히고, 적절한 데이터와 정보 시각화를 하기 위한 수단으로 사용해야 한다.

③ 정보시각표현
- 정보 시각화는 시각화 도구에 의존해 그리는 단계라 하면, 정보시각표현 단계에서는 그래픽적으로 디자인을 완성시키는 단계로 이해하면 된다.

시간시각화	분포시각화	관계시각화	비교시각화	공간시각화
• 막대그래프 • 누적막대그래프 • 산점도 • 선그래프 • 계단식그래프 • 영역차트	• 파이차트 • 도우넛차트 • 누적막대그래프 • 트리맵 • 누적영역차트	• 산점도 • 산점도 행렬 • 버블차트 • 히스토그램	• 막대그래프 • 히트맵 • 평행 좌표계 • 스타 차트 • 체르노프 페이스	• 지도매핑

[정보 시각화 방법]

> **기출유형 따라잡기**

[05회] 빅데이터 시각화 절차에 해당하는 요소로 옳지 않은 것은?
① 정제
② 구조화
③ 시각화
④ 시각표현

정답 ①
해설 시각화 프로세스는 구조화단계, 시각화 단계, 시각표현 단계로 구성한다.

> **기출유형 따라잡기**

[02회] 다음 중 산점도(Scatter Plot)와 유사한 시각화 방법은?
① 버블차트　　　　　　　　② 파이차트
③ 히트맵　　　　　　　　　④ 스타차트

정답 ①

해설 산점도는 관계시각화 방법이다.

[03회] 다음 중 관계 시각화 방법은?
① 버블차트　　　　　　　　② 막대그래프
③ 스타차트　　　　　　　　④ 선그래프

정답 ①

2 정보 시각화

학습 목표

1. 정보 시각화 유형에 대해서 학습한다.

출제 KEYWORD

① 시간 시각화 유형 ★★
② 분포 시각화 유형 ★★
③ 공간 시각화 유형 ★★
④ 관계 시각화 유형 ★★
⑤ 비교 시각화 유형 ★★

정보 시각화 분야는 데이터 시각화 분야보다 한 단계 더 정보 형태로 가공 과정을 거치며, 히트맵 등의 다양한 그래프를 통해 표현된다.

1. 시간 시각화

- 시간에 따라 변화하는 데이터를 표현하는 방법으로서, 장기간에 걸쳐 나타나는 값의 변화나 경향(Trend)을 추적하는 데 주로 사용되며, 전후 관계를 감안하여 값의 의미를 이해하는 기법이다.
- 값이 증가하는지 감소하는지, 계절에 따른 변화가 있는지 등의 데이터 값의 변화에 대한 패턴을 찾고 표현하는 방법이다.

- 시간 데이터는 특정 시점이나 특정 시간의 구간 값인 이산형(Discrete) 데이터와 지속해서 변화하는 값인 연속형(Continuous) 데이터로 구분된다.
- 막대그래프, 누적 막대그래프, 산점도 등은 이산형 데이터를 나타내기에 효과적이며, 연속형 시계열 데이터를 표현하기에 효과적인 차트와 그래프는 선그래프, 계단식 그래프, 영역 차트 등이 있다.

① 막대그래프

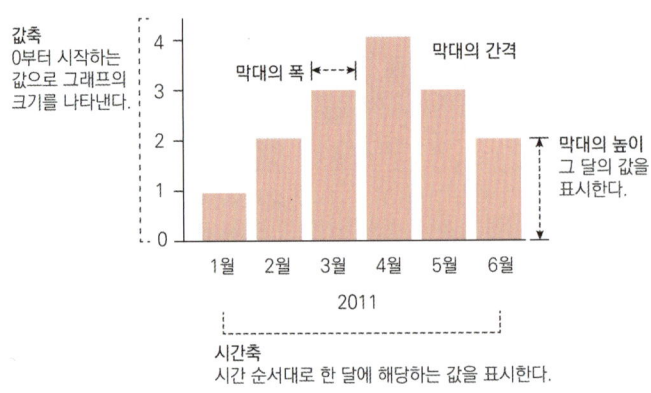

- 막대의 폭은 동일하며 막대들 사이의 간격 역시 동일하게 표현한다.
- 막대에 다양한 색상을 줄 수 있는데, 색상은 특정 상태나 범위를 나타내기 위해 사용할 경우 효과적이다.
- 모든 막대가 동일한 범위나 상태에 있는 경우 색상은 불필요하며, 일관성 유지를 위해 색상을 사용하지 않는 것이 시각적으로 도움이 된다.

② 누적 막대그래프

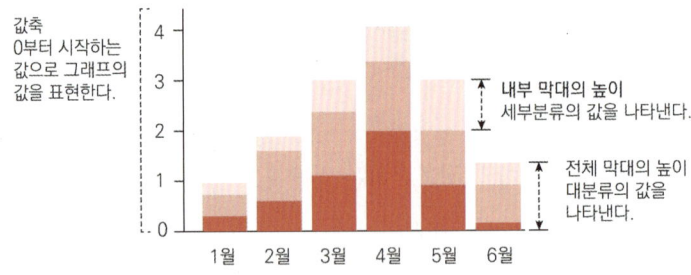

- 막대그래프와 거의 비슷하나 한 구간에 해당하는 막대가 누적되는 것이 다르다.

③ 산점도
- 산점도(Scatterplot)는 막대그래프와 같이 x축(가로축)은 시간을 나타내고, y축(세로축)은 측정한 데이터 값을 나타내며, 세로 방향으로 값의 크기에 해당하는 위치에 점으로 표시한다. 각 점의 위치변화를 통해 데이터의 크기 변화를 파악하게 된다.

④ 선그래프
- 선그래프는 시간 데이터를 나타내는 산점도에서 점 사이를 직선으로 연결한 경우와 동일하며, 시간에 따른 값의 변화율 또는 추세를 볼 수 있다.

⑤ 계단식 그래프
- 선 그래프는 연속된 두 시점 사이들을 선분으로 연결하여 두 시점 사이의 변화율을 기울기로 표시한 것이다. 그러나 두 시점에 값의 변화가 전혀 없거나 급격하게 증가하거나 감소하는 경우 선 그래프는 적절하지 않다.
- 두 지점 사이를 선분으로 연결하기보다는 변화가 생길 때까지 x축과 평행하게 일정한 선을 유지하다가 다음 값으로 변하는 지점에서 급격하게 뛰어오르는 계단형으로 그리는 것이 적절하다.

》 기출유형 따라잡기

[06회] 시간 시각화에 대한 설명으로 맞지 않는 것은?
① 막대그래프는 가로축을 시간축으로 하여 시간 시각화 도구로 사용할 수 있다.
② 점그래프는 시간 시각화 도구로 사용할 수 없다.
③ 선그래프는 연속적인 데이터를 표현하는 시간 시각화 도구로 사용할 수 있다.
④ 점그래프는 점과 점사이를 연결함으로써 선그래프로 변환할 수 있다.

정답 ②

해설 점 그래프(Scatter Plot)는 시간에 따른 데이터 변화를 시각화하는 데 효과적일 수 있다. 점 그래프는 각 점이 x축과 y축의 좌표를 나타내며, 점의 위치로 데이터 간의 관계를 시각적으로 표현한다.

[06회] 두 변수 X와 Y값이 만나는 지점을 표시한 그림으로 두 변수 사이의 관계를 나타내는 것은?
① 산점도
② 스타차트
③ 버블차트
④ 원그래프

정답 ①

해설 산점도는 X축과 Y축에 각각 변수의 값을 놓고, 각 데이터 포인트를 해당하는 좌표상에 점으로 나타낸다. 이렇게 그려진 점들이 어떠한 패턴을 보이면, 두 변수 간의 관계를 직관적으로 이해할 수 있다.

2. 분포 시각화

① 원그래프
- 원그래프는 분포의 정도를 총합 100%로 나타내서 부분 간의 관계를 보여주면, 면적으로 값(수치)을 나타낼 수 있으며, 원 조각의 각도는 데이터값을 전체 360도 비례하는 각도로 표현할 수 있다.

② 도넛차트
- 도넛차트는 원그래프와 마찬가지로 수치를 각도로 표시한다. 그러나 원그래프와 달리 중심부를 잘라내 도넛 모양으로 보인다는 점이 다르다.
- 중심의 구멍 때문에 조각에 해당하는 수치는 조각의 면적이 아닌 길이로 표시한다.

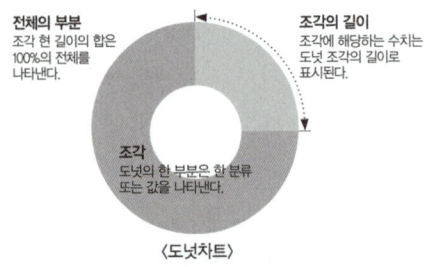

〈도넛차트〉

③ 트리맵
- 트리맵은 영역 기반의 시각화로, 각 사각형의 크기가 수치를 나타낸다. 한 사각형을 포함하고 있는 바깥의 영역은 그 사각형이 포함된 대분류를, 내부의 사각형은 내부적인 세부 분류를 의미한다.
- 트리맵은 단순 분류별 분포 시각화에도 쓸 수 있지만, 위계 구조가 있는 데이터나 트리 구조의 데이터를 표시할 때 활용된다.

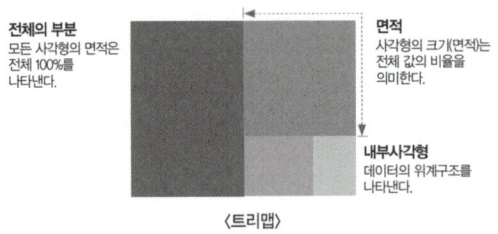

〈트리맵〉

④ 누적 연속그래프
- 몇 개의 시계열 그래프를 차곡차곡 쌓아 올려 그려 빈 공간을 채워가는 것이다.
- 가로축은 시간을 나타내고 세로축은 데이터값을 나타낸다.
- 누적 영역그래프에서 한 시점의 세로 단면을 가져오면 그 시점의 분포를 볼 수 있다.

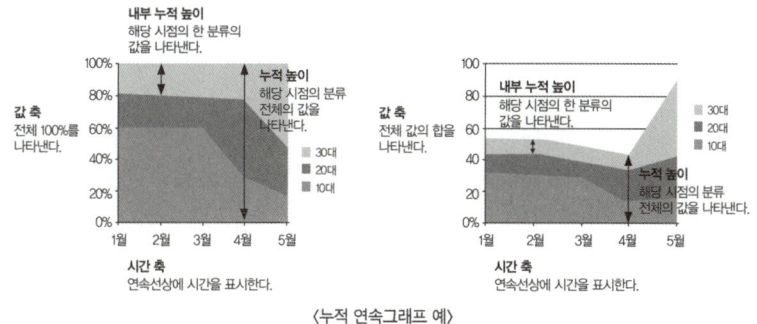

〈누적 연속그래프 예〉

3. 공간시각화

- 공간시각화는 지도상에 해당하는 정보를 표현하는 방법으로서, 지리-공간 데이터를 매핑하는 방법은 매우 다양하다.
- 지도는 위치와 거리에 대한 정보를 내포하고 있으며, 지도를 읽는다는 것은 지도의 한 위치를 다른 위치와 비교하는 것과 같으며 앞에서 소개한 차트나 그래프에서 범주 간의 데이터 값을 비교하는 것과도 유사하다.

① 등치지역도
- 등치지역도(Choropleth Map)는 지도상에서 주나 도와 같은 지리적단위로 데이터에 대한 의미를 색상으로 구분하여 표시하는 것이다.
- 색상은 정량적인 값에 근거하여 채도나 밝기를 차례로 변화시켜 적용한다. 등치지역도는 지리적 단위별로 인구가 균등하게 배분되지 않으면 단점이 된다. 데이터가 나타내는 값에 의해서가 아니라 지리적으로 차지하는 면적이 큰 경우 실제 값을 왜곡시킬 수 있기 때문이다.
- 시간에 따라 증가하는 값을 표현할 경우는 색상을 더욱더 신중히 선택해야 한다.

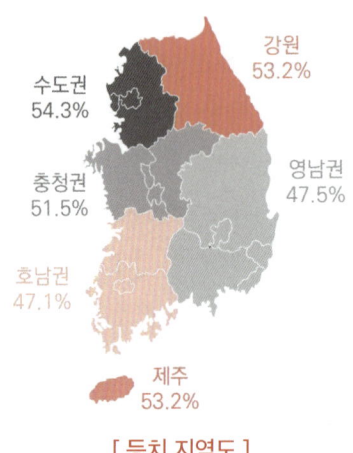

[등치 지역도]

② 도트플롯맵
- 도트 플롯맵(Dot Plot Map)은 지도상의 위도와 경도에 해당하는 지리적 좌표점에 산점도와 같이 점을 찍어 표현하는 것이다.
- 시간의 경과에 따라 점진적으로 지리적 확산을 나타내는 경우 자주 사용되는 방법이다.

③ 버블플롯맵
- 버블플롯맵(Bubble Plot Map)은 지리적 좌표 위에 정량적인 데이터 값의 크기를 나타내는 서로 다른 크기의 원형을 표시하는 것이다. 도트 플롯맵이 지리적 산점도라면 버블플롯맵은 지리적 버블차트에 가깝다.

④ 등치선도
- 등치선도(Isarithmic Map)는 등치지역도가 갖는 지리적 단위별로 인구밀도가 상이할 경우 데이터 왜곡을 줄 수 있는 결점을 극복하기 위해 색상의 농도를 활용하여 표현한 방법이다.

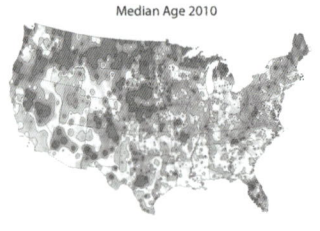

[등치선도]

⑤ 카토그램
- 카토그램(Cartogram)은 지역의 값을 표현하기 위해 지리적 형상 크기를 조절하여, 재구성된 지도와 같이 왜곡되고 비뚤어진 화면으로 나타난다. 이는 나라의 위치나 형태, 크기를 사전에 익숙하게 알고 있는 것을 이용하여 해당 정보를 전달하는 효과를 주고 있으며, 인터랙션 디자인을 적용한 경우 가장 효과적이다.
- 카토그램은 통계 데이터를 이용하여 지리 공간에 나타나는 현상을 효과적으로 표현하는 방법 중 하나이다.
- 카토그램이란 넓은 의미에서 모든 통계지도를 포함하지만, 좁은 의미에서 지도의 변형을 통해 통계 데이터의 특징을 표현하는 시각화 방법을 의미한다.

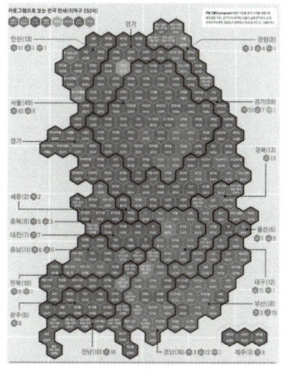

[카토그램]

≫ 기출유형 따라잡기

[03회] 다음 중 지도의 변형을 통해 통계 데이터의 특징을 표현하는 시각화 방법을 무엇이라 하는가?
① 카토그램
② 포인트맵
③ 히트맵
④ 산점도행렬

정답 ①

해설 카토그램은 통계데이터를 이용하여 지리 공간에 나타나는 현상을 효과적으로 표현하는 방법 중 하나이다.

[04회] 다음 중 시공간 시각화 기법으로 옳은 것은?
① 히스토그램
② 체르노프페이스
③ 카토그램
④ 평행좌표계

정답 ③

해설 카토그램(Cartogram)은 지역의 값을 표현하기 위해 지리적 형상 크기를 조절하여, 재구성된 지도와 같이 왜곡되고 비뚤어진 화면으로 나타난다.

4. 관계시각화

- 관계 시각화는 다변량 데이터 사이에 존재하는 변수 사이의 연관성, 분포와 패턴을 찾는 시각화 방법이다.
- 변수 사이의 연관성인 상관관계는 한가지 요소의 변화가 다른 요소의 변화와 관련이 있는지를 표현하는 것으로 산점도(Scatterplot), 산점도 행렬(Scatterplot Matrix), 버블차트 등을 통해 파악할 수 있다.

① 산점도
- 산점도는 x축(가로축)과 y축(세로축) 각각에 두 변숫값의 순서쌍을 한 점으로 표시하여 두 변수의 관계를 나타낸 그래프로서 상관관계, 군집화, 이상치 패턴을 파악하기에 유용한 그래프이다.

② 산점도행렬
- 산점도행렬(Scatterplot Matrix)은 다변량 변수를 갖는 데이터에서 가능한 모든 변수쌍에 대한 산점도들을 행렬 형태로 표현한 그래프이다.
- 데이터 탐색 과정에서 유용한 그래프이기도 하다. 산점도 행렬의 대각선 위치는 동일한 변수에 대한 산점도 위치이므로 비워두거나 변수 이름을 표기한 레이블을 표시한다.

③ 버블차트
- 버블차트(Bubble chart)는 산점도에서 데이터 값을 나타내는 점 또는 마크에 여러 가지 의미를 부여하여 확장된 차트이다.
- 데이터 값에 대한 비율에 따라 원형 버블의 크기를 달리하여 표시하기도 하지만, 세 번째 변수로서 버블의 크기를 사용하는 버블 차트를 요즘을 더 많이 사용하고 있다.

④ 히스토그램
- 히스토그램은 전통적인 통계 그래프 중 하나로서 막대 그래프와 유사해 보이나 x축에 정량적인 값으로 표현된 특정한 간격을 표시하고 각 구간에 대응하는 값의 빈도를 막대(Bin)의 높이로 y축에 표현하며 막대 사이에 빈 간격이 없는 것이 다르다.
- 막대의 너비는 x축에 해당하는 변수의 구간으로서 막대의 수가 작으면 각 구간의 범위를 넓게 준 것이고, 막대의 수가 많아지면 구간의 간격이 좁아진 것이다.
- 즉, 구간의 범위를 조정하거나 막대의 수를 변경함으로써 히스토그램의 모양이 달라지는데, 이는 데이터 분포를 탐색하는 주요한 방법이 된다.

> **기출유형 따라잡기**

[04회] 히스토그램에 대한 설명 중 옳지 않은 것은?
① 데이터 관계를 시각화한 기법이다.
② 히스토그램은 막대가 서로 떨어져 있으며 가로축이 수량이 아니어도 된다.
③ 가로축은 데이터 구간을 세로축은 구간의 빈도수를 나타낸다.
④ 가로축은 데이터 구간을 더 세세하게 조정할 수 있다.

정답 ②
해설 가로축에서 히스토그램은 반드시 수량이어야 한다. 또한 히스토그램은 막대그래프가 서로 붙어있다.

5. 비교 시각화

- 다변량 변수를 갖는 자료의 경우 변수의 수가 많아 가장 주요한 변수 간의 관계를 살펴보기 위해 변수를 선택하거나, 모든 변수를 고려한 상황에서 개체들을 비교하기는 쉽지 않은 일이다.
- 이를 해결하기 위해 다변량 변수를 갖는 자료를 제한된 2차원에 효과적으로 표현하는 방법들이 있다.
- 막대 그래프, 플로팅 바 차트, 히트맵, 체르노프페이스, 스타 차트, 평행 좌표계 등이 있다.

① 막대 그래프
- 막대의 길이나 높이를 통해 데이터의 크기를 전달하고, 범주 간 비교를 할 수 있다.

② 플로팅 바(Floating Bar) 차트
- 간트 차트(Gantt Chart)로 불리기도 하는데, 막대가 가장 낮은 수치에서부터 가장 높은 수치까지 걸쳐있는 것으로 표현된다.
- 축의 시작점은 0점이 아닐 수 있다. 범주 내 값의 다양성을 파악할 수 있으며, 범주 간 중복이나 이상치 파악도 가능하다.

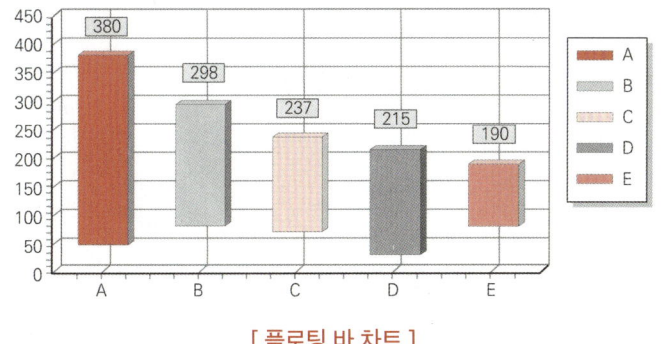

[플로팅 바 차트]

③ 히트맵
- 히트맵은 시각화 기법에서 가장 많이 유용하게 쓰이는 그래프 중 하나
- 한 칸의 색상으로 데이터 값을 표현한다.
- 히트맵을 읽는 방법은 표를 읽는 방법과 같다. 하나의 대상에 해당하는 한 행을 왼쪽에서 오른쪽으로 보면서 모든 변수를 파악할 수도 있고, 하나의 변수에 대응하는 한 열을 위에서 아래로 읽을 수도 있다.
- 데이터가 지나치게 많을 때 더 혼란스러울 수 있으니 적당한 색상을 선택하고 약간의 정렬 과정을 거쳐야 한다.

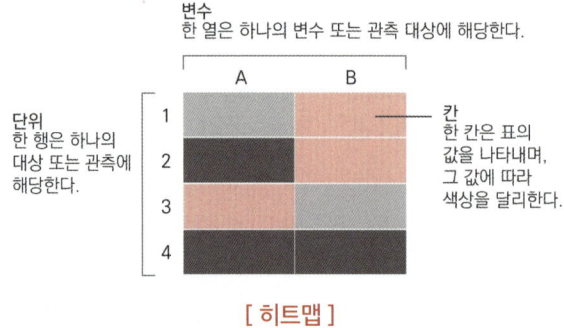

[히트맵]

④ 체르노프페이스
- 체르노프페이스(Cernoff Face)는 데이터를 사람의 얼굴 이미지로 표현하는 방법이다.
- 얼굴의 가로너비, 세로높이, 눈, 코, 입, 귀 등 각 부위를 변수로 대체
- 데이터의 개별적인 부분에 집중해 그리는 것이 가능
- 엄밀한 의미의 데이터 그래픽에는 포함되지 않으며, 보통 사람들에게 혼란을 줄 우려도 있다.

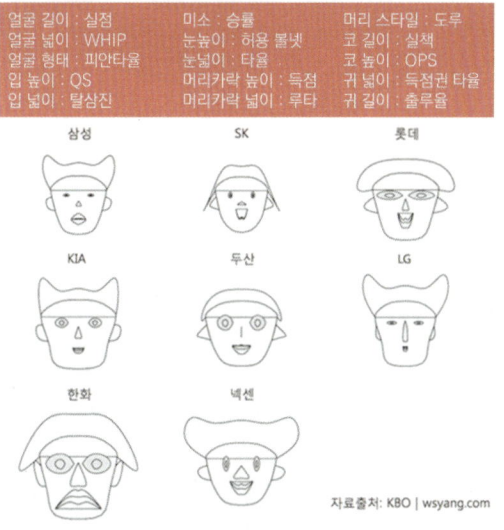

[체르노프 페이스 예]

⑤ 스타차트
- 모양 때문에 거미줄 차트 또는 방사형 차트라고도 한다.
- 중앙에서 외부 링까지 이어지는 몇 개의 축을 그리고, 전체 공간에서 하나의 변수마다 축 위의 중앙으로부터의 거리로 수치를 나타낸다.
- 각 변수를 라인위에 표시한 지점을 연결해 연결선을 그리면 그 결과는 별 모양의 도형으로 나타낸다.

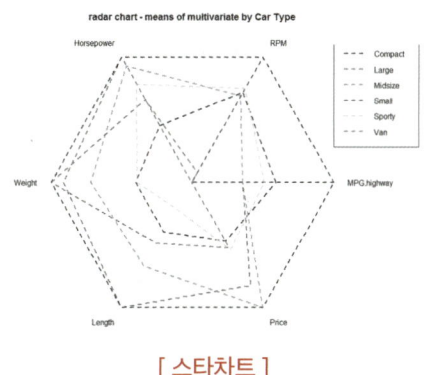

[스타차트]

> **기출유형 따라잡기**

[02회] 다음 중 변수의 수만큼 축을, 그리고 각각의 축에 측정값을 표시하는 시각화 방법을 무엇이라 하는가?
① 스타차트　　　　　　　　　② 파이차트
③ 버블차트　　　　　　　　　④ 체르노프 페이스

정답 ①

해설 스타차트 : 중앙에서 외부 링까지 이어지는 몇 개의 축을 그리고, 전체 공간에서 하나의 변수마다 축 위의 중앙으로부터의 거리로 수치를 나타낸다.

[05회] 다음 그림이 나타내는 시각화 기법은 무엇인가?

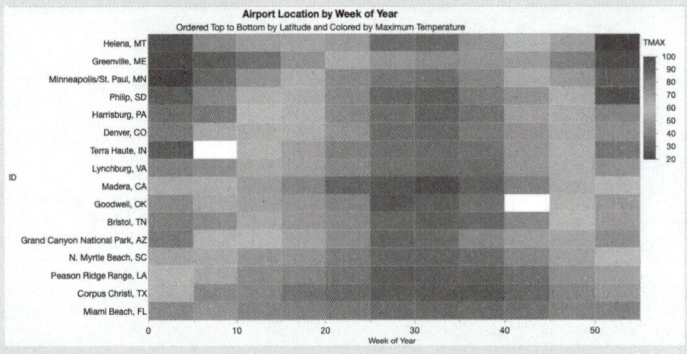

① 히트맵　　　　　　　　　　② 트리맵
③ 산점도　　　　　　　　　　④ 누적영역차트

정답 ①

해설 히트맵은 데이터의 패턴, 상관관계, 또는 분포를 색상으로 표현하는 데 적합하고 트리맵은 계층적 구조 또는 데이터의 비율을 크기와 색상으로 표현하며, 데이터의 상대적 크기를 직관적으로 파악하는 데 유용하다.

[07회] 아래 보기와 같이 자동차 회사별 주행거리를 나타내는 시각화 기법을 무엇이라 하는가?

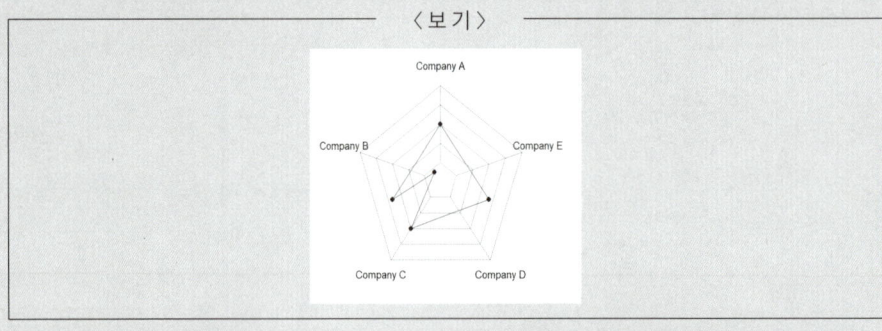

① 레이더 차트(Radar Chart)　　　② 산점도 행렬(Scatterplot Matrix)
③ 버블 차트(Bubble Chart)　　　④ 히스토그램(Histogram)

정답 ①

해설 레이더 차트(Radar Chart)로 시각화하면 각 회사의 다양한 주행거리 지표를 한 눈에 비교할 수 있다. 레이더 차트는 다중 변수의 비교에 용이하며, 각 변수를 다각형 모양의 영역으로 나타낸다.

> **기출유형 따라잡기**

[07회] 비교시각화에 대한 내용으로 적절한 것은?
　① 시간에 따른 변화에 대한 시각화
　② 교통사고의 사망자 수와 부상자 수에 대한 자료 시각화
　③ 버블차트와 산점도는 대표적 비교시각화 기법이다.
　④ 다양한 변수에 대한 특징을 한 번에 확인이 가능하다.

정답 ②

해설 교통사고에 관한 교통자수, 사망자수, 부상자수에 대한 비교 시각화를 위해서는 여러 가지 시각화 방법이 적용될 수 있다.

[05회] 다음 중 비교시각화 기법으로 옳지 않은 것은?
　① 버블차트　　　　　　　　　② 히트맵
　③ 체르노프 페이스　　　　　　④ 스타차트

정답 ①

해설 버블차트는 관계 시각화이다.

[05회] 다음 중 관계 시각화 기법으로 옳지 않은 것은?
　① 누적막대그래프　　　　　　② 산점도
　③ 버블차트　　　　　　　　　④ 산점도행렬

정답 ①

해설 누적막대 그래프는 분포 시각화이다.

[02회] 변수 3개 이상의 다변량 데이터를 2차원 평면에 효과적으로 비교할 수 있는 시각화 방법이 아닌 것은?
　① 파이 차트　　　　　　　　　② 스타차트
　③ 산점도 행렬　　　　　　　　④ 레이더 차트

정답 ①

해설 파이 차트는 분포 시각화 도구이다.

> **기출유형 따라잡기**

[04회] 다음 아래 시각화 기법에 대한 설명으로 옳지 않은 것은?

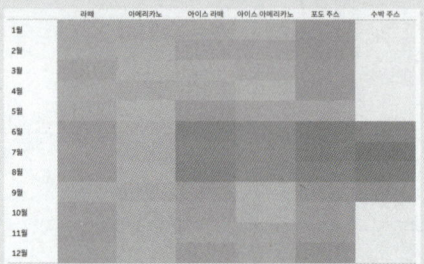

① 위와 같은 시각화 기법을 히트맵(Heat Map)이라 한다.
② 한 칸의 색상으로 데이터 값을 표현한다.
③ 한 열은 하나의 변수 또는 관측 대상에 해당된다.
④ 일반적으로 색이 진할수록 값이 작고 연할수록 값이 크다.

정답 ④

해설 일반적으로 색이 진할수록 값이 크고 연할수록 값이 작다.

[06회] 비교 시각화 도구에 대한 설명으로 맞지 않은 것은?
① 두 독립된 변수의 분포를 비교해서 보여줄 때 사용된다.
② 히트맵은 값의 분포를 색(온도)으로 표현하여 시각적인 효과를 준다.
③ 체르노프페이스는 데이터 표현에 따라 달라지는 차이를 얼굴의 모양으로 나타낸다.
④ 스타차트는 데이터의 정규화가 필요없고 값이 음수도 표현이 가능한 장점이 있다.

정답 ④

해설 스타 차트는 특정한 상황에서 유용할 수 있지만, 몇 가지 단점이 있을 수 있다. 정규화하지 않으면 스타 차트에서 각 변수의 중요성을 정확하게 판단하기 어려울 수 있다. 스타 차트는 특히 값이 주로 양수인 경우에 적합하며, 음수 값을 나타내기가 어려울 수 있다. 따라서 음수 값이 중요한 경우에는 다른 시각화 방법이 필요할 수 있다.

⑥ 평행좌표계
- 대상이 많은 데이터에서 집단적인 경향성을 쉽게 알아볼 수 있게 해준다.
- 여러축을 평행으로 배치하고, 한 축에서 윗부분은 변수 값 범위의 최대값을 아래로는 변수값 범위의 최소값을 나타낸다.
- 측정 대상은 변수 값에 따라 위아래로 이어지는 연결선으로 그려진다.

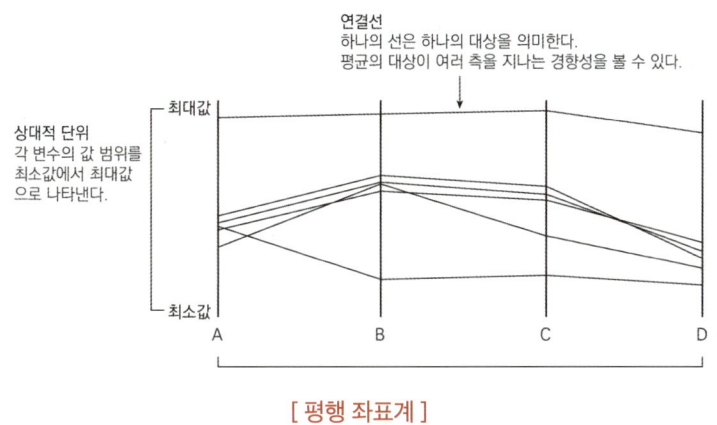

[평행 좌표계]

⑦ 다차원척도법(MDS, Multidimensional Scaling)
- 개별 데이터 간의 유사도를 바탕으로 시각화하는 방법으로 대상 간의 유사도(또는 선호도)측도에 의거해 대상을 다차원 공간 속에 배치시키는 방법
- 표현하고자 하는 객체 간 간격이 발생하는 거리행렬을 포함하는 데이터의 시각화에 유용하다.
- 유사성이 작은 대상끼리는 멀리, 유사성이 큰 대상끼리는 가까이 위치시킨다.

3 인포그래픽

학습 목표
1. 인포그래픽의 개념에 대해서 학습한다.

출제 KEYWORD
① 인포그래픽 특징 ★★

1. 인포그래픽의 개념
- 인포그래픽이란 정보를 뜻하는 Information과 시각화를 나타내는 Graphic의 합성어라고 할 수 있다.

- 단순히 정보를 그래프화해서 나열하는 것으로 끝나는 것이 아니라 수집한 정보를 분석하고 가공하여 스토리텔링과 디자인을 더한 데이터라고 할 수 있다.

2. 인포그래픽의 유형

- 정보 디자인에서 메시지를 전달하고자 하는 측면에서 보면 정보사용의 목적과 관점에 따라 2가지로 나누어 볼 수 있다.
- 하나는 객관적인 정보를 전달하기 위한 '정보형 메시지'이고 또 하나는 주장하는 바를 전달하기 위한 '설득형 메시지'이다.
- 정보 디자인은 인포그래픽을 포함해 데이터의 디테일을 나타내기보다는 그래픽을 적극적으로 이용해 시각 스토리텔링 형식의 설득형 메시지를 전달하는 것에 초점을 두고 있다.
- 아래 그림을 보면 시각화를 통해 정보형 메시지를 전달할 것인지, 설득형 메시지를 전달할 것인지에 따라 시각화 표현 범주가 달라지는 것을 볼 수 있다.
- 정보 디자인에서 양적 정보 디자인은 데이터 시각화나 정보 시각화와 겹치면서 데이터를 객관적으로 어떤 것과 비교해 원인과 결과의 인과관계를 왜곡 없이 전달하는 데에 초점을 두고 있다.
- 인포그래픽은 양적 정보 디자인에 초점을 맞추기보다는 다양한 정보를 종합해 정보 디자인 의도에 따라 그래픽으로 전달하려는 경향이 강하다.
- 양적 정보를 다루는 빅데이터 시각화에서는 정보의 내용과 환경이 매우 복잡하므로 표현도 다차원이어야 하며, 어떤 식으로 데이터를 해석하는가에 대한 통계적 차원의 시각화 방법 및 이에 따른 시각표현이 병행되어야 한다.
- 인포그래픽은 다양한 형태와 유형으로 제작될 수 있다. 다음은 몇 가지 일반적인 인포그래픽 유형이다.

① 정보 그래프:
- 데이터 간의 관계를 시각적으로 나타낸다.
- 노드와 엣지를 사용하여 데이터의 흐름이나 연결성을 보여준다.

② 차트 및 그래프:
- 막대 그래프, 원 그래프, 선 그래프 등을 사용하여 통계적 데이터를 시각적으로 표현한다.
- 비교, 추세, 분포 등의 정보를 전달하는 데 효과적이다.

③ 지도 및 지리적 인포그래픽:
- 지도를 활용하여 지리적 데이터를 시각화
- 위치 기반 정보, 지리적 분포, 여행 경로 등을 표현

④ 선형 그래픽:
- 일련의 단계나 단계별 프로세스를 나타낸다.
- 일련의 그림 또는 아이콘을 사용하여 복잡한 개념을 단순화

⑤ 시간축 타임라인:
- 특정 주제 또는 사건의 시간적 흐름을 보여주는 그래픽
- 선형, 웹 형태, 지오로케이션 기반 등 다양한 스타일이 있다.

⑥ 플로우 차트:
- 프로세스나 작업 흐름을 단계별로 표시하는 데 사용된다.
- 결정, 처리, 동작 등을 각 단계로 표현하여 이해하기 쉽다.

⑦ 와이어프레임 인포그래픽:
- 웹 디자인이나 앱 인터페이스의 구조를 시각적으로 보여준다.
- 페이지 레이아웃, 기능, 상호작용 등을 간결하게 표현한다.

⑧ 비교 인포그래픽:
- 두 개 이상의 항목을 비교하는 데 사용된다.
- 막대 그래프, 원 그래프, 나란히 배치된 요소 등을 활용하여 비교를 용이하게 한다.

⑨ 워드 클라우드:
- 텍스트 데이터에서 가장 빈번하게 등장하는 단어를 크기에 따라 표현하는 그래픽이다.
- 주제에 관련된 중요한 키워드를 시각적으로 강조한다.

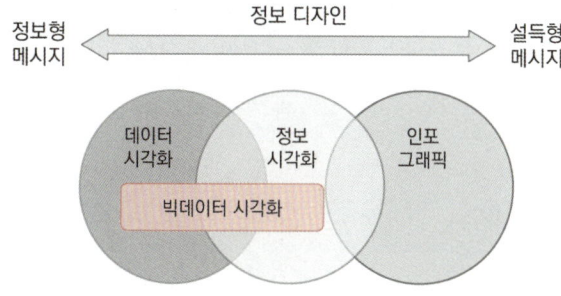

기출유형 따라잡기

[02회] 다음 중 인포그래픽에 대한 설명으로 옳지 않은 것은?
① 다양한 정보를 그래픽으로 나타내는 방법이다.
② 도표, 글과 비교해 사람들의 기억에 잘 남는다.
③ 대규모의 빅데이터 분석결과를 나타내는 경우 복잡하고 이해하기 어렵다.
④ 인포그래픽은 양적 정보 디자인에 초점을 맞추기보다는 다양한 정보를 종합해 정보 디자인 의도에 따라 그래픽으로 전달하려는 경향이 강하다.

정답 ③
해설 인포그래픽는 복잡한 데이터를 이해하기 쉽게 시각적으로 표현하고 내용을 표현하는 시각적 방법이다.

[05회] 인포그래픽에 대한 설명으로 옳지 않은 것은?
① 중요한 정보를 효과적으로 시각화한다.
② 적절한 텍스트를 넣어 이해하기 쉽게 작성한다.
③ 데이터의 분석 패턴을 탐색할 수 있다.
④ 디자인적 요소를 고려하여 만든다.

정답 ③
해설 인포그래픽은 양적 정보 디자인에 초점을 맞추기보다는 다양한 정보를 종합해 정보 디자인 의도에 따라 그래픽으로 전달하려는 경향이 강하다.

[04회] 다음 중 시각화에 대한 설명으로 옳지 않은 것은?
① 그래픽 안에 최대한 효과적으로 많은 정보를 담아서 전달한다.
② 관계시각화는 다변량 데이터 사이에 존재하는 변수 사이의 연관성, 분포와 패턴을 찾는 시각화 방법이다.
③ 히트맵은 비교시각화 기법이다.
④ 시간에 따른 데이터의 변화를 보여주는 방법을 시간 시각화라고 한다.

정답 ①
해설 너무 많은 정보는 시각화의 전달성이 떨어진다.

> **기출유형 따라잡기**

[06회] 인포그래픽 유형 중 주제, 내용의 연관성을 중요시 여기는 유형은?
① 타임라인
② 콘셉트 맵
③ 스토리텔링
④ 비교분석

정답 ②

해설 컨셉맵은 서로 의미 있는 관계를 가지고 있는 중요한 컨셉(정보, 키워드)를 하나의 그림으로 표현한 것이다. 컨셉맵은 1970년 대에 코넬 대학에서 학생들의 과학 지식을 체계적으로 표현하기 위해 조셉 노박(Joseph D. Novak) 교수에 의해 만들어졌다.

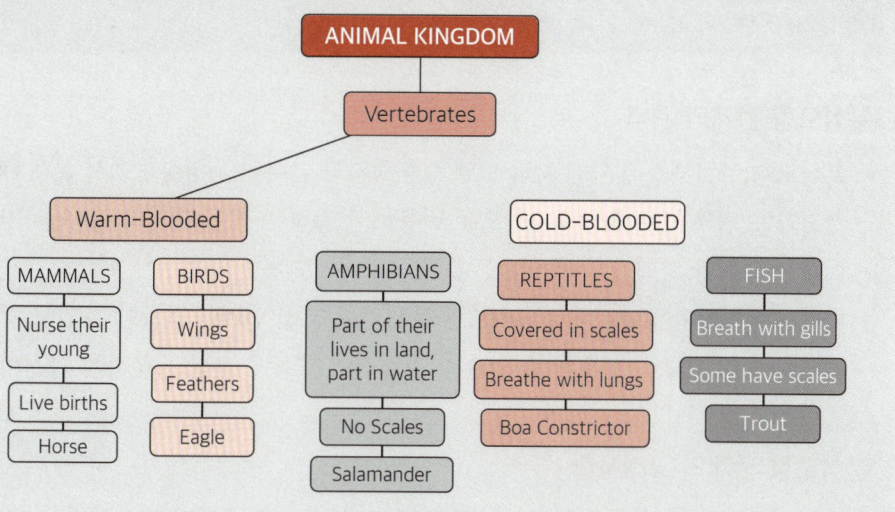

03 분석결과 활용

1 분석모형 전개

학습 목표
1. 분석모형의 전개의 고려사항에 대해서 학습한다.

출제 KEYWORD
① 분석모형 전개 고려사항 ★

1. 분석모형 전개의 개념
- 분석모형 프로세스 절차에 따라 모델 성능평가가 끝나면 운영상황에서 실제 테스트의 분석결과를 업무 프로세스에 가상으로 적용해 검증하는 적용 직전의 활동을 의미한다.
- 이를 자동화만 하면 실무에 언제든지 적용할 수 있다.
- 따라서 운영상황에서 실제로 테스트해 분석과 운영 간 연계를 검증할 수 있고, 돌발 상황에서 문제없이 모델을 적용할 수 있는지 전체적인 흐름을 통합 시험하는 과정이다.

2. 분석모형 전개의 고려사항
- 분석모형의 유형에 따라 과적합이 발생할 수 있으므로 주의가 필요하다.
- 실제 운영환경 성능테스트는 사전 시나리오에 따라 1주일 정도 실시한 것을 권장한다.
- 실제 운영환경 성능의 일 단위 측정이 가능한 경우, 1주일간 일단위 성능이 일관됨을 확인해야 한다.
- 성능 테스트 결과는 일단위로 공유해 분석모형의 실무 적용의 객관성을 유지할 것을 권고한다.
- 성능 테스트 시 불필요한 외부 이해관계의 개입을 최소화 또는 차단해, 성능테스트 수행과정 및 결과의 왜곡을 방지해야 한다.

3. 비즈니스 영향도 평가
- 의미 있는 분석결과를 확보하려면 비즈니스 영향도와 효과를 산출할 수 있어야 한다.

- 이러한 영향도와 효과는 실제 테스트를 통해 나온 최종결과로 산출해 이를 기반으로 정량적 효과를 도출할 수 있다.
- 따라서 최대한 충분한 기간 실행하고 전체를 대표할 수 있을 만큼의 테스트를 실행해 영향도와 효과를 산출하는데 모두를 납득할 수 있는 결과를 산출해야 한다.

4. 적용
- 적용은 분석결과를 업무 프로세스에 완전히 통합해 실제 일·주·월 단위로 운영하는 것이다.
- 분석 시스템에 연계되어 사용될 수 있고, 별도 코드로 분리돼 기존 시스템에 별도 개발해 운영할 수 있다.

2 분석결과 활용 시나리오 개발

학습 목표

1. 분석 결과 활용 시나리오 프로세스를 이해한다.

출제 KEYWORD

① 분석 활용 시나리오 흐름도 ★

1. 분석결과 활용 시나리오 개발의 필요성
- 최종 사용자는 분석(예측) 결과의 인사이트를 확보하여 의사결정에 반영하게 되면 데이터 분석결과의 제안 가치를 업무에 반영하게 된다.
- 분석 주제를 정의하는 과정에는 분석결과의 활용계획이 포함되지만 데이터에 대한 세밀한 이해와 탐색을 반복적으로 수행해야 하며 최종 분석결과 생성 후에도 인사이트를 확보하는 과정을 지속되어야 한다.
- 데이터분석 활용 시나리오는 분석(예측) 결과로부터 인사이트를 발굴하고 의사결정 방법을 검토·선택하며 데이터 특성에 적합한 차트와 필요에 따라 적정한 시각화 도구를 선택하는 방법을 계획하여 시나리오를 작성한다.

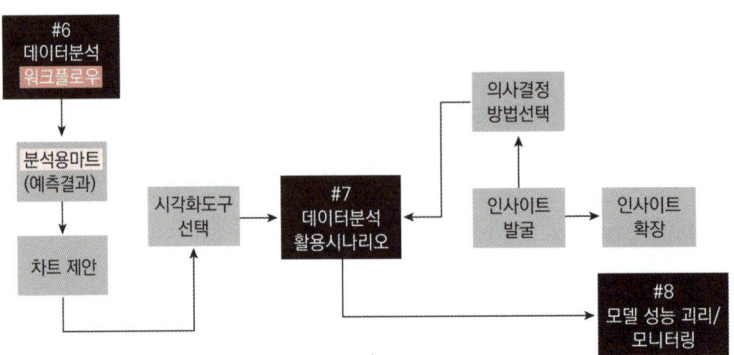

[분석 활용 시나리오 흐름도]

> **기출유형 따라잡기**

[04회] 다음 중 분석결과 활용 시나리오 설명 중 옳지 않은 것은?
① 최종 사용자는 분석(예측) 결과의 인사이트를 확보하여 의사결정에 반영한다.
② 데이터분석 활용 시나리오는 분석(예측) 결과로부터 인사이트를 발굴한다.
③ 분석의 목적을 명확히 하는 것에 초점을 맞춘다.
④ 필요에 따라 적정한 시각화 도구를 선택하는 방법을 계획하여 시나리오를 작성한다.

정답 ③

해설 • 분석의 목적을 명확히 하기보다는 데이터에 대한 세밀한 이해와 탐색을 반복적으로 수행해야 하며 최종 분석결과 생성 후에도 인사이트를 확보하는 과정을 지속한다.

용어정리

- **워크 플로우**
  데이터 흐름 관점에서 워크 플로우는 데이터소스 → 데이터 수집 → 데이터 정제 및 적재 → 전처리 / 탐색적 데이터 / 주요변수 선택 → 모델학습 / 검증 / 평가 → 분석(예측)결과 → 분석(예측)결과 활용을 의미한다.

- **분석용 데이터 마트**
  수집대상 데이터 소스 중에서 사용하기로 확정된 데이터 소스를 이용하여 분석용 데이터 마트를 정의한다. 분석용 데이터 마트는 워크 플로우에 적용해 보고 최종 결과가 잘 나오는지 테스트를 거쳐 확정한다.

3 분석 모형 모니터링

학습 목표
1. 분석 모형 모니터링의 주요 항목에 대해 학습한다.

출제 KEYWORD
① 분석 모형 모니터링 항목 ★

- 데이터 워크 플로우에 따라 해당 시스템에 적용되는 경우 신뢰성 있는 분석(예측)결과를 안정적으로 운영할 수 있는 운영계획을 수립한다.
- 분석모델의 경우 새로운 데이터 유입에 따른 안정적인 분석(예측)결과가 보장되어야 하며 이는 대상 모델의 성능 모니터링 지표 값을 기준으로 상태 값의 변동성을 확인한다.
- 분석모델 개발과정에서 반복적인 분석모델 학습 - 검증 - 평가 및 정교화 과정을 통해 최종 모델의 신뢰성과 안전성이 확보되었지만 입력 데이터와 분석모델 특성을 반영한 일정한 학습 - 검증 - 평가 주기를 설정하여 정기적인 분석모델 학습과정을 수행한다.
- 새로운 알고리즘이나 기법을 활용하여 기존 분석모델을 업데이트 하는 과정은 운영 시스템에는 영향을 주지 않는 분석모델 환경에서 구성하여 비정기적인 학습 - 검증 - 평가를 진행한 후 기존 분석모델과의 비교를 통해 향상된 결과를 얻을 수 있다.

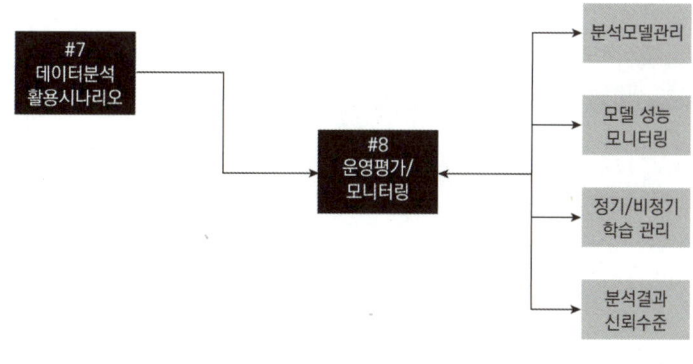

[분석모형 모니터링]

① 분석모델 관리
- 최종 분석모델이 작동하는 입력 데이터, 출력 데이터, 파라미터 정보 등을 관리한다.

② 모델 성능 모니터링
- 분석모델의 성능을 측정하는 평가지표의 허용 기준 범위 등에 대한 운영정보와 성능을 모니터링하기 위한 지표값 상태 기준값 등을 정의하고 관리한다.

③ 정기 / 비정기 학습관리
- 분석모델에 대한 정기적인 업데이트 정보와 신규 데이터가 입수 되었을 경우, 그에 따른 분석모델 업데이트 방법 및 적용 주기 등을 정의하고 관리한다.

④ 분석결과 신뢰수준
- 분석결과 값의 신뢰수준을 규정하고 그에 따른 모니터링 체계를 관리한다.

4 분석 모형 리모델링

학습 목표
1. 분석 모형 리모델링의 필요성에 대해 학습한다.

출제 KEYWORD
① 분석 모형 리모델링 고려사항 ★

1. 분석모형 리모델링의 필요성
- 한 번 만든 모델이 영원히 동일한 성과를 낼 수 없다. 비즈니스 상황이 변하거나 분석결과 적용에 따른 주변 요인들이 관심의 대상으로 부각되기 때문이다.
- 때로는 분석결과를 고객에게 적용하는 경우 고객의 행동패턴이 변화하게 된다.
- 이점은 부정적이기보다는 자연스러운 성과로 이러한 변화에 대응할 수 있어야 한다.
- 그래서 성과 모니터링이 지속적으로 돼야 하고, 일정수준 이상으로 편차가 지속적으로 하락하는 경우 리모델링을 주기적으로 수행해야 한다.
- 일반적으로 주기적 리모델링은 분기·반기·연 단위로 수행한다. 일·주 단위 리모델링은 특수 분야를 제외하고는 바람직하지 않다.

2. 분석기법별 모델링 주기

분석 기법	주기	주요내용
데이터 마이닝	분기	• 동일한 데이터를 이용해 학습을 다시 하는 방법 • 변수를 추가해 학습하는 방법
시뮬레이션	반기 또는 주요변경이 이뤄지는 시점	• 이벤트 발생패턴의 변화, 시간 지연의 변화 • 이벤트를 처리하는 리소스 증가, Queuing Priority • Resource Allocation Rules 변화
최적화	1년	• Object Function(목적함수) 계수변경, Constrain에 사용되는 제약값 변화

3. 분석모형 리모델링 고려사항

- 데이터마이닝, 최적화 모델링 결과를 정기적(분기, 반기, 연 단위)로 재평가해 결과에 따라 필요 시 분석모형을 재조정해야 한다.
- 데이터 마이닝은 최신 데이터 적용이나 변수 추가 방식으로 분석모형을 재조정할 수 있다.
- 시뮬레이션은 업무 프로세스 KPI의 변경 또는 주요 시스템 원칙 변경, 발생 이벤트의 건수 증가에 따라 성능평가를 하고 필요 시 재조정해야 한다.
- 최적화는 조건 변화나 가중치 변화 시 계수 값 조정 또는 제약 조건 추가로 재조정 할 수 있다.
- 일반적으로 초기에는 모형 재조정을 자주 수행해야 한다. 하지만 점진적으로 그 주기를 길게 설정할 수 있다.
- 관리대상 모델이 월 20개 이상이거나, 기타 업무와 병행해서 수행해야 하는 경우 수작업이 아닌 도구를 통한 업무 자동화를 권고한다.

용어정리

- **시뮬레이션(Simulation)**
  - 수리모델에 의해서 최적해를 찾기 힘든 비정형적(확률적) 문제 해결을 위한 모의실험
  - 체계화된 시행착오 방법
- **최적화(Optimization) 문제**
  어떤 목적함수(objective function)의 함수값을 최적화(최대화 또는 최소화)시키는 파라미터(변수) 조합을 찾는 문제를 말함
- **Queuing Priority**
  우선순위 큐, 우선순위를 가진 항목들을 저장하는 큐

기출유형 따라잡기

[04회] 다음 중 분석모형 리모델링에 대한 설명으로 옳지 않은 것은?
① 분석모형의 성능이 크게 저하되었을 경우 수행한다.
② 최신 데이터 적용이나 변수 추가 방식으로 분석모형을 재조정할 수 있다.
③ 분기별로 분석모형 리모델링을 주기적으로 수행한다.
④ 최종 분석 모형을 선정할 때에는 기존 분석 모형과 비교하는 과정이 필요하다.

정답 ③

해설 분석기법별로 분기·반기·연 단위로 수행한다. 일·주 단위 리모델링은 특수 분야를 제외하고는 바람직하지 않다.

예상문제

CHAPTER 02 분석결과 해석 및 활용

01 두 변수 사이의 상관관계를 알아보기 위한 시각화 도구로 적합하지 않은 것은?
① 산점도   ② 히트맵
③ 트리맵   ④ 버블차트

> **해설**_ 트리맵은 변수 값의 분포를 표현하는데 적합하다.

02 변수 x와 변수 y값의 관계와 함께 해당 위치의 크기까지 표현할 수 있는 시각화 도구는?
① 스캐터 플롯   ② 히스토그램
③ 파이차트   ④ 버블차트

> **해설**_ 버블차트는 데이터값에 대한 비율에 따라 원형버블의 크기를 달리하여 표시하기도 하지만 세 번째 변수로써 버블의 크기를 사용하는 버블 차트를 많이 사용하고 있다.

03 다음 중 비교시각화 방법이 아닌 것은?
① 히트맵   ② 스타차트
③ 평행좌표계   ④ 트리맵

> **해설**_ 트리맵은 분포시각화에 해당된다.

04 정보, 자료, 개념, 의미 등을 나타내기 위해 문자와 숫자 대신 상징적 도형이나 정해진 기호를 조합해 시각적이고 직접적으로 나타내는 방식의 시각 표현방식은?
① 아이소타이프
② 타이포그래피
③ 그리드
④ 인터렉션

> **해설**_ 아이소타이프는 일정한 사상을 나타내기 위해 문자와 숫자를 사용하는 대신에 상징적 도형이나 정해진 기호를 조합시켜 보다 시각적·직접적으로 나타내는 방식이다.

정답 01 ③   02 ④   03 ④   04 ①

05 다음 보기에서 설명하는 시각화 방법을 무엇이라 하는가?

> • 세 가지 요소의 상관관계를 표현하는 방법이다.
> • 장기간에 걸쳐 점진적으로 변화하는 데이터를 표시하는 데 사용된다.

① 트리맵
② 산점도
③ 히트맵
④ 버블차트

06 아래 그림은 비교시각화 기법의 종류이다. 여러 가지 변수를 비교해 볼 수 있으며 한칸의 색상으로 데이터 값을 표현하는 시각화를 무엇이라 하는가?

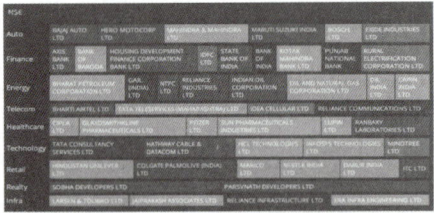

① 다차원 척도법
② 히트맵
③ 스타차트
④ 평행좌표계

07 아래 그림과 같이 시각화해 표현한 결과물을 무엇이라고 하는가?

① Wordle
② Motion Chart
③ Power Map
④ Tree Map

08 다음 중 정보시각화 방법과 시각화 도구의 연결이 잘못된 것은?

① 시간시각화 : 막대그래프, 누적 막대그래프, 점 그래프, 히스토그램
② 분포시각화 : 파이차트, 도넛차트, 트리맵
③ 관계시각화 : 스캐터 플롯, 버블차트
④ 비교시각화 : 히트맵, 체르노프 페이스, 스타차트, 평행좌표계, 다차원척도법

해설_ 히스토그램은 관계시각화 도구이다.

정답 05 ④ 06 ② 07 ① 08 ①

09 다음 중 빅데이터 시각화 단계를 가장 바르게 나열한 것은?

① 정보 시각화 → 정보 구조화 → 정보 시각표현
② 정보 구조화 → 정보 시각화 → 정보 시각표현
③ 정보 시각표현 → 정보 시각화 → 정보 구조화
④ 정보 시각화 → 정보 시각표현 → 정보 구조화

해설_ 데이터 시각화를 수행하는 단계는 일반적으로 정보 구조화, 정보 시각화, 정보 시각표현 단계로 구분한다.

10 시각화의 종류와 방법이 잘못 연결된 것은?

① 시간시각화 - 막대그래프
② 공간시각화 - 등치선도
③ 분포시각화 - 도넛차트
④ 비교시각화 - 산점도행렬

해설_ 산점도행렬은 대표적 관계시각화 도구이다.

11 아래 그림처럼 지도상에서 같은 값을 가지는 선을 이은 시각화 방법을 무엇이라 하는가?

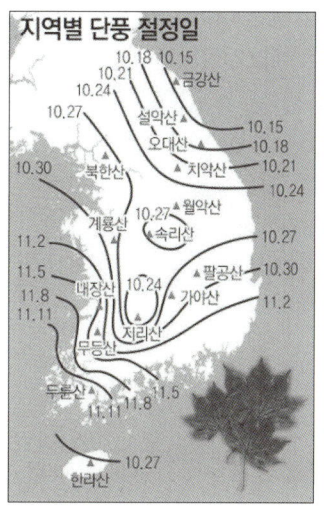

① 등치선도
② 카토그램
③ 도트플롯맵
④ 버블플롯맵

해설_ 무엇이든 수치화 할 수 있는 자료를 지도상에 표시하였을 때, 그 수치가 같은 지점을 연결하면 모두 등치선의 일종이다.

정답 09 ② 10 ③ 11 ①

예상문제

12 일명 방사형 차트라고 하며, 중앙에서 외부링까지 이어지는 몇 개의 축을 그리고, 전체 공간에서 하나의 변수마다 중앙으로부터 거리로 수치를 나타내는 시각화 도구는?

① 체르노프 페이스
② 스타차트
③ 산점도행렬
④ 평행좌표계

해설_

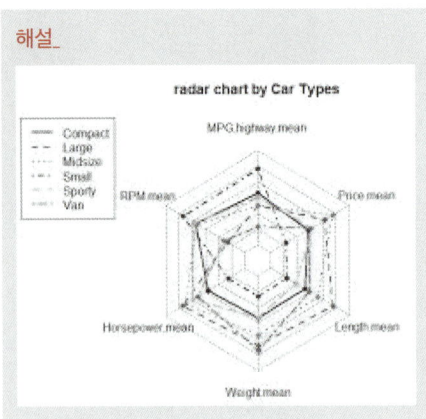

13 아래 그림은 제20대 국회의원 선거결과를 시각화한 결과이다. 특정한 데이터 값의 변화에 따라 지도의 면적이 왜곡되는 특징인 시각화 방법을 무엇이라 하는가?

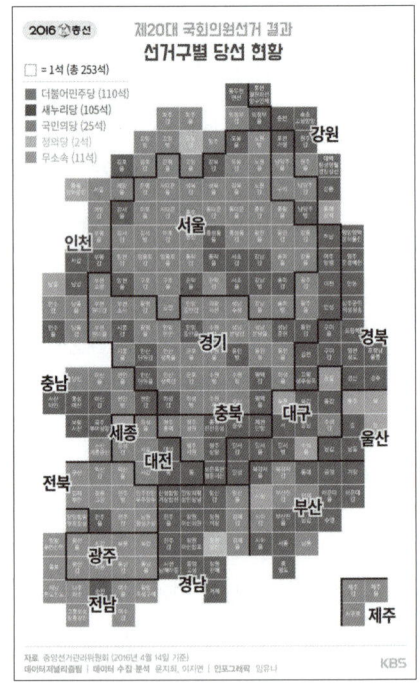

① Catogram
② Treemap
③ Heatmap
④ Chernoff Face

해설_ 카토그램은 실제 면적을 기반으로 작성되는 일반적인 지도와는 달리, 특정 통계 정보를 기반으로 작성된 지도를 뜻한다.

정답 12 ② 13 ①

14 공간시각화에 대한 설명 중 옳지 않은 것은?

① 도트 플롯맵(Dot Plot Map)는 지리적 좌표 위에 정량적인 데이터 값의 크기를 나타내는 서로 다른 크기의 원형을 표시하는 것이다.
② 등치선도는 등치지역도가 갖는 지리적 단위별로 인구밀도가 상이한 경우 데이터 왜곡을 줄 수 있는 결점을 극복하기 위해 색상의 농도를 활용하여 표현한 방법이다.
③ 카토그램은 의도적으로 지역의 크기를 왜곡하는 방법이다.
④ 등치지역도는 지도상에서 주나 도와 같은 지리적 단위로 데이터에 대한 의미를 색상으로 구분하여 표시하는 것이다.

해설_ 버블플롯맵에 대한 설명이다.

15 다음 중 인포그래픽에 대한 설명으로 옳지 않은 것은?

① 인포그래픽은 양적 정보디자인에 초점을 두고 있다.
② 인포그래픽이란 정보와 그래픽의 합성어이다.
③ 단순한 정보를 그래프화하여 나열하는 것이 아니라 수집한 정보를 분석하고 가공하여 스토리텔링과 디자인을 더한 데이터라고 할 수 있다.
④ 설득형 메시지를 담을 수 있다.

해설_ 인포그래픽은 양적 정보디자인에 초점을 맞추기보다는 다양한 정보를 종합해 정보 디자인의 정도에 따라 그래픽으로 전달하려는 경향이 강하다.

16 분석 모형 개발 후, 분석 결과 활용을 위한 프로세스를 가장 바르게 나열한 것은?

① 분석모형전개 → 분석결과 활용시나리오개발 → 분석모형 모니터링 → 분석모형 리모델링
② 분석모형 리모델링 → 분석결과 활용시나리오개발 → 분석모형 모니터링 → 분석모형 전개
③ 분석결과 활용시나리오개발 → 분석모형전개 → 분석모형 모니터링 → 분석모형 리모델링
④ 분석모형전개 → 분석모형 모니터링 → 분석 결과 활용시나리오개발 → 분석모형 리모델링

17 다음 중 데이터의 각 변수를 눈, 코, 입 등의 모양과 크기로 표현하는 비교시각화 방법을 무엇이라 하는가?

① Catogram
② Treemap
③ Heatmap
④ Chernoff Face

정답 14 ① 15 ① 16 ① 17 ④

예상문제

18 다변량 데이터에서 변수 간의 산점도들을 그린 그래프를 무엇이라 하는가?

① 산점도행렬 ② Treemap
③ Heatmap   ④ 플롯맵

해설_ 산점도행렬을 사용하면 여러 변수가 있을 때 모든 변수 간 산점도를 손쉽게 그릴 수 있고, 이를 들여다보면 변수 간 상관관계 등의 특징을 쉽게 찾을 수 있다.

19 주로 계층 구조를 가진 데이터를 시각화할 때 사용되며, 각 계층의 항목을 선으로 연결하여 전체 데이터의 구조를 시각적으로 파악할 수 있게 하는 시각화 도구는?

① 평행좌표
② 산점도
③ 스몰 멀티플즈
④ 선버스트 차트

20 다음 중 관계시각화 방법으로 옳지 않은 것은?

① 산점도
② 버블차트
③ 히스토그램
④ 누적막대그래프

해설_ 누적막대그래프는 분포시각화 도구이다.

21 아래 보기가 설명하는 비교시각화 방법을 무엇이라 하는가?

- X축과 Y축을 범주형 변수로 하고, 균일한 블록으로 나누어 각 칸에 수치형 변수를 채우는 방식으로 제작한다.
- 이때 수치나 빈도를 기준으로 색을 지정, 데이터 값이 높거나 그 양이 많은 경우 진한 색을, 낮거나 적은 경우 연한 색을 사용하여 시각적 패턴이 자연히 만들어지게 한다.

① Catogram
② Treemap
③ Heatmap
④ scatterplot

해설_ 히트맵에 대한 설명이다.

22 공간시각화 방법 중 지리적 단위를 기준으로 데이터의 의미를 색상으로 구분하여 표현하는 방법을 무엇이라 하는가?

① 카토그램
② 등치지역도
③ 등치선도
④ 히트맵

23 버블차트는 정보시각표현 중 어디에 해당되는가?

① 시간시각화
② 분포시각화
③ 관계시각화
④ 비교시각화

정답 18 ① 19 ④ 20 ④ 21 ③ 22 ② 23 ③

24 계단식 그래프는 시각화의 종류 중 어디에 해당되는가?

① 시간시각화
② 분포시각화
③ 관계시각화
④ 비교시각화

25 다음 중 탐색에 대한 설명 중 올바르지 않은 것은?

① 모든 데이터는 기본으로 하나 이상의 측정값(Measure)과 하나 이상의 차원(Dimension)을 가진다.
② 하나의 차원이 하나의 값으로 고정된 경우에는 차원이라고 하지 않는 경우도 있다.
③ 차원과 측정값의 구분은 분석의 형태에 따라 정해진 것이 아니라 데이터의 성격에 따라 달라질 수 있음을 명심해야 한다.
④ 동일한 데이터 항목이라도 차원이 될 수 있고 측정값이 될 수도 있다.

> 해설_ 차원과 측정값의 구분은 데이터의 성격에 따라 정해진 것이 아니라 분석 형태에 따라 달라질 수 있다.

26 시각화 인사이트 프로세스 중 연결고리 확인에 대한 설명 중 가장 적절하지 않은 것은?

① 연결고리는 시각화 도구로 살펴보는 패턴에서 찾아내는 것이다.
② 서로 다른 데이터의 명세서에 있는 항목들 중에서 공통으로 들어 있는 항목이 바로 공통요소이다.
③ 주의해야 할 점은 데이터의 항목명이라는 기준 대신에 해당 항목의 정의와 데이터형을 보고 찾아야 한다는 것이다. 이름은 달라도 같은 데이터형으로 되어 있고, 데이터가 기록된 규칙이 같다면 명확하게 공통 요소이다.
④ 같은 단위 및 형태를 갖는 데이터 항목은 어떤 식으로 연결 지을지 고민해 봐야 한다.

> 해설_ 연결고리는 데이터의 태생을 정리한 명세서에서 확인한다.

정답 24 ① 25 ③ 26 ①

예상문제

27 다음 중 분포시각화의 원그래프에 대한 설명 중 올바르지 않은 것은?

① 원그래프를 분석에 사용할 때 발생할 수 있는 문제점은, 크기가 비슷하지만 서로 인접해있지 않은 파이의 조각들을 제대로 비교하기 어렵다는 것이다.
② 원그래프는 데이터 시각화에 제한 부분이 있어 데이터 분석에 자주 사용하지는 않는다.
③ 원그래프를 사용하려면 구성요소를 제한하고 내용을 설명하기 위한 텍스트와 퍼센티지를 포함시키는 것을 권고한다.
④ 원그래프는 면적으로 값을 보여주며, 수치를 각도로 표시할 뿐 분포의 정도 총합을 100%로 표기할 필요는 없다.

28 도넛차트(Donut Chart)에 대한 설명으로 옳지 않은 것은?

① 도넛차트는 원그래프와 마찬가지로 수치를 각도로 표시한다.
② 원그래프와 달리 중심부를 잘라내 도넛 모양으로 보인다는 점이 다르다.
③ 도넛의 한 부분은 한 분류 또는 값을 나타낸다.
④ 원그래프와 마찬가지로 조각에 해당하는 수치는 조각의 면적으로 표시한다.

해설 원그래프와 도넛차트의 가장 큰 차이점은 도넛차트의 경우 중심의 구멍 때문에 조각에 해당되는 수치는 조각의 면적이 아닌 길이로 표시한다는 것이다.

29 시각화 인사이트 프로세스에 대한 설명 중 가장 적절하지 않은 것은?

① 새로운 대상에 대해 처음으로 무언가를 살펴볼 때에는 아무것도 모르는 것을 전제로 하고 밑바닥에서부터 다양한 가능성을 찾아보는 보텀업(Bottom Up) 방식을 택하는 것이 적절하다.
② 탐색과 분석 과정에서 데이터에 함몰되는 위험을 피하기 위해 데이터를 보는 범위와 각도를 다양하게 변화를 줄 필요가 있으며, 그 방법으로 잘라보기·달리보기와 내려다보기·올려다보기가 필요하다.
③ 데이터 크기와 관계없이 인사이트를 도출하기 위해서는 실시간 분석을 실시한다.
④ 지표를 운영할 때에는 지표의 장점과 단점에 대해 명확하게 이해하고 조정할 수 있는 사람이 전체적으로 지표를 운영하면서 인사이트의 발전과 효율성을 끌고 가는 것이 바람직하다.

해설 데이터 크기와 목적에 따라 실시간 또는 배치 형태로 선택할 수 있다.

정답 27 ④ 28 ④ 29 ③

30 다음 중 정보 시각화 분류에 해당하지 않는 것은?

① 비교 시각화
② 분포 시각화
③ 다중 변수 비교
④ 인터랙션

> **해설** 인터랙션은 정보시각표현에 해당한다.

31 다음 중 시각화 인사이트 프로세스에 대한 설명 중 올바르지 않은 것은?

① 관계탐색을 잘하려면 측정값을 바라보는 적절한 관점을 설정해야 한다.
② 시각화는 일단 눈으로 볼 수 있어야 해서 1차원 선형, 2차원 평면, 3차원 공간에서 표현되어야 한다.
③ 데이터 명세화에서 살펴본 차원과 측정값이 어떤 유형으로 돼 있는지를 살펴봐야 한다.
④ 3차원으로 보여준 시각화는 1, 2차원 데이터보다 인지적 오차가 적다.

> **해설** 3차원으로 보여준 데이터는 원근감으로 인해 인지적 오차가 생기는 문제점이 있다.

32 시각화의 기본원리에 대한 설명 중 가장 적절하지 않은 것은?

① 색은 인간의 인지를 고려할 때 사용 숫자를 제한할 필요가 있다. 이것은 인간이 가진 단기 메모리와 관련이 깊다.
② 보통 사람이 분명하게 구별할 수 있는 색상은 8가지이다.
③ 명도와 채도의 복합 개념이라 할 수 있는 톤은 선형적 단계를 표현하므로 평면에서 정보의 순서와 위계를 표현하는 데 활용할 수 있다.
④ 글자 크기는 정보의 중요성 및 위계 관계를 보여줄 수 없다.

> **해설** 글자 크기는 정보의 중요성 및 위계 관계를 보여줄 수 있다.

33 총소유비용의 약자로 구매비용과 자산 소유기간 동안의 운영비용을 모두 합친 금액을 의미하는 비즈니스 평가지표를 무엇이라 하는가?

① PP
② NPV
③ IRR
④ TCO

> **해설** TCO는 총소유비용을 의미. 데이터 스토리지의 경우, 조직은 IT 인프라를 구매, 설치, 실행 및 유지 관리하는 과정에서 발생하는 모든 비용을 평가해야 한다.
> • 총소유비용(TCO)에는 하드웨어 및 소프트웨어, 관리 및 실무, 스토리지 용량 및 컴퓨트 리소스 그리고 다운타임 중에 발생하는 모든 기회 비용이 포함될 수 있다.

정답 30 ④ 31 ④ 32 ④ 33 ④

예상문제

34 사업에 수반된 모든 비용과 편익을 기준년도의 현재가치(Present Value)로 할인하여 총 편익에서 총 비용을 제한 값으로 정의되는 비즈니스 평가지표를 무엇이라 하는가?

① PP　　② NPV
③ IRR　　④ TCO

35 분석결과 활용의 단계 중 운영상황에서 실제로 테스트해 분석과 운영 간 연계를 검증해볼 수 있고, 돌발 상황에서 문제없이 모델을 적용할 수 있는지 전체적인 흐름을 통합·시험하는 단계를 무엇이라 하는가?

① 분석모형 전개
② 분석모형 모니터링
③ 분석모형 리모델링
④ 분석모형 활용 시나리오 개발

36 분석결과 활용의 단계 중 최종사용자는 분석 결과의 인사이트를 확보하여 의사결정에 반영하게 되며 데이터 분석결과의 제안 가치를 업무에 반영되는 단계를 무엇이라 하는가?

① 분석모형 전개
② 분석모형 모니터링
③ 분석모형 리모델링
④ 분석모형 활용 시나리오 개발

37 분석모형 모니터링의 대상이 아닌 것은?

① 분석모델 관리
② 모델 성능 모니터링
③ 정기 또는 비정기적 학습 관리
④ 업무프로세스 변경

> 해설_ 보기 ④는 분석모형 리모델링 영역이다.

38 다음 빈 칸에 알맞은 분석결과 활용과 관련된 용어는?

> 한번 만든 모델이 영원히 동일한 성과를 낼 수 없다. 성능 모니터링이 지속적으로 돼야하고 일정 수준 이상으로 편차가 지속적으로 하락하는 경우 (ⓐ)을(를) 주기적으로 수행해야 한다.

① 분석모형 전개
② 분석모형 모니터링
③ 분석모형 리모델링
④ 분석모형 활용 시나리오 개발

정답　34 ②　35 ①　36 ④　37 ④　38 ③

39 분석모형 리모델링이 필요한 시점으로 적절하지 않은 것은?

① 고객에게 적용하는 경우 고객의 행동패턴이 변화할 때
② 서비스 품목이 추가되어 주제 영역 도출이 필요한 경우
③ 법규 및 제도의 변동으로 데이터 전처리 규칙이 변경된 경우
④ 일, 주 단위 리모델링 등으로 주기적 리모델링을 실시한다.

> 해설_ 주기적 리모델링은 분기, 반기, 연 단위로 수행한다. 일, 주단위 리모델링은 특수분야를 제외하고 바람직하지 않다.

40 다음 중 자본투자에 따른 순 효과율로 투자의 타당성을 평가하는 비즈니스 평가지표를 무엇이라 하는가?

① IRR
② NPV
③ PP
④ ROI

41 다음 중 분석모형 리모델링에 대한 설명 중 옳지 않은 것은?

① 최적화 모델링결과를 정기적으로 재평가해 결과에 따라 필요 시 분석 모형을 재조정해야 한다.
② 일반적으로 초기에는 모형 재조정을 자주 수행해야 한다.
③ 관리 대상 모델이 월 20개 이상이거나, 기타 업무와 병행해서 수행해야 하는 경우 가능하면 수작업으로 실시해야 한다.
④ 변화에 대응하기 위해 성과 모니터링을 지속적으로 하고, 일정수준 이상으로 편차가 지속적으로 하락하는 경우 리모델링을 주기적으로 수행한다.

> 해설_ 수작업이 아닌 업무 자동화 도구를 권고한다.

정답 39 ④　40 ④　41 ③

빅데이터분석기사 필기

기출문제 및 실전모의고사

빅데이터분석기사 필기 실전모의고사 1회
빅데이터분석기사 필기 실전모의고사 2회
8회 빅데이터 분석기사 필기 기출문제

실전모의고사 1회

1 과목   빅데이터 분석기획

01 다음 중 빅데이터의 특징으로 옳지 않은 것은?

① 빅데이터는 배치처리와 실시간처리 모두 가능하다.
② 정형 데이터의 비중이 높다.
③ 프로세싱의 복잡도가 높다.
④ 처리할 데이터의 양이 방대하다.

> **해설** 1980년대를 기점으로 비정형·반정형데이터가 폭발적으로 증가하였다. 전체 데이터의 80% 비정형데이터이다.

02 다음 중에서 빅데이터 7V 분류로 적합하지 않은 것은?

① Veracity
② Validity
③ Volatility
④ Voting

> **해설** 빅데이터는 원래 3V(Volume, Variety, Velocity)로 정의. 여기에 Veracity, Value가 추가되었고, Validity와 Volatility까지 추가하여 7V라 한다.

03 다음이 설명하는 NoSQL 데이터베이스 유형은?

- 데이터 간의 관계가 탐색의 키일 경우에 적합하다.
- 페이스북이나 트위터같은 소셜네트워크에(내친구의 친구를 찾는 질의 등) 적합하다.
- 연관된 데이터를 추천해주는 추천 엔진이나 패턴인식 등의 데이터베이스로도 적합하다.

① Key-Value Database
② Document Database
③ Wide Column Database
④ Graph Database

> **해설** NoSQL이란(Not Only SQL)의 약자로 말 그대로 RDB 형태의 관계형 데이터베이스가 아닌 다른 형태의 데이터 저장 기술을 의미한다.
> - 또한 NoSQL에서는 RDBMS와는 달리 테이블간 관계를 정의하지 않는다. 데이터 테이블은 그냥 하나의 테이블이며 테이블간의 관계를 정의하지 않아 일반적으로 테이블간 Join도 불가능하다.
> - NoSQL은 빅데이터의 등장으로 인해 데이터와 트래픽이 기하급수적으로 증가함에 따라 RDBMS의 단점인 성능을 향상시키기 위해서는 장비가 좋아야 하는 Scale-Up 비용을 기하급수적으로 증가시키기 때문에 데이터 일관성은 포기하되 비용을 고려하여 여러대의 데이터에 분산하여 저장하는 Scale-Out을 목표로 등장하였다.
> - 이 다양한 형태의 저장기술은 RDBMS 스키마에 맞추어 데이터를 관리해야 된다는 한계를 극복하고 수평적 확장성(Scale-Out)을 쉽게 할 수 있다는 장점을 가지고 있다.
> - NoSQL은 어떤 데이터 모델로 데이터를 저장하느냐에 따라 다음과 같이 네가지로 분류할 수 있다.
>   ① Key - Value Database
>   ② Document Database
>   ③ Wide Column Database
>   ④ Graph Database

정답   01 ②   02 ④   03 ④

04 데이터 사이언티스트의 요구역량 중 하드스킬에 해당하는 것은?

① 분석의 통찰력
② 커뮤니케이션 능력
③ 비주얼라이제이션
④ 분석기술의 숙련도

해설_ 소프트 스킬 : 통찰력 있는 분석 + 설득력 있는 전달 + 다분야간 협력을 의미한다.

05 다음 중 정형데이터 수집에 사용되는 기술이 해당되는 것은?

① Chukwa   ② Sqoop
③ Flume   ④ Scribe

해설_ 아파치 스쿱(Apache Sqoop)은 하둡(Hadoop)과 관계형 데이터베이스(RDB)간에 정형데이터를 전송할 수 있도록 설계된 도구이다.

06 하둡 작업을 관리하는 워크플로우 및 코디네이터 시스템을 무엇이라 하는가?

① Oozie   ② Java
③ Flume   ④ Sqoop

해설_ 우지(Oozie)는 하둡 작업을 관리하는 워크플로우 및 코디네이터이다.

07 개인정보처리자의 제3자 제공이 가능한 경우에 해당하지 않는 것은?

① 정보주체의 동의를 받는 경우
② 법률규정 또는 법령상 의무 준수
③ 급박한 생명 · 신체 · 재산상 이익
④ 공공기관 소관업무 수행시에는 목적범위 외에도 가능

해설_ 개인정보 수집의 목적 범위 내에서 가능하다.

08 다음 중 개인정보보호법에 규정한 민감정보가 아닌 것은?

① 정치적 견해에 관한 정보
② 건강 등에 관한 정보
③ 범죄경력자료
④ 여권번호

해설_ 여권번호 및 주민등록번호, 운전면허번호, 외국인등록번호는 고유식별정보이다. 민감정보와 달리 고유식별보호는 개인의 동의 여부와 관계없이 법령 등에 구체적으로 고유식별 처리 근거가 있어야 한다.

09 다음 중 데이터 거너번스 구성요소가 아닌 것은?

① 원칙   ② 활동
③ 조직   ④ 프로세스

정답 04 ④   05 ②   06 ①   07 ④   08 ④   09 ②

해설_ 데이터 거버넌스의 구성요소인 원칙(Principle), 조직(Organization), 프로세스(Process)는 유기적인 조합을 통하여 데이터를 비즈니스 목적에 부합하고, 최적의 정보 서비스를 제공할 수 있도록 효과적으로 관리한다.

10 하향식 접근 방식을 이용한 과제 발굴 절차로 옳은 것은?

① 문제정의 → 문제탐색 → 해결방안 탐색 → 타당성 검토
② 문제탐색 → 문제정의 → 타당성 검토 → 해결방안 탐색
③ 문제탐색 → 해결방안 탐색 → 문제정의 → 타당성 검토
④ 문제탐색 → 문제정의 → 해결방안 탐색 → 타당성 검토

해설_ 하향식 접근 방식은 문제가 먼저 주어지고 이에 대한 해법을 찾아가는 전통적 분석 과제 발굴 방식
- 하향식 접근 방식의 4단계 구성요소
  문제 탐색(Problem Discovery)
  문제 정의(Problem Definition
  해결방안 탐색(Solution Search)
  타당성 평가(Feasibility Study)

11 다음 중 분석기획단계에서 수행하는 내용이 아닌 것은?

① 프로젝트 위험계획 수립
② 비즈니스 이해 및 범위 결정
③ 프로젝트 정의의 명확화
④ 모델링

해설_ 모델링은 데이터 분석단계에서의 태스크이다.

12 SEMMA 분석 방법론의 분석 절차로 올바른 것은?

① 샘플링 → 탐색 → 수정 → 모델링 → 검증
② 샘플링 → 탐색 → 모델링 → 수정 → 검증
③ 탐색 → 샘플링 → 수정 → 모델링 → 검증
④ 탐색 → 샘플링 → 모델링 → 수정 → 검증

해설_ SEMMA는 Sampling Exploration Modification Modeling Assessment의 약자. Statistics 관점의 방법론으로 분석 솔루션 업체인 SAS사 주도로 만들어진 방법론 이다. 총 5단계로 구성되며, 샘플링, 데이터 탐색 / 전처리 등 통계 중심의 방법론이다.

13 아래 보기가 설명하는 비식별화 기술을 무엇이라 하는가?

김도현, 서울거주, 한국대 재학 재학 → 김 * *, 서울거주, 00대학 재학

① 가명처리 ② 총계처리
③ 데이터 삭제 ④ 데이터 마스킹

해설_ 데이터 마스킹(Data Masking)은 개인식별 정보에 대하여 전체 또는 부분적으로 대체값(공백, '*', 노이즈 등)으로 변환

정답 10 ④ 11 ④ 12 ① 13 ④

14 프라이버시 모델 중 분석대상 데이터 집합에서 준식별자 속성이 동일한 레코드가 적어도 K개 이상 존재하도록 하는 모델을 무엇이라 하는가?

① K-익명성   ② L-다양성
③ T-근접성   ④ T-고유성

해설_ K-익명성이란 공개된 데이터집합에서 나이, 거주지역과 같은 준식별자 속성값들이 동일한 레코드가 적어도 K개 존재해야 하는 것으로 정의

해설_ GFS 파일데이터의 기본단위는 Chunk(청크), HDFS는 Block(블록)이다. HDFS 파일은 지정한 크기의 블록으로 나누어지고, 각 블록은 독립적으로 저장된다.
- HDFS의 블록은 128MB와 같이 매우 큰 단위. 블록이 큰 이유는 탐색비용을 최소화할 수 있기 때문이다. 블록이 크면 하드디스크에서 블록의 시작점을 탐색하는데 걸리는 시간을 줄일 수 있고, 네트워크를 통해 데이터를 전송하는데 더 많은 시간을 할당할 수 있다. 따라서 여러 개의 블록으로 구성된 대용량 파일을 전송하는 시간은 디스크 IO 속도에 크게 영향을 받게 된다.

15 한 기업 내의 ERP(전사적자원관리), CRM(고객관계관리), SCP(공급망계획) 시스템이나 인트라넷 등의 시스템 간에 상호연동이 가능하도록 통합하는 솔루션을 무엇이라 하는가?

① EAI   ② CRM
③ SCM   ④ ERP

해설_ EAI는 비즈니스 프로세스를 중심으로 기업 내 각종 애플리케이션간의 상호연동이 가능하도록 통합하는 솔루션

16 HDFS에서 파일데이터는 기본단위로 나누어져 여러 데이터노드에 분산 저장된다. HDFS의 기본저장 단위로 적절한 것은?

① Chunk   ② Block
③ Node   ④ Memory

17 데이터 웨어하우스 환경에서 정의된 접근계층으로 데이터 웨어하우스에서 데이터를 꺼내 사용자에게 제공하는 역할을 하는 것으로 데이터 웨어하우스의 부분이며, 대개 특정한 조직 혹은 팀에서 사용하는 것을 목적으로 하는 것은?

① 크롤링
② 데이터 마트
③ 데이터 마이닝
④ 텍스트 마이닝

해설_ 데이터 마트(Data Mart, DM)는 데이터 웨어하우스(Data Warehouse, DW) 환경에서 정의된 접근계층으로, 데이터 웨어하우스에서 데이터를 꺼내 사용자에게 제공하는 역할을 한다. 데이터 마트는 데이터 웨어하우스의 부분이며, 대개 특정한 조직, 혹은 팀에서 사용하는 것을 목적으로 한다.

정답 14 ①   15 ①   16 ②   17 ②

실전모의고사 1회

18 분석 주제 유형 중 분석의 대상은 알고 있지만 분석 방법을 모르는 경우를 무엇이라 하는가?

① 최적화(Optimization)
② 통찰(Insight)
③ 솔루션(Solution)
④ 발견(Discovery)

> 해설_ 솔루션(Solution) : 분석 과제는 수행되고, 분석 방법을 알지 못하는 경우 솔루션을 찾는 방식으로 분석과제 수행

19 다음은 데이터 분석을 위한 조직구조에 관한 설명 중 올바르지 않은 것은?

① 집중형 조직구조는 조직 내에 별도의 독립적인 분석 전담조직이 구성하고, 회사의 모든 분석 업무를 전담 조직에서 담당한다.
② 집중형 조직구조는 일부 협업부서와 분석업무가 중복 또는 이원화될 가능성이 있다.
③ 기능중심의 조직구조는 별도로 분석조직을 구성하지 않고 각 해당 업무부서에서 직접 분석하는 형태이다.
④ 분산된 조직구조는 조직의 인력들을 협업부서에 배치가 되어 신속한 업무에는 적합하지 않다.

> 해설_ 분산구조는 신속한 업무에 적합하다.

20 분석 프로세스의 일반적인 특징 중 적절하지 않은 것은?

① 분석 프로젝트는 다른 프로젝트 유형과는 다르며 추가적인 관리사항이 필요없다.
② 분석과제 주요특성으로 Data Size, Data Complexity, Speed, Analytic Complexity, Accuracy & Precision 등이 있다.
③ 분석 프로젝트는 도출된 결과의 재해석을 통한 지속적인 반복 및 정교화가 수행되기도 한다.
④ 분석 프로젝트의 경우에는 관리영역에서 일반 프로젝트와 다르게 유의해야 할 요소가 존재한다.

> 해설_ 분석 프로젝트는 다른 프로젝트 유형처럼 범위, 일정, 품질, 리스크, 의사소통 등 영역별관리가 수행되어야 할 뿐 아니라 다양한 데이터에 기반한 분석기법을 적용하는 특성 때문에 5가지 주요속성(Data Size, Data Complexity, Speed, Accuracy, Precision, Analytic Complexity)을 고려한 추가적인 관리가 필요하다.

정답 18 ③ 19 ④ 20 ①

2 과목　빅데이터 탐색

21 X1, X2, X3라는 특성이 있다고 가정할 때, X2의 결측치가 X1, X2, X3 열의 다른 값들과 아무런 상관관계가 없을 경우의 결측치를 무엇이라 하는가?

① MCAR　　② MAR
③ NMAR　　④ CAR

> **해설_** 변수 상에서 발생한 결측치가 다른 변수들과 아무런 상관이 없는 경우 완전무작위 결측이라고 부른다. 결측치에 대한 충분한 해석이 이루어졌다면, 해당 특성을 삭제할 것인지, 새로운 특성으로 변환할 것인지, 기존 특성을 유지하면서 결측치를 치환할 것인지 판단해야 한다.

22 결측값을 채우거나, 잡음값(Noise) 완화, 이상값(Outlier)을 발견하여 이를 제거하고 불일치를 해결하는 등의 과정을 통해 데이터 자체에 대한 신뢰도를 높이는 전처리 작업을 무엇이라 하는가?

① 데이터 정제
② 데이터 통합
③ 데이터 삭제
④ 데이터 변환

> **해설_** 데이터 정제작업을 통해서 분석결과의 신뢰도를 높일수 있다.

23 현재 진행 중인 데이터에서 비슷한 성향을 가진 응답자의 자료로 대체하는 단순확률대치법을 무엇이라 하는가?

① Mean Imputation
② Cold Deck
③ Nearest-Neighbour
④ Hot-Deck

> **해설_** 단순확률 대치법의 종류
> • 핫덱법(Hot-Deck Method) : 현재 진행 중인 데이터에서 비슷한 성향을 가진 응답자의 자료로 대체
> • 콜드덱대체(Cold Deck Imputation) : 기존에 실시한 조사나 유사조사에서의 항목 응답값을 대체값으로 사용하는 방법
> • Nearest-Neighbour Method : 결측값이 있는 경우 그 결측값 이전의 응답을 대체값으로 사용

24 다른 중 이상치의 원인 중 성격이 다른 것은?

① Data Entry Error
② Measurement Error
③ Natural Outlier
④ Intentional Error

> **해설_** 이상치의 원인은 자연적 이상치(Natural Outlier)와 비자연적 이상치(Non-Natural Outlier) 범주로 분류한다. 보기 ③만 자연적 이상치이다.

정답　21 ①　22 ①　23 ④　24 ③

실전모의고사 1회

25 특정 모델링 기법을 선택하는 것이 아니라 통계적인 측정방법을 이용하여 피쳐간의 적합성을 고려하고, 이 통계적 기법을 활용하여 피쳐를 선택하는 변수방법을 무엇이라 하는가?

① 래퍼방법(Wrapper Method)
② 필터 방법(Filter Method)
③ 임베디드 메소드(Embedded Method)
④ 단계적 선택법 (Stepwise Selection)

> **해설** 필터방법은 사전적 의미처럼 특정 모델링 기법을 선택하는 것이 아니라 통계적인 측정방법을 이용하여 피쳐간의 적합성을 고려하고, 이 통계적 기법을 활용하여 피쳐를 선택하는 방법을 의미한다.

26 기존 변수에 특정 조건 혹은 함수 등을 사용하여 새롭게 재정의한 변수는?

① 설명 변수   ② 파생 변수
③ 반응 변수   ④ 표적 변수

> **해설** 파생변수는 기존 변수에 특정 조건 혹은 함수 등을 사용하여 새롭게 재정의한 변수를 의미한다.

27 다음 중 차원축소(Dimensionality Reduction)에 관한 설명 중 옳지 않은 것은?

① 차원이 커질수록 모델은 정교해지지만 복잡해진다.
② 모델이 복잡해지면 새로운 데이터에 대한 오차가 커지는 문제점이 발생한다. 즉 일반화 성능이 저하된다.
③ 더 적은 자원으로 동일한 목적을 달성할 수 있는 모델이 효율적이라 할 수 있다.
④ 차원이 클수록 정교한 해석이 가능해지고 이해가 쉬워진다.

> **해설** 차원이 큰 모델들은 복잡해서 모델의 내부구조를 이해하기 어렵다. 즉 모델이 내놓은 결과를 사람이 이해할 수 있도록 표현하는 것이 어려워지게 된다.

28 다음 중 변수변환에 방법에 대한 설명 중 올바르게 연결된 것은?

> Ⓐ 데이터를 정규화, 표준화로 변환하여 데이터를 특정 구간으로 변환하는 기법
> Ⓑ 범주형 변수를 연속형 변수로 변환하는 기법
> Ⓒ 주어진 연속형 변수를 범주형 또는 순위형 변수로 변환하는 것이다.

① Ⓐ Scaling Ⓑ Dummy Variable Ⓒ Bining
② Ⓐ Scaling Ⓑ Bining Ⓒ Dummy Variable
③ Ⓐ Box - Cox Ⓑ Dummy Variable Ⓒ Bining
④ Ⓐ Scaling Ⓑ Dummy Variable Ⓒ Box - Cox

> **해설**
> Ⓐ 각 특성값이 특정 범위안에 들어오게 하는 전처리
> Ⓑ 더미변수에 속하면 1 아니면 0의 값을 가진다.
> Ⓒ 변수 구간화(Bining)는 변수변환의 방법 중 하나로 주어진 연속형 변수를 범주형 또는 순위형 변수로 변환하는 것이다.

정답 25 ② 26 ② 27 ④ 28 ①

29 k-NN(k-Nearest Neighbors) 알고리즘을 활용하여 소수 클래스 샘플에서 이웃을 찾고, 그 사이에 속하게 될 새로운 샘플을 합성하는 방법을 이용하는 오버샘플링(Over-Sampling)을 무엇이라 하는가?

① ENN　　② SMOTE
③ CNN　　④ OSS

> 해설_ SMOTE는 소수클래스의 데이터 하나를 찾고 해당 데이터와 가까운 K개의 데이터를 찾은 후 주변값을 기준으로 새로운 데이터를 생성한다.

30 임베디드 메소드(Embedded Method) 중 회귀계수들의 절댓값의 합이 특정값 이하이도록 제약하는 회귀모형을 무엇이라 하는가?

① Ridge　　② Lasso
③ Elastic Net　　④ 능형회귀

> 해설_ Lasso 회귀모형 : 회귀계수들의 절댓값의 합이 특정값 이하가 되도록 제약한다.

31 탐색적 데이터 분석의 4가지 특성 중 데이터의 일부가 파손되었을 때 영향을 적게 받는 특성을 무엇이라 하는가?

① 저항성　　② 잔차
③ 자료 재표현　　④ 현시성

> 해설_ 저항성은 데이터 일부가 파손되었을 때 영향을 적게 받는 성질이다.

32 공분산에 대한 설명 중 옳지 않은 것은?

① 공분산이란 동시에 2개의 변수값들을 갖는 개별 관측치들이 각 변수의 평균으로부터 어느 정도 산포되어 있는가를 나타내는 지표이다.
② 피어슨 상관계수와 달리 비선형관계의 연관성을 파악할 수 있다는 장점이 있다.
③ 공분산이 0이라면 두 변수간에는 아무런 선형관계가 없으며 두 변수는 서로 독립적인 관계에 있음을 알 수 있다.
④ 두 변수가 독립적이라면 공분산은 0이 되지만, 공분산이 0이라면 항상 독립적이다.

> 해설_ 공분산이 0이라는 것은 선형적으로 관계가 없다는 의미. 즉, 비선형적으로 관계가 있는 경우도 공분산이 0일 수 있다. 따라서 두 변수가 독립적이라면 공분산은 0이 되지만, 공분산이 0이라고 해서 항상 독립적이지 않다.

33 측정 대상의 서열관계를 관측하는 척도로 만족도, 선호도, 학년, 신용등급에 사용되는 척도는 무엇인가?

① 명목척도
② 순서척도
③ 등간척도
④ 비율척도

정답 29 ②　30 ②　31 ①　32 ④　33 ②

34 상자 그림(Box Plot)에 대한 설명 중 옳지 않은 것은?

① 상자 안의 중심선은 데이터의 중앙값을 나타낸다.
② 상자 그림과 히스토그램은 데이터의 형태를 보여준다. 두 가지 모두 비정상 점, 즉 이상치를 식별하는 데 사용할 수 있다.
③ 상자그림은 다섯 수치 요약을 보여준다. 그 중에는 최솟값, 제1사분위수, 중앙값, 제3사분위수, 최댓값이 포함된다.
④ 자료의 도수(Frequency)까지 파악이 가능하다.

> 해설_ 상자그림은 자료의 도수까지 확인할 수 없다. 상자그림은 중심 및 산포, 치우친 데이터분포의 확인, 이상값, 범주형 자료의 산포비교 등에 활용된다.

35 사회연결망분석에서 네트워크 내에서 한 노드가 담당하는 매개자 혹은 중재자 역할의 정도로 중심성을 측정하는 방법을 무엇이라 하는가?

① 연결정도 중심성(Degree Centrality)
② 매개 중심성(Betweenness Centrality)
③ 근접 중심성(Closeness Centrality)
④ 위세 중심성(Eigenvector Centrality)

> 해설_ 네트워크 내에서 한 노드가 담당하는 매개자 혹은 중재자 역할의 정도로 중심성을 측정하는 방법이다. 예를들어 브로커는 매개 중심성이 높다고 할 수 있다. 매개 중심성은 각 네트워크간 비교를 위해 상대적 매개 중심성이 사용된다.

36 계통추출법이란 모집단으로부터 첫번째 추출단위를 임의추출하고, 두번째 추출단위부터는 일정한 간격으로 표본을 추출하는 방법을 무엇이라 하는가?

① 군집추출
② 계통추출
③ 층화추출
④ 단순무작위추출

> 해설_ 계통추출법는 모집단이 고르게 분산돼있지 않을 때, 즉 특정한 주기성을 가지고 있다면 모집단의 대표성이 편향될 가능성이 높다.

37 모분산이 알려져 있는 정규모집단의 모평균에 대한 구간 추정을 하는 경우, 표본의 수를 4배로 늘리면 신뢰구간의 길이는 어떻게 변하는가?

① 신뢰구간의 길이는 표본의 수와 관계없다.
② 2배로 늘어난다.
③ $\frac{1}{2}$로 줄어든다.
④ $\frac{1}{4}$로 줄어든다.

> 해설_ 표본의 수가 n이면 신뢰구간의 길이는 $\frac{1}{\sqrt{n}}$로 줄어든다. 표본의 수를 4배로 하면 신뢰구간의 길이는 1 / 2 감소한다.

38 다음 중에서 점 추정(Point Estimation)의 조건에 대한 설명으로 올바르지 않은 것은?

① 불편성((Unbiasedness) : 가능한 추정치의 평균이 모수의 참값과 같아야 하는 것이다.

정답 34 ④ 35 ② 36 ② 37 ③ 38 ②

② 효율성(Efficiency) : 추정량의 분산은 클수록 좋다.
③ 일치성(Consistency) : 표본의 크기가 아주 커지면, 추정량이 모수와 거의 같아진다.
④ 충족성(Sufficient) : 추정량은 모수에 대한 모든 정보를 제공한다.

해설_ 효율추정량이란 불편추정량 중에서 그의 분산이 작은 추정량을 말한다.

② 거짓인 귀무가설을 채택할 확률이다.
③ 귀무가설이 참임에도 불구하고 이를 기각시킬 확률이다.
④ 대립가설이 참일 때 귀무가설을 기각시킬 확률이다.

해설_ 귀무가설이 거짓일 때, 즉 대립가설이 참일 때 귀무가설을 기각하는 옳은 결정의 확률을 검정력이라 한다.

39 통계조사시 한가구를 조사하는 데 소요되는 시간을 측정하기 위하여 64가구를 임의추출하여 조사한 결과 평균소요시간이 30분, 표준편차 5분이었다. 한 가구를 조사하는 데 소요되는 평균시간에 대한 95%의 신뢰구간 하한과 상한은 각각 얼마인가? (단, $Z_{0.025} = 1.96$, $Z_{0.05} = 1.645$)

① 28.8, 31.2 ② 28.4, 31.6
③ 29.0, 31.0 ④ 28.5, 31.5

해설_ 모분산을 알고 있는 경우 모평균의 신뢰구간은 $\overline{X} - Z_{a/2}\frac{\sigma}{\sqrt{n}} \leq \mu \leq \overline{X} + Z_{a/2}\frac{\sigma}{\sqrt{n}}$ 이다.
$\overline{X} = 30, \sigma = 5, n = 64, 95\%$ 신뢰수준이므로
$\sigma = 0.05, Z_{a/2} = 1.96$
$30 - 1.96\frac{5}{\sqrt{64}} \leq \mu \leq 30 + 1.96\frac{5}{\sqrt{64}}$
$28.775 \leq \mu \leq 31.225$

41 A회사에서 생산하고 있는 전구의 수명시간은 평균이 $\mu = 800$(시간)이고, 표준편차가 $\sigma = 40$(시간)이라고 한다. 무작위로 이 회사에서 생산된 전구 64개를 조사하였을 때 표본의 평균수명시간이 790.2시간 미만일 확률은 약 얼마인가? (단, $Z_{0.005} = 2.58$, $Z_{0.025} = 1.96$, $Z_{0.05} = 1.45$)

① 0.01 ② 0.025
③ 0.05 ④ 0.10

해설_ 모집단분포가 정규분포 $N(\mu, \sigma^2)$을 따를 때, 표본평균의 분포는 정규분포 $N(\mu, \frac{\sigma^2}{n})$을 따른다. 주어진 모집단은 정규분포를 따르므로 표본평균은 정규분포 $N(800, \frac{40^2}{64})$를 따르며, 표준화공식에 의해
$P(\overline{X} < 790.2) = P(\frac{\overline{X} - \mu}{\sigma/\sqrt{n}} < \frac{790.2 - 800}{400/\sqrt{64}})$
$= P(Z < -\frac{9.8}{5} = 1.96)$이다.
$P(Z < -1.96) = P(Z > 1.96)$이고 $Z_{0.025} = 1.96$이므로 확률은 0.025이다.

40 검정력(Power)에 대한 설명으로 옳은 것은?
① 참인 귀무가설을 채택할 확률이다.

정답 39 ① 40 ④ 41 ②

3 과목 빅데이터 모델링

42 다음 중 지도학습에 해당하지 않는 것은?

① SOM
② 로지스틱 회귀
③ 인공신경망
④ 판별분석

> 해설_ 자기조직화지도(Self - Organizing Map, SOM)는 대뇌피질의 시각피질 학습과정을 모델화한 인공신경망으로써 비지도 학습에 의한 클러스터링을 수행하는 알고리즘이다.

43 데이터 분석 모형을 정의할 때 데이터 분석을 통해 얻어지는 값이 아니라 사용자가 직접 설정해 주는 값을 무엇이라 하는가?

① Parameter
② Hyper Parameter
③ Bias
④ Variance

> 해설_ 하이퍼 파라미터는 모델링할 때 사용자가 직접 조정해주는 값을 뜻한다. 특히 인공신경망의 경우 분석자가 조정해야 할 하이퍼 파라미터가 많이 존재한다. 분석자는 하이퍼 파라미터를 직접 셋팅하여 최적의 모델 성능을 선택하게 된다.

44 목표값이 충분히 표시된 훈련데이터를 사용하는 지도 학습과 목표값이 표시되지 않은 훈련데이터를 사용하는 머신러닝의 학습을 무엇이라 하는가?

① Supervised Learning
② Unsupervised Learning
③ Reinforcement Learning
④ Semi-Supervised Learning

> 해설_ 준지도 학습은 기계학습(Machine Learning)의 한 범주로 목표값이 표시된 데이터와 표시되지 않은 데이터를 모두 훈련에 사용하는 것을 말한다.

45 다음 중 분석모형 구축절차 중 모델링단계로 올바른 것은?

① 모델링 마트 설계 및 구축 → 탐색적 분석과 유의 변수 도출 → 모델링 → 모델링 성능 평가
② 모델링 마트 설계 및 구축 → 모델링 → 탐색적 분석과 유의 변수 도출 → 모델링 성능 평가
③ 모델링 → 모델링 마트 설계 및 구축 → 탐색적 분석과 유의 변수 도출 → 모델링 성능 평가
④ 탐색적 분석과 유의 변수 도출 → 모델링 마트 설계 및 구축 → 모델링 → 모델링 성능 평가

> 해설_ 모델링은 요건정의에 따라 상세분석기법을 적용해 모델을 개발하는 과정이다. 모델링 마트 설계와 구축 → 탐색적 분석과 유의변수 도출 → 모델링 → 모델링 성능평가

정답 42 ① 43 ② 44 ④ 45 ①

46 데이터 분할에 대한 설명으로 옳지 않은 것은?

① 과적합을 방지하고 일반화성능을 향상시키기 위한 목적으로 데이터 분할을 실시한다.
② 일반적으로 학습데이터, 검증데이터, 테스트 데이터로 구분한다.
③ 테스트 데이터는 구축된 모형의 과대추정 또는 과소추정을 미세조정 즉 모델의 하이퍼 파라미터를 조정할 때 사용한다.
④ 학습데이터는 모델을 학습하기 위해 사용한다.

해설_ Validation Data는 구축된 모형의 과대추정 또는 과소추정을 미세조정 즉 모델의 하이퍼 파라미터를 조정할 때 사용하는 데이터 셋을 의미한다.

47 주어진 자료에서 단순 랜덤 복원추출 방법을 활용하여 동일한 크기의 표본을 여러개 생성하는 복원추출법을 무엇이라 하는가?

① Bootstrap
② K-Fold Cross Validation
③ Hold-Out
④ Dropout

해설_ 붓스트랩은 주어진 자료에서 단순 랜덤 복원추출 방법을 활용하여 동일한 표본의 크기의 표본을 여러개 생성하는 복원추출법이다.

48 다음 중 회귀모형의 오차항의 가정으로 옳지 않은 것은?

① 선형성   ② 독립성
③ 등분산성 ④ 정상성

해설_ 오차항의 독립성(Independence of Errors)
만약 데이터가 명확한 패턴을 띈다면, 이는 오차들이 서로 영향을 주는 것을 의미한다고도 할 수 있다. 만약에 오차가 무작위로 분포되어 있지 않는다면, 예측이 정확하지 않기 때문에 회귀분석을 진행할 수 없다.
• 오차항의 등분산성(Homoscedasticity)
오차의 등분산성은 데이터가 회귀선 주위로 부채꼴이 아니라 동일한 범위 내에서 분포해야한다는 것이다. 오차항의 정규성가정은 모든 x 값에 대해서 데이터가 회귀선을 기준으로 정규분포를 따르게 분포되어야 한다는 것이다. 즉, 회귀선을 기준으로 그 주위에 더 많은 데이터가 있고, 이상치가 없이 균일하게 퍼져있어야 한다.

49 로지스틱 회귀모형에서 설명변수가 한개인 경우 해당 회귀계수의 부호가 0보다 작을 때 표현되는 그래프의 모양은?

① 종 모양
② S자 모형
③ 역 S자 모형
④ U자 모형

정답 46 ③ 47 ① 48 ④ 49 ③

해설_ 회귀계수가 양수일때 S그래프(하단) 음수일 때 우하향 곡선으로 역 S그래프를 나타낸다.

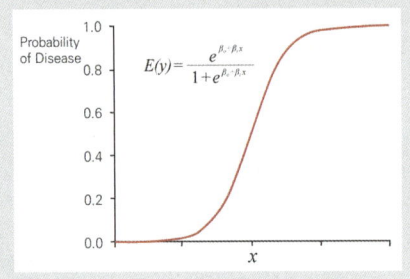

해설_ 은닉층이 많은 다층 퍼셉트론에서, 은닉층을 많이 거칠수록 전달되는 오차가 크게 줄어들어 학습되지 않는 현상이 발생하는데, 이를 기울기 소멸 문제라고 한다.
- 기울기가 거의 0으로 소멸되어 버리면 네트워크의 학습은 매우 느려지고, 학습이 다 이루어지지 않은 상태에서 멈추게 되면 신경망은 효과적인 학습을 할 수 없게 된다.
- 이것을 기울기 소실문제라고 한다.

50 다음 중 의사결정나무가 연속형일 경우 목표변수의 분류기준으로 옳은 것은?

① ANOVA F-통계량, 지니지수
② ANOVA F-통계량, 분산감소량
③ 엔트로피 지수, 지니지수
④ 카이제곱 통계량, 엔트로피 지수

해설_ 목표변수가 연속형인 회귀나무의 경우에는 분류(기준)변수와 분류기준값의 선택방법으로는 F통계량의 p값, 분산의 감소량 등이 사용된다.

51 인공신경망에서 은닉층이 많은 다층 퍼셉트론에서, 은닉층을 많이 거칠수록 전달되는 오차가 크게 줄어들어 학습이 되지 않는 현상이 발생하는데 이 문제는 무엇인가?

① 경사하강법(Gradient Method) 소실문제
② 활성함수(Activation Function) 소실문제
③ 기울기(Vanishing Gradient) 소실문제
④ 손실함수(Cost Function) 소실문제

52 다음 중 SVM과 더불어 대표적 분류모델로써 기존 데이터 사이의 거리를 측정해서 이웃들을 뽑기 때문에 게으른 모델(Lazy Model) 또는 사례기반학습(Instance-Based Learning)으로 불리는 모형은 무엇인가?

① Apriori
② K-NN(K-Nearest Neighbors)
③ K-Means
④ 베이지안 네트워크

해설_ K-NN 분류모형은 새로운 데이터에 대해 이와 가장 유사한(거리) K-개의 과거자료의 결과를 이용하여 다수결로 분류한다. 새로운 데이터가 들어왔을 때, 기존 데이터 사이의 거리를 측정해서 이웃들을 뽑기 때문에 게으른 모델(Lazy Model) 또는 사례기반학습(Instance-Based Learning)이라 한다.

정답 50 ② 51 ③ 52 ②

53 연관 규칙의 측정지표로써 전체 거래 중 항목 A와 B를 동시에 포함하는 거래의 비율을 평가하는 지표는?

① 정확도 ② 지지도
③ 신뢰도 ④ 향상도

> 해설_ 연관규칙(Association Rule)이란 항목들간의 '조건 - 결과'식으로 표현되는 유용한 패턴을 말한다. 이러한 패턴, 규칙을 발견해내는 것을 연관분석(Association Analysis)이라 하며 지지도(Support)는 전체 거래 중 항목 A와 B를 동시에 포함하는 거래의 비율을 의미한다.

54 계층적군집의 거리측정 방법 중 사슬모양으로 생길 수 있으며, 고립된 군집을 찾는 데 중점을 둔 방법을 무엇이라 하는가?

① 단일연결법 ② 완전연결법
③ 평균연결법 ④ 중심연결법

> 해설_ 단일연결법 또는 최단연결법은 한 군집의 점과 다른 군집의 점 사이의 가장 짧은 거리이다. 또한 최단연결로 인해 두 개의 군집이 하나의 사슬모양으로 생길 수 있으며, 고립된 군집을 찾는 데 중점을 둔 방법이다.

55 고차원의 데이터를 이해하기 쉬운 저차원의 뉴런으로 정렬하여 지도의 형태로 형상화한 비지도 신경망을 나타내는 것은?

① EM 알고리즘 ② K-평균 군집
③ 계층적 군집 ④ SOM

> 해설_ SOM 또는 SOFM(Self-Organising Feature Map)은 인공신경망(ANN, Artificial Neural Network)의 한 종류로서 기본 개념은 1980년대 핀란드 교수인 Teuvo Kohonen이 제안한 Kohonen Network에 근간을 두고 있다.

56 다차원 척도법에서는 스트레스 값을 이용하여 관측 대상들의 적합도 수준을 파악하는데 적합도 수준이 완벽하다고 판단되는 스트레스 값은 얼마인가?

① 0 ② 0.01
③ 0.1 ④ 0.15

> 해설_ 스트레스 값은 0과 1 사이의 값을 취하며, 0으로 작아질수록 적합된 모형이 적절하다고 판단한다.

57 현 시점의 자료가 p시점 전의 유한개의 과거자료로 설명될 수 있다는 시계열모형을 무엇이라 하는가?

① 자기회귀 모형
② 이동평균 모형
③ 자기회귀누적 이동평균모형
④ 분해시계열 모형

> 해설_ 자기회귀모형을 사용하는 목적은 현시점에서 몇 번째 전 자료까지의 영향을 주는 알아내는데 있다. 현 시점의 시계열 자료에 과거 1시점 이전의 자료만 영향을 준다면, 이를 1차 자기회귀 모형이라고 하며 AR(1)모형이라 한다.

정답 53 ② 54 ① 55 ④ 56 ① 57 ①

실전모의고사 1회

58 연산을 통해 이미지로부터 필요한 특징을 스스로 학습할 수 있는 능력을 갖춘 신경망을 무엇이라 하는가?

① ANN ② CNN
③ DNN ④ RNN

해설_ CNN은 합성곱 연산을 통해 이미지로부터 필요한 특징을 스스로 학습할 수 있는 신경망이다.

59 합성곱 신경망(CNN)에서 일정영역의 정보를 최대 값으로 축약하는 계층을 무엇이라 하는가?

① Max Pooling ② Padding
③ Stride ④ Flatten

해설_ 일정영역의 정보를 최대값으로 축약하는 계층을 Max Pooling이라 한다.

60 아래 합성곱 신경망(CNN)의 연산값은?

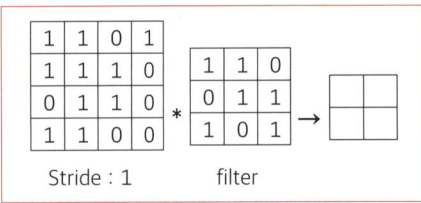

① | 5 | 3 |
  | 5 | 4 |

② | 5 | 3 |
  | 5 | 3 |

③ | 5 | 2 |
  | 5 | 2 |

④ | 5 | 4 |
  | 5 | 3 |

해설_ Stride는 입력데이터에 필터를 적용할 때 이동할 간격을 의미한다.

61 다음 중 비모수 통계의 특징으로 옳지 않은 것은?

① 비모수검정은 관측값이 어느 특정한 확률분포를 따른다고 전제할 수 없는 경우에 실시하는 검정 방법이다.
② 비모수적 통계량 계산은 단순하며, 단순반복작업이 필요없다.
③ 일반적으로 케이스의 수가 30개 이상이면 "중심극한정리"에 의해서 정규분포를 따른다는 전제하에 모수 검정을 적용한다.
④ 케이스의 수가 적거나 정확한 정규분포를 검정하기 위해서는 정규성 검정을 수행한다.

해설_ 비모수적 통계량 계산은 단순하기는 하나 단순 반복작업이 요구된다.

62 배깅의 과정과 유사하나 붓스트랩 표본을 구성하는 Sampling 과정에서 각 자료에 동일한 확률을 부여하는 것이 아니라, 분류가 잘못된 데이터에 더 큰 가중치를 주어 표본을 추출하는 앙상블 모형은?

① 배깅 ② 부스팅
③ 바이어스 ④ 랜덤 포레스트

해설_ 배깅과 다른점은 분류가 잘못된 데이터에 가중치(Weight)를 주어 표본을 추출한다는 점이며 그외에는 동일하다.

정답 58 ② 59 ① 60 ① 61 ② 62 ②

4 과목   빅데이터 결과 해석

63 다음 혼동행렬을 참고하여 재현율(Recall)의 값은?

		실제값	
		Y	N
예측값	Y	TP	FP
	N	FN	TN

① $\dfrac{TP}{TP+FN}$ ② $\dfrac{TP}{TP+FP}$

③ $\dfrac{TN}{TN+FP}$ ④ $\dfrac{FP}{TP+FP}$

> **해설** 재현율은 실제값이 Positive인 대상 중에 예측값과 실제값이 Positive로 일치하는 데이터의 비율을 뜻하며 민감도(Sensitivity) 또는 TPR(True Positive Rate)라고도 불린다. 재현율이 중요지표인 경우는 암판단 모델이나 금융 사기적발 모델과 같이 실제 Positive 양성 데이터를 Negative로 잘못 판단하게 되면 업무상 큰 영향이 발생하는 경우이다. 따라서 보통 재현율이 정밀도보다 상대적으로 중요한 업무가 많지만, 스팸메일 여부를 판단하는 모델과 같은 경우는 정밀도가 더 중요한 지표이다.
> - 재현율과 정밀도는 둘다 TP를 높이는데 초점을 맞추고 있는 점이 같지만, 재현율은 FN을 낮추는데, 정밀도는 FP를 낮추는 데 초점을 맞춘다는 점이 다르다. 이 특성때문에 재현율과 정밀도는 서로 보완적인 지표로 분류 모델의 성능을 평가하는데 적용되며, 둘 다 높은 수치를 얻는 것이 가장 좋은 성능을 의미한다. 반면 둘 중 어느 한 평가 지표만 매우 높고, 다른 하나는 매우 낮은 결과를 보이는 것은 바람직하지 않다.

64 머신러닝 영역에서는 비용함수(Cost Function)에서 주로 사용되는 회귀모형의 평가지표는?

① 평균절대오차(MAE, Mean Absolute Error)
② 평균제곱근오차(RMSE, Root Mean Squared Error)
③ 평균제곱오차(MSE, Mean Squared Error)
④ 평균절대 백분율오차(MAPE, Mean Absolute Percentage Error)

> **해설** 평균제곱오차는 머신러닝뿐만 아니라 영상 처리 영역에서도 자주 사용되는 추정값에 대한 정확성 측정 방법이다.

65 ROC 곡선에 설명 중 가장 적절하지 않은 것은?

① ROC 그래프의 x축에는 FP Ratio(1-특이도), y축에는 민감도를 나타내어 이 두 평가 값의 관계로 모형을 평가한다.
② y축의 민감도의 다른 용어로 TPR(참긍정율), x축인 1-특이도는 FPR(거짓긍정율)이며 이 둘은 서로 반비례 관계에 있다.
③ 모형의 성과를 평가하는 기준은 ROC 그래프의 밑부분 면적(Area Under the ROCcurve, AUC)이 넓을수록 좋은 모형으로 평가한다.
④ 가장 이상적으로 완벽한 분류의 모형의 경우 x축은 1, y축은 0의 값을 보여 AUC가 1로 도출된다.

> **해설** 가장 이상적으로 완벽한 분류의 모형의 경우 x축은 0, y축은 1의 값을 보여 AUC가 1로 도출된다.

정답   63 ①   64 ③   65 ④

실전모의고사 1회

66 랜덤모델과 비교하여 해당 모델의 성과가 얼마나 향상되었는지를 각 등급별로 파악하는 성과 측정 지표를 무엇이라 하는가?

① 향상도곡선(Lift Curve)
② 이익도표(Gain Chart)
③ ROC Curve
④ 민감도(Sensitivity)

> 해설_ 향상도곡선(Lift Curve)은 랜덤모델과 비교하여 해당 모델의 성과가 얼마나 향상되었는지를 각 등급별로 파악하는 그래프이다.

67 다음 중 정규성 검정에 대한 설명 중 옳지 않은 것은?

① 샤피로 - 윌크 검정은 귀무가설은 'H0 : 정규분포를 따른다'는 것으로 p - value가 0.05보다 크면 정규성을 가정하게 된다.
② Anderson - Darling 통계량은 일반적으로 분포가 데이터에 더 적합할수록 AD 통계량이 더 작다.
③ Q - Q plot은 대각선 참조선을 따라서 값들이 분포하게 되면 정규성을 만족한다고 할 수 있다. 만약 한쪽으로 치우치는 모습이라면 정규성 가정에 위배되었다고 볼 수 있다.
④ 더빈 왓슨 검정의 통계량이 2가 되면 정규성을 만족한다고 한다.

> 해설_ 더빈 왓슨 검정은 오차항에 대한 자기 상관이 없는지를 판단하기 위한 검정방법이다.

68 데이터분석모형 구축시 발생하는 오류 중 주어진 데이터 집합에 부차적인 특성과 잡음이 있다는 것을 고려하여 그것의 특성을 덜 반영하도록 분석모형을 만들어 가는 오류를 무엇이라 하는가?

① 훈련오류   ② 일반화오류
③ 손실함수   ④ 측정오류

> 해설_ 훈련오류는 학습오류가 지나치게 자주 발생하는 모형으로 과대적합에 반대되는 개념으로 과소 적합(Underfitting)이라고 한다.

69 다음 중 과대적합을 방지하기 위한 기법으로 옳지 않은 것은?

① 데이터 세트의 감소
② 모델 복잡도의 감소
③ 가중치 규제 적용
④ 드롭아웃 방법 사용

> 해설_ 데이터의 양을 늘리게 되면 일반화 성능이 향상, 즉 추가된 데이터에 의해 과대적합이 감소되는 것을 알 수 있다.

70 신경망의 뉴런을 부분적으로 생략하여 모델의 과적합(Overfitting)을 해결해주기 위한 방법을 무엇이라 하는가?

① 드롭아웃(Dropout)
② 규제(Regulation)
③ 데이터 증가(Data Augmentation)
④ 과대적합(Overfitting)

전답 66 ① 67 ④ 68 ① 69 ① 70 ①

해설_ 드롭아웃은 전체 뉴런을 계산에 참여시키는 것이 아니라 각 뉴런에 포함된 weight 중에서 일부만 참여시키는 것이다. 여기서 일부만 참여시키는 것이라는 나머지를 제외시키라는 말이 아니라 나머지 뉴런을 0으로 만드는 것을 의미한다.

71 경사하강법(Gradient Descent Method)의 문제점인 지역해(Local Minimum), 즉 기울기가 완만한 지점에 빠지거나 수렴속도가 느리다는 단점을 개선해주는 기법은?

① Momentum ② AdaBoost
③ AdaGrad ④ RMSProp

해설_ 경사하강법(Gradient Descent Method)의 문제점인 지역해(Local Minimum), 즉 기울기가 완만한 지점에 빠지거나 수렴속도가 느리다는 단점을 개선해주는 기법이 바로 모멘텀(Momentum)이다.

72 약한 모형을 순차적으로 적용해 나가는 과정에서 잘 분류된 샘플의 가중치는 낮추고 잘못 분류된 샘플의 가중치는 상대적으로 높여주면서 샘플 분포를 변화시키는 기법은?

① 배깅 ② 랜덤포레스트
③ 에이다 부스트 ④ 그레디언트 부스트

해설_ Adaptive Boosting으로서 분류기가 틀린 부분을 가중치를 부여하여 잘못 분류되는 데이터에 집중하도록 하여 강한 분류기를 만들게 된다.

73 데이터셋상의 개별 데이터간의 유사도를 바탕으로 시각화하는 방법으로 대상간의 유사도(또는 선호도)측도에 의거해 대상을 다차원 공간 속에 배치시키는 방법은?

① 체르노프 페이스
② 다차원척도법(MDS, Multidimensional Scaling)
③ 플로팅 바(Floating Bar) 차트
④ 버블차트(Bubble chart)

해설_ 개체들 사이의 유사성 / 비유사성을 측정하여 2차원 또는 3차원 공간상에 점으로 표현하는 분석 방법. 개체들간의 근접성(proximity)을 시각화하여 데이터 속에 잠재해 있는 패턴이나 구조를 찾아내는 통계 기법. 개체들간의 거리 계산은 유클리드 거리 행렬을 사용한다. 상대적 거리의 정확도를 높이기 위해 적합한 정도를 스트레스 값(Stress Value)으로 나타낸다.

74 관계시각화 기법에 해당하지 않는 것은?

① 산점도 행렬
② 버블 차트
③ 히스토그램
④ 파이차트

해설_ 파이차트는 분포시각화이다.

정답 71 ① 72 ③ 73 ② 74 ④

실전모의고사 1회

75 분석 모형 전개의 고려사항이 아닌 것은?

① 분석모형의 유형에 따라 과적합이 발생할 수 있으므로 주의가 필요하다.
② 실제 운영환경 성능테스트는 사전 시나리오에 따라 1주일 정도 실시한 것을 권장한다.
③ 성능테스트 결과는 일단위로 공유해 분석 모형의 실무 적용의 객관성을 유지할 것을 권고한다.
④ 성능테스트시 외부 이해관계의 개입을 최대화하여 수행과정의 결과를 과소화 되지 않도록 한다.

> 해설_ 성능테스트시 불필요한 외부 이해관계의 개입을 최소화 또는 차단해, 성능테스트 수행과정 및 결과의 왜곡을 방지해야 한다.

76 다음 중 과대적합(Overfitting)에 대한 설명 중 가장 적절하지 않은 것은?

① 학습데이터가 모집단이 특성을 충분히 설명하지 못할 때 발생한다.
② 변수가 많아 모형이 복잡할 때 발생한다.
③ 과대적합(Overfitting)은 모델이 훈련 데이터에 너무 잘 맞지만 일반성이 떨어진다는 의미이다.
④ 학습데이터(Training data)에 최적화되어 있어 검증데이터(Test data) 작은 변화에도 민감하게 반응하지 않는다.

> 해설_ 과대적합(Overfitting)는 훈련 데이터에 최적화되어 있어 훈련데이터에 높은 성능을 보여주고 이 모델은 테스트 데이터에 대해서는 높은 성능을 보여줄 확률이 낮다.

77 Boostrap aggregating의 약어로 데이터를 가방(bag)에 쓸어 담아 복원 추출하여 여러 개의 표본을 만들어 이를 기반으로 각각의 모델을 개발한 후에 결과를 하나로 합쳐 하나의 모델로 만드는 앙상블 방법을 무엇이라 하는가?

① 배깅(Bagging)
② 부스팅(Boosting)
③ 랜덤포레스트(Random forest)
④ 인공신경망(ANN)

> 해설_ 앙상블 모형은 여러 모형의 평균을 취함으로써 어느 쪽에도 치우치지 않는 결과를 얻을 수 있으며, 여러 모형의 의견을 취합함으로써 분산을 감소시킬 수 있다.

78 Lasso 회귀분석에 관한 설명 중 틀린 것은?

① 회귀계수의 절댓값이 클수록 패널티를 부여한다.
② 독립변수가 많아질수록 Training Data의 설명력은 좋아지지만 과적합 문제가 발생할 수 있다.
③ 람다값(Lambda)이 너무 크면 모든 항들에 대하여 너무 많은 Penalty가 적용되므로 Model에 데이터를 잘 설명하지 못하는 Underfitting 문제가 발생한다.

정답 75 ④ 76 ④ 77 ① 78 ④

④ Lasso Regression은 L2 Norm을 사용해서 패널티를 주는 방식이다.

해설_ Lasso Regression은 L1 Norm 방식이다.

79 시각화 프로세스의 구조화 단계의 내용이 아닌 것은?

① 시각화 목표 설정
② 시각화 요건 정의
③ 사용자 시나리오 작성
④ 시각화 구현

해설_ 시각화 단계의 내용이다.

80 분석결과에 따른 활용분야 분류에 있어서 초기 아이디어 개발 관점의 분류에 해당하지 않는 것은?

① 가치사슬 방식
② 마인드맵 방식
③ 친화도표 방식
④ 피라미드 방식

해설_ 분석결과를 활용할 수 있는 분야를 분류 할 때 초기 아이디어를 개발하는 과정인 경우 친화도표, 피라미드 방식, 마인드맵 등의 시각적인 방법을 이용해서 분류하는 것이 아이디어의 확대 차원에서 유용하다.

81 수평적 / 수직적으로 통합하거나 확대해서 새로운 가치사슬을 발견할 때 유용한 분류 방식은?

① 가치사슬 방식
② 마인드맵 방식
③ 친화도표 방식
④ 피라미드 방식

해설_ 가치사슬 분석은 특히 수평적이거나 수직적인 통합과 확대를 고려할 때 전략적으로 사용할 수 있는 방법이다

82 다음 중 분석모형 리모델링 주기로 가장 적절하지 않은 것은?

① 데이터 마이닝은 분기별로 실시한다.
② 시뮬레이션은 반기별로 실시한다.
③ 시뮬레이션은 업무 프로세스 KPI의 변경 또는 주요 시스템 원칙 변경, 발생 이벤트의 건수 증가에 따라 성능평가를 하고 필요시 재조정해야 한다.
④ 최적화는 반기별로 실시한다.

해설_ 최적화는 조건변화나 가중치변화시 계수값 조정 또는 제약 조건 추가로 재조정 할 수 있다.

정답 79 ④ 80 ① 81 ① 82 ④

실전모의고사 2회

1 과목 　빅데이터 분석기획

01 다음 중 데이터베이스의 특징으로 옳지 않은 것은?

① 통합된 데이터
② 저장된 데이터
③ 공용 데이터
④ 데이터의 시계열성

> 해설_ 변화되는 데이터(Changed Data) : 새로운 데이터의 추가, 기존 데이터의 삭제, 갱신으로 항상 변화하면서도 항상 현재의 정확한 데이터를 유지해야 한다는 것을 의미한다.

02 아래 보기에서 설명하는 가트너의 분석 유형은?

> • 미래에 어떤 일이 발생한 것인가에 대해 분석한다.
> • 미래의 상황에 대해 예측하거나, 알려지지 않은 결과의 가능성을 파악하기 위해 활용된다.

① Descriptive Analytics
② Diagnostic Analytics
③ Predictive Analytics
④ Prescriptive Analytics

> 해설_ 예측분석(Predictive Analytics)에 대한 설명이다.

03 아래 보기가 설명하는 데이터 거버넌스 체계요소는?

> • 데이터 표준용어 설명, 명명규칙(Name Rule), 메타데이터 구축, 데이터사전 구축 등의 업무로 구성된다.
> • 명명규칙은 필요시 언어별(한글, 영어 등 외국어)로 작성되어 매핑상태를 유지해야 한다.
> • 메타데이터 사전은 데이터의 구조체계를 형성하는 것으로써 데이터 활용의 원활화를 위한 데이터 구조체계(Data Structure Architecture)나 메타 엔티티 관계 다이어그램을 제공한다.

① 데이터 표준화
② 데이터 관리 체계
③ 데이터 저장소 관리
④ 표준화 활동

> 해설_ 데이터 표준화는 데이터 표준용어 설명, 명명규칙(Name Rule), 메타데이터 구축, 데이터사전 구축 등의 업무로 구성된다.

04 분석업무수행 주체에 따라 다음과 같이 3가지 유형 중 전사차원에서 분석과제의 우선순위를 선정해 수행이 가능하며, 분석결과를 신속하게 실무에 적용할 수 있는 장점이 있는 조직구조는?

① 집중형 조직구조
② 협업형 조직구조
③ 기능중심형 조직구조
④ 분산형 조직구조

> 해설_ 분산형 조직구조는 분석조직의 인력들을 협업부서에 배치해 분석업무를 수행하는 형태다.

 정답　01 ④　02 ③　03 ①　04 ④

05 "빅데이터 처리를 위한 오픈소스 분산 처리 플랫폼", 또는 "빅데이터 분산 처리 엔진"이라 불리는 에코시스템을 무엇이라 하는가?

① Pig ② Spark
③ Flume ④ Impala

> **해설_** 하둡의 단점은 HDFS가 DISK I/O를 기반으로 동작한다는 것에 있었다. 실시간성 데이터에 대한 니즈(NEEDS)가 급격히 증가하면서, 하둡으로 처리하기에는 속도 측면에서 부적합한 시나리오들이 등장하기 시작하였다. 더 나아가, 컴퓨터 H/W들의 가격이 빠른 속도로 낮아지면서, 기존에 고가로 취급되던 메모리를 고용량으로 사용할 수 있게 되었다. 이 때 등장한 것이 아파치 스파크이다. 아파치 스파크는 인메모리상에서 동작하기 때문에, 반복적인 처리가 필요한 작업에서 속도가 하둡보다 최소 1,000배 이상 빠르다.

06 아래 보기가 설명하는 분석준비도 영역을 무엇인가?

- EAL, ETL 등 데이터 유통체계
- 분석전용 서버 및 스토리지
- 빅데이터 분석환경
- 통계분석 환경
- 비주얼분석 환경

① IT 인프라 ② 분석적 업무파악
③ 분석 기법 ④ 분석 데이터

> **해설_** IT 인프라 영역에 대한 구성요소이다.

07 초기의 신경망 연구와 관련된 주요 분야와 다소 거리가 있는 것은?

① 음성인식 ② 동영상인식
③ 숫자인식 ④ 문자인식

> **해설_** 동영상인식 분야는 딥러닝 기술의 발전으로 최근에 적용

08 다층 퍼셉트론에서 사용하는 학습 알고리즘을 무엇인가?

① 딥러닝 ② 역전파
③ CNN ④ 퍼셉트론

> **해설_** 다층퍼셉트론의 작동은 역전파 알고리즘에 이루어진다.

09 개인정보로 원래의 상태로 복원하기 위한 추가정보의 사용·결합 없이는 특정 개인을 알아볼 수 없는 정보를 무엇이라 하는가?

① 추가정보 ② 익명정보
③ 재식별정보 ④ 가명정보

> **해설_** 가명정보와 익명정보의 차이는 추가정보로 해당주체의 식별 가능여부라 할 수 있다.

정답 05 ② 06 ① 07 ② 08 ② 09 ④

실전모의고사 2회

10 분석과제의 선정 시 적용범위 및 방식의 고려요소가 아닌 것은?

① 업무 내재화 적용 수준
② 분석 데이터 적용 수준
③ 기술 적용 수준
④ 실행 용이성

> 해설_ 실행용이성은 우선순위 고려요소이다.

11 비즈니스 모델 기반 문제탐색의 5가지 영역 중 제품 및 서비스를 생산하기 위해서 운영하는 내부 프로세스 및 주요자원 관련 주제 도출관 관련된 탐색 영역은?

① 업무(Operation)
② 제품(Product)
③ 고객(Customer)
④ 규제와 감사(Regulation & Audit)

> 해설_ 비즈니스 모델 관점에서는 해당 기업의 사업 모델을 도식화한 비즈니스 모델 캔버스의 9가지 블록을 단순화하여 업무, 제품, 고객 단위로 문제를 발굴하고, 이를 관리하는 두가지의 영역인 규제와 감사 영역, 그리고 지원 인프라 영역에 대한 기회를 추가로 도출하는 작업을 수행한다. 문제의 설명은 업무(Operation)영역이다.

12 데이터 분석 절차 중 변수들간 인과관계나 상관관계를 포함한 분석 결과를 제시하고 공유하는 단계는?

① 모형화
② 데이터 수집
③ 데이터 분석
④ 분석결과 제시

> 해설_ 수집된 데이터에서 인사이트를 발굴, 수집된 데이터로부터 변수들간의 관계를 분석 등이 분석 결과제시의 주요 내용이다.

13 분석 프로젝트의 주요 관리 영역에 대한 설명 중 옳지 않은 것은?

① 분석의 활용적인 측면에서는 Precision이 중요하며, 안정적인 측면에서는 Accuracy가 중요하다.
② 분석모델이 복잡할수록 정확도는 올라가지만 해석이 어려워지는 단점이 존재하므로 이에 대한 기준점을 사전에 정의해야한다.
③ 분석하고자 하는 데이터의 양을 고려한 관리방안 수립이 필요하다.
④ 분석결과가 도출되었을 때 이를 활용하는 시나리오 측면에서의 속도를 고려해야 한다.

> 해설_ Accuracy는 모델과 실제 값 사이의 차이가 적다는 정확도를 의미하고, Precision은 모델을 지속적으로 반복했을 때의 편차의 수준으로서 일관적으로 동일한 결과를 제시한다는 것을 의미한다. 분석의 활용적인 측면에서는 Accuracy가 중요하며, 안정적인 측면에서는 Precision이 중요하다.

정답 10 ④ 11 ① 12 ④ 13 ①

14 데이터 분석 프로젝트 실행과정의 관리사항으로 적절하지 않은 것은?

① 분석과제는 분석전문가의 상상력을 요구하므로 일정을 제한하는 일정계획은 적절하지 못하다.
② 분석과제는 많은 위험이 있어 사전에 위험을 식별하고 대응방안을 수립해야 한다.
③ 분석과제는 적용되는 알고리즘에 따라 범위가 변할 수 있어 범위 관리가 중요하다.
④ 프로젝트 관리 프로세스들이 통합적으로 운영될 수 있도록 관리를 해야 한다.

해설 분석 프로젝트의 시간관리는 타임박싱 기법으로 철저한 통제는 아니지만 일정관리를 진행하는 것이 필요하다.

15 아래보기가 설명하는 빅데이터의 품질요소는?

> 소멸성이 강한 데이터에대해 어느정도의 품질기준을 적용할 것인지 결정

① Accuracy
② Completeness
③ Timeliness
④ Consistency

해설 적시성(Timeliness)는 소멸성이 강한 데이터에 대해 어느 정도의 품질기준을 적용할 것인지에 대한 요소이다.

16 데이터항목은 정해진 데이터 유효범위 및 도메인을 충족해야 한다는 품질기준를 무엇이라 하는가?

① 완전성   ② 유일성
③ 유효성   ④ 일관성

해설 유효성(범위, 날짜, 형식) 데이터항목은 정해진 데이터 유효범위 및 도메인을 충족해야 한다.

17 개인정보 비식별화 주요 세부기술 중 성격이 다른 것은?

① 범위 방법   ② 랜덤 라운딩
③ 제어 올림   ④ 임의잡음추가

해설 보기 ①~③은 범주화, 보기 ④는 데이터 마스킹의 세부기술이다.

18 다음 중 프로토타이핑에 관한 설명으로 옳은 것은?

① 신속한 해결모형 제시, 상향식 접근방법에 활용한다.
② 빠른 결과보다 모델의 정확성에 중점을 둔 기법이다.
③ 워터폴 방식처럼 전체적인 플랜을 짜고 문서를 통해 개발한다.
④ 대표적인 하향식 접근 방식이라 할 수 있다.

해설 보기②~④는 하향식 접근방식에 대한 설명이다.

정답 14 ① 15 ③ 16 ③ 17 ④ 18 ①

실전모의고사 2회

19 빅데이터 위기요인과 통제방안에 대한 설명 중 올바르지 않은 것은?

① 데이터 오용의 위기요소에 대한 대응책으로 알고리즘에 대한 접근권 보장과 알고리즈미스트가 필요하다.
② 특정인이 채용이나, 대출 등에서 예측자료에 의한 불이익을 당할 가능성을 최소화하는 장치를 마련하는 것이 필요하다.
③ 책임원칙 훼손위기에 대한 통제방안으로 개인정보 활용에 대한 동의제를 책임제로 전환하는 것이 효과적이다.
④ 사생활침해 가능성도 함께 증가하고 있기 때문에 개인정보 활용에 대한 가이드라인 제정에 대한 요구가 급증하고 있다.

> 해설_ 사생활침해에 대한 설명이다.

20 빅데이터의 활용 기법에 대한 설명 중 적절하지 않은 것은?

① 사용자가 어떤 특성을 가진 집단에 속하는가? : 유형분석
② 최대의 시청률을 얻으려면 어떤 프로그램을 어떤 시간대에 방송해야 하는가? : 유전 알고리즘
③ 구매자의 나이가 구매 차량의 타입에 어떤 영향을 미치는가? : 회귀분석
④ 어떤 변수 간에 주목할 만한 상관관계가 있는지를 찾아내는 방법 : 기계학습

> 해설_ 보기 ④는 연관성 분석 이다.

2 과목 빅데이터 탐색

21 결측값이 결측된 변수와는 관련이 없지만 다른 변수와 관련있는 경우의 결측값의 종류는?

① 완전비무작위 결측
② 무작위 결측
③ 비무작위 결측
④ 완전무작위 결측

> 해설_ 결측값이 결측된 변수와는 관련이 없지만 다른변수와 관련있는 경우 무작위 결측이라고 부른다. 예를들어, "여성이 남성보다 체중을 기입하지 않는다."라고 하면 체중에 결측값이 생기지만 이는 체중 변수와 관련있는 것이 아닌 성별변수와 관련 있다.

22 데이터 이상치처리방법에 대한 설명 중 옳지 않은 것은?

① 결측치 대치와 같이 이상치를 대치할 수 있다. 평균, 중간값, 최빈값 대치방법을 사용할 수 있다.
② 이상값을 대치하기 전에 자연적 이상치인지, 비자연적인 이상치인지를 분석해야 한다.
③ 상자그림(Box Plot)을 통해 이상값을 확인할 수 있다.
④ 이상값은 일단 제거하고 분석을 실시한다.

> 해설_ 이상값의 원인을 파악하고 담당 이해 관련자와 협의 후에 판단한다.

정답 19 ③   20 ④   21 ②   22 ④

23 차원축소에 대한 설명 가장 적절하지 않은 것은?

① PCA는 차원축소를 할 때 기존 데이터의 정보 유실을 최소화 하기 위해서 가장 높은 분산을 보이는 데이터 축을 찾아 이 축을 기준으로 차원을 축소한다.
② PCA를 선형대수 관점에서 해석해 보면, 입력 데이터의 공분산 행렬(Covariance Matrix)을 고유값 분해하고, 이렇게 구한 고유벡터에 입력 데이터를 선형 변환하는 것이다.
③ 차원 축소는 많은 Feature로 구성된 다차원 데이터 세트의 차원을 축소해 새로운 차원의 데이터 세트를 생성하는 것이다. 일반적으로 차원이 증가할수록, 즉 Feature가 많아질수록 예측신뢰도가 떨어지고, 과적합(Overfitting)이 발생하고, 개별 Feature간의 상관관계가 높을 가능성이 있다.
④ SVD, PCA 정방행렬(Diagonal Matrix)이며 대칭행렬(Symmetric Matrix)이다.

해설_ 특이값 분해는 정방행렬이 아닌 m x n 직사각행렬이다.

24 다른 중 정규 변환이 아닌 것은?

① 로그변환
② 제곱근변환
③ 박스-콕스(Box-Cox) 변환
④ 구간화(Bining)

해설_ 변수구간화(Bining)는 변수변환의 방법 중 하나로 주어진 연속형 변수를 범주형 또는 순위형 변수로 변환하는 것이다.

25 범주의 불균형 데이터에 대한 설명 중 옳지 않은 것은?

① 언더샘플링기법들은 데이터를 제거하기 때문에 정보의 손실을 초래하게 된다는 문제점이 있다.
② 오버샘플링은 무작위로 소수 클래스의 데이터를 반복해서 집어넣는 방법이기 때문에 반복 데이터 삽입으로 인한 과적합(Overfitting) 문제가 발생할 수 있다.
③ SMOTE 언더샘플링을 보완하기 방법이다.
④ 토멕링크 방법론은 분포가 작은 클래스의 데이터에서 가장 가까운 분포가 높은 데이터의 위치를 찾는 것이다.

해설_ SMOTE는 K - NN(k - Nearest Neighbors) 알고리즘을 활용하여 소수 클래스 샘플에서 이웃을 찾고 그 사이에 속하게 될 새로운 샘플을 합성하는 오버 샘플링 방법이다.

26 확률변수 X의 분산이 16, 확률변수 Y의 분산이 25, 두 확률변수의 공분산이 -10일 때, X와 Y의 상관계수는?

① 1
② 0.5
③ -1
④ -0.5

해설_ $r = \dfrac{S_{XY}}{S_X S_Y} = \dfrac{-10}{\sqrt{16}\sqrt{25}} = -0.5$

정답 23 ④ 24 ④ 25 ③ 26 ④

실전모의고사 2회

27 두 변수 X와 Y의 상관계수 r_{xy}에 대한 설명으로 틀린 것은?

① r_{xy}는 두 변수 X와 Y의 산포의 정도를 나타낸다.
② $-1 \leq r_{xy} \leq 1$
③ $r_{xy} = 0$이면 두 변수는 선형이 아니라 무상관이다.
④ $r_{xy} = 1$이면 두 변수는 완전한 양의 상관관계에 있다.

해설_ 상관계수는 하나의 변수와 다른 변수와의 선형성을 분석한다.

28 왜도가 0이고 첨도가 3인 분포의 형태는?

① 좌우대칭인 분포
② 오른쪽 꼬리를 갖는 분포
③ 왼쪽 꼬리를 갖는 분포
④ 왼쪽 꼬리를 갖고 정규분포보다 뾰족한 분포

해설_ 왜도가 0이면 대칭분포를 이루고, 첨도가 3이면 표준정규분포와 중첩이다.

29 취업시기가 계절(봄, 여름, 가을, 겨울)별로 동일한 비율인지를 검정하기 위해 취업자 100명을 대상으로 조사하였다. 가장 적합한 가설 검정 방법은?

① 카이제곱 적합도 검정
② 카이제곱 독립성 검정
③ 카이제곱 동질성 검정
④ 피어슨 상관계수 검정

해설_ 카이제곱 적합도 검정은 한 모집단 안에 하나의 범주형 변수를 가진 경우에 사용하며 표본 자료가 가정한 분포가 일치하는가를 검정하는 방법이다.

30 확률적 표본추출법과 비확률적 표본추출법에 대한 설명으로 틀린 것은?

① 확률표본추출법은 연구대상이 표본으로 추출될 확률이 알려져 있고, 비확률표본추출법은 표본으로 추출될 확률이 알려져 있지 않는 경우이다.
② 선거예측에서 출구조사를 할 경우 계통추출법이 일반적이다.
③ 확률표본추출법은 표본오차의 추정이 불가능하고, 비확률표본추출법은 표본오차의 추정이 가능하다.
④ 확률표본추출법은 시간과 비용이 많이 들고, 비확률표본추출법은 시간과 비용이 적게 든다.

해설_ 비확률표본추출법은 표본오차의 추정이 불가능하고, 확률표본추출법은 표본오차의 추정이 가능하다.

정답 27 ① 28 ① 29 ① 30 ③

31 가설검정의 오류에 대한 설명 중 틀린 것은?

① 제2종 오류는 대립가설이 사실 일 때 귀무가설을 채택하는 오류이다.
② 가설검정의 오류는 유의수준과 관계가 있다.
③ 제1종 오류를 작게 하기 위해서는 유의수준을 크게 할 필요가 있다.
④ 제1종 오류와 제2종 오류를 범할 가능성은 서로 반비례관계이다.

해설_ 제1종 오류를 범할 확률의 최대허용한계를 유의수준 α라고 한다. 제1종 오류를 적게 하기 위해서는 유의수준을 작게 해야 한다.

32 명목척도에 대한 설명 중 틀린 것은?

① 측정의 각 응답 범주들이 상호 배타적이어야 한다.
② 측정 대상의 특성을 분류하거나 확인할 목적으로 숫자를 부여하는 것이다.
③ 하나의 측정대상이 두 개의 값을 가질 수 없다.
④ 절대 영점이 존재한다.

해설_ 절대영점이 존재하는 것은 비율척도이다.

33 확률변수 X의 기댓값이 5이고, 확률변수 Y의 기댓값이 10일 때, 확률변수 X+2Y의 기댓값은?

① 10   ② 15
③ 20   ④ 25

해설_ $E(X+2Y) = E(X) + 2E(Y) = 25$

34 다중회귀분석에 대한 설명 중 틀린 것은?

① 결정계수는 회귀직선에 의해 종속변수가 설명 되어지는 정도를 나타낸다.
② 다중회귀분석에서 절편은 독립변수들이 모두 0일 때 종속변수의 값을 나타낸다.
③ 회귀계수는 해당 독립변수가 1단위 변할 때 종속변수의 증가량을 뜻한다.
④ 각 회귀계수의 유의성 검정은 정규분포를 이용한다.

해설_ 각 회귀계수의 유의성 판단은 t-분포를 이용한다.

35 중심극한정리에 대한 정의로 옳은 것은?

① 모집단이 정규분포를 따르면 표본평균도 정규분포를 따른다.
② 모집단이 정규분포를 따르면 표본평균은 t-분포를 따른다.
③ 모집단의 분포와 관계없이 표본평균의 분포는 표본의 크기가 커짐에 따라 근사적으로 정규분포를 따른다.
④ 모집단의 분포가 연속형인 경우에만 표본평균의 분포는 표본의 크기가 커짐에 따라 근사적으로 정규분포를 따른다.

정답 31 ③   32 ④   33 ④   34 ④   35 ③

실전모의고사 2회

36 모수의 추정에서 추정량의 분포에 대하여 요구되는 성질 중 표본오차와 관련이 있는 것은?

① 불편성   ② 정규성
③ 유효성   ④ 일치성

> 해설_ 표준오차는 추정량의 표준편차이므로 최소의 분산의 점추정의 성질은 유효성을 의미한다.

37 매출액과 광고액은 선형관계가 있다. 이 때 상관계수가 0.8일 때 매출액을 종속변수로 광고액을 독립변수로 단순 선형회귀분석을 실시할 경우 추정된 회귀선의 설명력에 해당하는 값은?

① 0.64   ② 0.81   ③ 0.36   ④ 0.25

> 해설_ 단순회귀분석에서 상관계수의 제곱은 결정계수이다.

38 자료들의 분포형태와 대푯값에 관한 설명으로 옳은 것은?

① 오른쪽 꼬리가 긴 분포에서는 중앙값이 평균보다 크다.
② 왼쪽꼬리가 긴 분포에서는 중앙값이 평균보다 크다.
③ 중앙값은 분포와 무관하게 최빈값보다 작다.
④ 비대칭의 정도가 심한 경우에는 대푯값으로 중앙값을 사용하는 것이 더 적합하다.

> 해설_ 평균은 중앙값에 비해 이상값에 더 민감하다.

39 다음 중 분산분석의 가정이 아닌 것은?

① 각 모집단에서 종속변수는 정규분포를 따른다.
② 각 모집단에서 독립변수는 F분포를 따른다.
③ 종속변수는 등간척도 또는 비율척도이어야 한다.
④ 각 집단의 표본은 독립적이어야 한다.

> 해설_ 모집단의 분포는 정규분포를 이루어야 한다.

40 이산확률변수의 X의 확률분포가 다음과 같을 때, 확률변수 X의 기댓값은?

X	0	1	2	3	4
P(X = x)	0.15	0.3	0.25	0.2	0.1

① 1.25   ② 1.50   ③ 1.80   ④ 2.50

> 해설_ $E(X=x) = 0 \times 0.15 + 1 \times 0.3 + 2 \times 0.25 + 3 \times 0.2 + 4 \times 0.1 = 1.80$

41 단순선형회귀에 대한 추정회귀식이 $y = a + bx$ 일 때 회귀계수(b)의 값은?

	평균	표준편차	상관계수
x	40	4	0.75
y	30	3	

① 0.36   ② 0.56   ③ 0.72   ④ 0.98

> 해설_ $b = r \times \dfrac{S_y}{S_x} = 0.56$

정답 36 ③   37 ①   38 ④   39 ①   40 ③   41 ②

3 과목 | 빅데이터 모델링

42 일부의 뉴런을 생략하고 학습을 진행하는 함수를 무엇이라 하는가?

① Dense ② Dropout
③ Max Polling ④ Padding

해설_ 학습을 진행할 때 랜덤하게 일부의 뉴런을 생략하는 함수는 Dropout 함수이다.

43 소프트맥스 함수의 특징으로 옳지 않은 것은?

① 출력으로 0~1 사이의 값으로 모두 정규화
② 출력값들의 총합은 항상 1이다.
③ 출력층의 뉴런이 모든 입력 신호에서 영향을 받지 않는다.
④ 비선형 함수이다.

해설_ 소프트맥스 함수는 출력층의 뉴런이 모든 입력 신호에서 영향을 받는다.

44 최초에 활용된 활성화 함수로 0 이하는 0으로, 0 이상은 1로 활성화 하는 함수를 무엇이라 하는가?

① 소프트맥스(Softmax) 함수
② 시그모이드 함수
③ ReLU 함수
④ 계단 함수

해설_ 계단 함수는 0 이하의 값은 모두 0으로 0 이상의 값은 모두 1로 활성화 하는 함수이다.

45 기억노드를 가지고 순차적인 데이터를 처리하는 인공신경망으로 올바른 것은?

① ANN ② DNN
③ CNN ④ RNN

해설_ RNN은 다른 인공신경망과 달리 기억노드를 가지고 있어 순차적인 데이터를 처리하기 쉽다.

46 입력과 출력이 동일하며 좌우를 대칭으로 구축된 구조를 가지고 있는 신경망을 무엇이라 하는가?

① Convolution Neural Network
② Recurrent Neural Network
③ Auto-Encoder
④ Deep Neural Network

해설_ Auto-Encoder는 입력과 출력이 동일하며 좌우를 대칭으로 구축된 구조를 가지고 있다.

47 레이블 정보가 없는 데이터 특성을 분석하거나 추출하는 학습 방법으로 옳은 것은?

① 지도 학습 ② 비지도 학습
③ 강화 학습 ④ 그룹 학습

해설_ 비지도 학습은 입력 데이터를 가공하여 목표값을 출력하는 방식이 아니라 레이블 정보가 없는 데이터 특성을 분석 및 추출하는 학습이다.

정답 42 ② 43 ③ 44 ④ 45 ④ 46 ③ 47 ②

실전모의고사 2회

48 주어진 어떤 상황에서 보상을 최대화할 수 있는 행동에 대해 학습하는 방법을 고르시오.
① 그룹 학습   ② 지도 학습
③ 비지도 학습   ④ 강화 학습

해설_ 강화학습(Reinforcement Learning)은 주어진 어떤 상황(Situation)에서 보상(Reward)을 최대화할 수 있는 행동(Action)에 대해 학습하는 것이다.

49 분해시계열이란 시계열에 영향을 주는 일반적인 요인을 시계열에서 분리해 분석하는 방법을 말하며 회귀분석적인 방법을 주로 사용하고 있다. 다음 중 시계열을 구성하고 있는 4가지에 대한 설명으로 부적절한 것은?
① 순환요인 : 명백히 경제적이거나 자연적인 이유의 주기를 가지고 변화하는 자료
② 계절요인 : 고정주기에 자료가 변화할 경우, 즉 계절처럼 고정주기가 있는 경우에 계절요인이 있다고 한다.
③ 추세요인 : 데이터가 오르거나 내리는 2차식형태를 취할 경우 추세가 있다고 한다.
④ 불규칙요인 : 위의 세가지 요인으로 설명할 수 없는 오차에 해당하는 데이터를 불규칙요인이라고 한다.

해설_ 순환요인은 명백히 경제적이거나 자연적인 이유없이 알려지지 않은 주기를 가지고 변화하는 자료이다.

50 아래 보기 빈칸에 들어갈 말로 올바르게 짝지어진 것은?

> 시계열 자료의 모형식별은 자료에서 (　　)과 (　　)을 이용하여 식별한다.

① ACF, PACF   ② PCAF, ACF
③ ARMA, ARIMA ④ AR, MA

해설_ 시계열 모형 식별은 자기상관함수(ACF), 부분자기상관함수(PACF)를 이용한다.

51 다음 중 고객이 구매한 품목을 토대로 어떤 제품을 함께 구매할지를 예측할 수 있는 분석은 무엇인가?
① 분류분석   ② 군집분석
③ 연관분석   ④ 요인분석

52 다음은 k-Mean 군집분석에 관한 설명이다. 가장 적절하지 않은 것은?
① k개의 군집 수는 패키지가 사전에 설정되어 있다.
② 모든 분석대상 자료와 k개 군집 중심 간의 거리를 산정한다.
③ 가장 가까운 군집을 분류하고, 새로운 군집 중심을 구한다.
④ 군집 변화가 없을 때까지 위 ②, ③ 과정을 반복한다.

해설_ 초기 군집 수는 사용자가 설정하여야 한다.

정답 48 ④ 49 ① 50 ① 51 ③ 52 ①

53 다음 중 비계층적 군집분석의 단점으로 올바르지 않은 것은?

① 초기 군집 수를 결정하는 데 어려움이 있다.
② 가중치와 거리 정의가 어렵다.
③ 최종 군집의 형태가 초기값에 민감하다.
④ 군집이 한번 잘못 결정되면 다음 단계에서 군집화 수정을 할 수 없다.

> **해설_** 비계층적 군집방법은 각 단계에서 군집의 형태가 바뀌어 질 수 있기 때문에, 군집화가 단계마다 변할 수 있다.

54 다음 중 의사결정나무(Decision Trees)모형의 특징이 아닌 것은 무엇인가?

① 유용한 입력변수의 파악과 예측변수 간의 상호작용 및 비선형성을 고려하여 분석이 가능하다.
② 구조가 단순하여 해석이 용이하다.
③ 계산비용이 낮아 대규모의 데이터셋에서도 비교적 빠르게 연산이 가능하다.
④ 변수의 수가 많아지더라도 사전작업 없이 빠르게 알고리즘을 수행할 수 있다.

> **해설_** 의사결정나무의 단점
> ㉮ 분류 기준값의 경계선 부근의 자료값에 대해서는 오차가 크다(비연속성).
> ㉯ 각 예측변수의 효과를 파악하기 어렵다.
> ㉰ 새로운 자료에 대한 예측이 불안정할 수 있다.
> ㉱ 불필요한 변수가 많아지면 의사결정나무의 크기가 커질 수 있기 때문에 변수를 제거하는 사전작업이 필요하다.

55 다음 중 신경망분석에 대한 설명으로 올바르지 않은 것은?

① 잡음에 대해서도 민감하게 반응하지 않는다.
② 데이터 정규화를 하지 않으면, 지역해(Local minimum)에 빠질 위험이 있다.
③ 노드가 많을수록 복잡성을 잡아내기 쉽지만, 과적합의 가능성도 높아진다.
④ 입력변수의 상호작용을 파악하기 쉽다.

> **해설_** 신경망 모형은 어떤 입력변수가 중요한지 또한 입력변수의 상호작용을 파악하기 어렵다.

56 신경망의 은닉층(Hidden Layer) 및 은닉노드 수를 정할 때 고려해야 할 사항이 아닌 것은?

① 노드가 많을수록 복잡성을 잡아내기 쉽지만, 과적합의 가능성도 높아진다.
② 출력층 노드의 수는 출력범주의 수로 결정, 입력(Inputs)의 수는 입력 차원의 수로 결정한다.
③ 다층신경망은 단층신경망에 비해 훈련이 어렵다.
④ 은닉층 노드가 너무 적으면 복잡한 의사결정 경계를 만들 수 있다.

> **해설_** 신경망 은닉층 노드의 수가 너무 적으면 네트워크가 복잡한 의사결정 경계를 만들 수 없다. 또한 노드의 수가 너무 많으면 네트워크의 일반화가 어렵다.

정답 53 ④ 54 ④ 55 ④ 56 ④

실전모의고사 2회

57 다음 중 연관분석의 특징 중 가장 적절하지 않은 것은?

① 너무 세부화된 품목을 가지고 연관규칙을 찾으려면 의미 없는 분석 결과가 도출될 수 있다.
② 분석 품목 수가 증가하면 분석 계산이 기하급수적으로 증가한다.
③ 상대적 거래량이 적으면 규칙 발견시 제외되기 쉽다.
④ 향상도가 1이면 두품목 간에 완전한 연관성을 의미한다.

해설 향상도가 1이면 서로 독립적인 관계를 의미하며, 향상도가 1보다 크면 서로 양의 관계로 연관성이 높다고 할 수 있다.

58 다음 중 회귀분석 가정으로 가장 부적절한 것은?

① 독립변수와 종속변수가 선형관계를 가진다.
② 종속변수가 정규분포를 따른다.
③ Normal Q-Q는 잔차가 정규분포를 잘 따르고 있는지를 확인하는 그래프이다. 잔차들이 그래프 선상에 있어야 이상적이다.
④ 관측치의 잔차끼리는 상관없다.

해설 종속변수가 아니라 잔차가 정규분포를 따른다.

59 합성곱 신경망(CNN)에서 일정 영역의 정보를 최대 값으로 축약하는 계층을 무엇이라 하는가?

① Max Pooling   ② Padding
③ Stride   ④ Flatten

해설 일정영역의 정보를 최대값으로 축약하는 계층을 Max Pooling이라 한다.

60 다중회귀분석에서 다중공선성(Multicollinearity)이 존재할 때 해결방안이 아닌 것은?

① 주성분분석을 통한 차원 축소는 바람직하지 않다.
② 능형회귀를 이용한다.
③ 데이터를 추가한다.
④ 중요하지 않은 변수는 제거한다.

61 다음 중 다차원척도법에 대한 설명으로 가장 적절하지 않은?

① 차원이 증가할수록 Stress는 개선되므로 차원이 높을수록 좋다.
② 대상을 동일한 상대적 거리를 가진 실수 공간의 점으로 배치한다.
③ 스트레스 값의 기준은 유의확률 p와 유사하다.
④ 전체적인 관계구조를 공간상의 그림을 통해 쉽게 파악할 수 있다.

정답 57 ④ 58 ② 59 ① 60 ① 61 ①

해설_ 차원이 증가할수록 스트레스값은 증가하게 되면 해석이 복잡지므로 2~3차원 공간을 사용한다.

4 과목 | 빅데이터 결과 해석

62 만 - 위트니 검정에 대한 설명 중 가장 적절하지 않은 것은?

① 두 모집단의 분포가 동일한지 검정하는 방법이다.
② 독립표본 t-test에 대응하는 비모수적 방법이다.
③ 두 모집단의 평균 차이에 대한 검정이다.
④ 비모수적 방법은 관측값이 어느 특정한 확률분포를 따른다고 전제할 수 없거나 또는 모집단에 대한 아무런 정보가 없는 경우에 실시하는 검정방법이다.

해설_ 비모수 검정은 평균, 분산을 사용하지 않는다. 모수적 검정인 t-test는 정규성, 독립성, 등분산성이라는 3가지의 기본 가정사항을 만족해야 한다. 만약 정규성을 만족하지 못한다면 모수 통계가 아닌 비모수 통계를 적용해야 한다.

63 다음 중 ROC 곡선을 설명한 것으로 옳지 않은 것은?

① 가로축(x)을 혼동행렬의 거짓 긍정률(FP Rate)로 두고 세로축(y)을 민감도(TP Rate)로 두어 시각화한 그래프이다.
② FP Ratio(1-특이도)와 민감도는 서로 비례 관계에 있다.
③ AUC(Area Under ROC; AUROC)는 ROC 곡선 아래의 면적으로 면적을 모형의 평가 지표로 삼는다.
④ AUC의 값은 항상 0.5 ~ 1의 값을 가지며 1에 가까울수록 좋은 모형이다.

해설_ FP Ratio과 민감도는 반비례 관계이다.

64 분석 모형의 성능을 평가기준으로 적합하지 않는 것은?

① 데이터 분석 결과의 일반화의 가능성
② 분석 모형의 효율성
③ 분류 또는 예측의 모형의 정확성
④ 분석데이터의 품질 적합성

해설_ 데이터의 품질은 데이터 분석의 전체적인 과정에서 고려사항이다.

정답 62 ③ 63 ② 64 ④

실전모의고사 2회

65 회귀모형의 평가지표 중 실제 데이터에서 오차가 어느 정도의 비율을 발생했는지에 평가 지표는?

① 평균절대오차(MAE, Mean Absolute Error)
② 평균제곱근오차(RMSE, Root Mean Squared Error)
③ 평균제곱오차(MSE, Mean Squared Error)
④ 평균절대 백분율오차(MAPE, Mean Absolute Percentage Error)

해설_ 평균절대백분오차비율(MAPE)
$$= \frac{100}{n} \sum_{i=1}^{n} \left| \frac{y_i - \hat{y}_i}{y_i} \right|$$

66 모델링 기법 중에서 머신러닝에서 가장 많이 사용되고 있는 기법으로, 여러 개의 분류 모형에 의한 결과를 종합하여 분류의 정확도를 높이는 방법이다. 또한 여러 모형의 평균을 취함으로써 어느 쪽에도 치우치지 않는 결과를 얻을 수 있으며, 여러 모형의 의견을 취합함으로써 분산을 감소시킬 수 있는 분석 모형을 무엇이라 하는가?

① 앙상블 모형
② 계층적군집 모형
③ 혼합분포군집 모형
④ 밀도기반군집 모형

해설_ 앙상블 모형은 여러 모형의 평균을 취함으로써 어느 쪽에도 치우치지 않는 결과를 얻을 수 있으며, 여러 모형의 의견을 취합함으로써 분산을 감소시킬 수 있다. 앙상블 모형의 대표적인 알고리즘에는 '배깅(Bagging)'과 '부스팅(Boosting)'이 있다.

67 두 군집이 결합할 때 새로운 군집의 평균은 가중평균을 통해 군집방법을 무엇이라 하는가?

① 중심연결법(Centroid)
② 와드연결법(Ward Linkage)
③ 평균연결법(Average Linkage)
④ 완전연결법(Complete Linkage)

68 아래보기가 설명하는 분석 알고리즘을 무엇이라 하는가?

> • 이 알고리즘은 "사례 기반 학습(Instance - Based Learning)"이라고 한다.
> • 이 알고리즘은 모든 데이터에 라벨(Label)을 붙여두고, 라벨이 없는 데이터가 들어왔을 때 그 데이터와 유사한 기존의 데이터 중 상위 K개의 데이터를 다수결로 (Majority Vote) 라벨을 정한다.

① Bagging
② Random forest
③ ANN
④ K-Nearest Neighbors

해설_ K-NN 알고리즘은 거리기반 분류분석 모델로 거리를 기반으로 분류하는 알고리즘이며, 상대적으로 거리가 더 짧은 이웃이 더 가까운 이웃으로 취급된다. 즉, K-NN 알고리즘은 어떤 새로운 데이터로부터 거리가 가까운 K개의 다른 데이터의 레이블(속성)을 참고하여 K개의 데이터 중 가장 빈도 수가 높게 나온 데이터의 레이블로 분류하는 알고리즘이다.

정답 65 ④ 66 ① 67 ① 68 ④

69 규칙이 우연히 일어날 가능성 대비 얼마나 나은 효과를 보이는지에 대한 연관성 분석의 지표를 무엇이라 하는가?

① 지지도(Support)
② 신뢰도(Confidence)
③ 향상도(Lift)
④ 향상도 곡선(Lift Chart)

> 해설_ 향상도(Lift or Improvement) : 규칙이 우연히 일어날 가능성 대비 얼마나 나은 효과를 보이는지에 대한 척도이다. 우연히 일어난 것인지에 대해 확인 가능하다. 향상도는 적어도 1보다 좋아야 함

70 다음 빈 칸에 알맞은 용어는?

> 최소 - 최대 정규화는 데이터를 정규화하는 가장 일반적인 방법이다. 모든 Feature에 대해 각각의 최소값을 0, 최대값은 1로, 그리고 다른 값들은 0과 1 사이의 값으로 변환하는 것이다. 단점으로는 데이터의 (   )에 너무 많은 영향을 받는다는 것이다.

① 이상치
② 분산
③ 표준편차
④ 군집

> 해설_ 최소 - 최대 정규화에는 이상치(Outlier)에 너무 많은 영향을 받는다는 치명적인 단점이 있다.

71 다음이 설명하는 정규화 선형회귀 기법은?

> • 가중치의 절댓값의 합을 최소화하는 것으로 추가적인 제약조건을 하는 방법
> • L1-norm을 통해 제약을 주는 방법

① 라쏘(LASSO)
② 릿지(Ridge)
③ 엘라스틱 넷(Elastic Net)
④ SVM

72 다음 특징을 가지는 머신러닝의 분류 성능평가 지표는?

> • 정밀도와 민감도를 하나로 통합한 지표
> • 정밀도와 민감도의 조화 평균

① F1-Score
② 정확도
③ 특이도
④ 정밀도

정답 69 ③   70 ①   71 ①   72 ①

실전모의고사 2회

73 ROC(Receiver Operating Characteristic) 곡선에 대한 설명으로 옳지 않은 것은?

① 모형에 대한 분석결과 TP rate값이 동일한 경우, FP rate이 클수록 우수한 성능을 갖는 모형으로 평가된다.
② 일반적인 성능비교는 curve의 아래 부분 영역, 즉 AUC(Area Under Curve)를 통해 비교하게 된다.
③ 분석 모형에 사용되는 데이터셋이 많을 때 모형에 따라 복잡한 ROC 곡선이 만들어 진다.
④ ROC 곡선에서 대각선 모양에 가까울수록 예측을 위한 분석 모형의 예측력 성능이 우수하지 않음을 알 수 있다.

해설_ TP rate가 클수록, FP rate가 작을수록 우수한 분석 모형이다. 따라서 TP rate이 동일한 경우, FP rate가 작을수록 우수한 모형이다.

74 다음 특징을 갖는 군집화 방법은 무엇인가?

- 각 군집에서 대표 객체(medoids)를 임의로 찾음으로써 n개의 객체 중에서 k개의 군집을 형성
- 노이즈나 이상값 처리에 강건한 특징을 보임
- Partitioning Around Method라고도 불림

① DBSCAN
② 퍼지군집
③ k-means
④ k-medoids

75 다음 특징을 갖는 군집화 방법은 무엇인가?

- 일정한 밀도로 연결된 데이터는 동일한 그룹에 속함
- 노이즈, 이상값을 고려한 분류
- 밀도 방식의 클러스터링

① DBSCAN
② Fuzzy
③ k-means
④ k-medoids

76 분석모형 리모델링의 설명 중 옳지 않은 것은?

① 데이터 마이닝의 모델주기는 분기단위로 실시한다.
② 최적화 분석기법의 목적함수 계수 변경은 1년 주기로 리모델링을 한다.
③ 데이터 모델링 분석기법의 학습은 동일한 데이터에 대해서만 재학습을 실시한다.
④ 성과 모니터링이 지속적으로 돼야하고, 일정수준 이상으로 편차가 지속적으로 하락하는 경우 리모델링을 주기적으로 수행해야 한다.

해설_ 동일한 데이터를 이용해 학습하거나 변수를 추가해 학습하는 방법을 취한다.

정답 73 ① 74 ④ 75 ① 76 ③

77 분석모형 리모델링 고려사항이 아닌 것은?

① 시뮬레이션은 업무 프로세스 KPI의 변경 또는 주요 시스템 원칙 변경, 발생 이벤트의 건수 증가에 따라 성능평가를 하고 필요시 재조정해야 한다.
② 데이터 마이닝은 최신 데이터 적용이나 변수 추가 방식으로 분석모형을 재조정할 수 있다.
③ 일반적으로 초기에는 모형을 재조정을 가급적 삼가야 한다.
④ 관리 대상 모델이 월 20개 이상이거나, 기타 업무와 병행해서 수행해야 하는 경우 수작업이 아닌 도구를 통한 업무 자동화를 권고한다.

해설_ 일반적으로 초기에는 모형을 재조정을 자주 수행해야 한다. 하지만 점진적으로 그 주기를 길게 설정할 수 있다.

78 다음 중 비교시각화 기법이 아닌 것은?

① 막대 그래프
② 플로팅 바(Floating Bar) 차트
③ 히트맵
④ 히스토그램

해설_ 히스토그램은 관계시각화이다.

79 아래 보기가 설명하는 시각화 기법을 무엇이라 하는가?

> 넓은 의미에서 모든 통계지도를 포함하지만, 좁은 의미에서 지도의 변형을 통해 통계 데이터의 특징을 표현하는 시각화방법을 의미한다.

① 카토그램
② 등치선도
③ 버블플롯맵
④ 도트플롯맵

해설_ 카토그램(Cartogram)은 지역의 값을 표현하기 위해 지리적 형상 크기를 조절하여, 재구성된 지도와 같이 왜곡되고 비뚤어진 화면으로 나타난다.

80 시각화 프로세스의 중 데이터 및 분석결과를 토대로 데이터의 표현 규칙과 패턴을 탐색하여 시각화를 위한 요건을 정의하는 단계를 무엇이라 하는가?

① 시각화 목표 설정
② 시각 표현 단계
③ 구조화 단계
④ 시각화 단계

해설_ 구조화 단계는 시각화 목표 설정, 데이터 표현 규칙과 패턴 탐색 및 도출로 구성된다.

정답 77 ③ 78 ④ 79 ① 80 ③

실전모의고사 2회

81 앙상블 학습(Ensemble Learning) 중 각 분류기에 예측을 평균으로 계산하여 확률이 가장 높은 클래스로 예측하는 방법을 무엇이라 하는가?

① Soft Voting
② Hard Voting
③ Majority Voting
④ Classifiers

해설_ Soft Voting : 앙상블에 사용되는 모든 분류기가 클래스의 확률을 예측할 수 있을 때 사용한다.

82 분류 기반 기계학습 모형으로, 예측 성능이 조금 낮은 약한 학습기(Weak Classifier)를 다량구축 및 조합하여 가중치 수정을 통해 좀 더 나은 성능을 발휘하는 하나의 강한 분류기(Strong Classifier)를 합성하는 방법의 알고리즘을 무엇이라 하는가?

① AdaBoost
② GBM
③ XGBoost
④ LightGBM

해설_ AdaBoost는 여러 개의 약한 학습기를 순차적으로 학습 및 예측하면서 잘못 예측한 데이터에 가중치 부여를 통해 오류를 개선해 나가면서 학습하는 기계학습 방식이다.

83 Gradient Boost을 기반으로 GBM보다 빠르고 과적합방지가 가능한 규제가 가능하며, CART를 기반으로 하는 알고리즘을 무엇이라 하는가?

① AdaBoost
② GBM
③ LightGBM
④ XGBoost

해설_ XGBoost는 Extreme Gradient Boosting의 약자이다. CART(Classification and regression tree) 앙상블 모델을 사용한다.

정답 81 ① 82 ① 83 ④

8회 기출문제

1 과목 빅데이터 분석기획

01 다음 중 빅데이터의 5V 개념과 예시 매칭이 올바른 것은?

① Volume - 다양성
② Velocity - 실시간으로 변함
③ Variety - 양에 대한 설명
④ Veracity - 끊임없는 가치

> 해설_
> ① Volume은 데이터의 양(규모)에 대한 개념
> ③ Variety는 데이터의 다양성을 설명하는 개념
> ④ Veracity는 데이터의 신뢰성에 대한 개념

02 다음 중 빅데이터 분석 방법론의 데이터 분석 단계에서 일반적으로 수행하지 않는 작업은 무엇인가?

① 평가용 데이터 준비
② 데이터 모델링
③ 데이터 확인 및 추출
④ 모델 적용 및 운영 방안

> 해설_ **모델링 적용 및 운영 방안** : 모델을 실제 환경에 배포하고 운영하는 단계는 모델 적용 및 운영 단계에 해당하므로, 데이터 분석 단계의 작업이 아니니다.

03 텍스트 마이닝의 주요 개념 및 과정에 대한 설명으로 틀린 것은 무엇인가?

① 불용어(Stopword)는 분석에 필요 없는 단어로, 텍스트 마이닝 과정에서 제거하는 것이 일반적이다.
② 토크나이제이션(Tokenization)은 텍스트 데이터를 분석 가능한 기본 단위(단어, 문장 등)로 나누는 과정이다.
③ 스테밍(Stemming)은 단어의 어근이나 기본 형태를 추출하여 동일한 의미를 가진 단어들을 같은 형태로 통일하는 과정이다.
④ POS tagging은 텍스트 내 단어의 품사를 식별하는 작업으로, 분류나 군집화에 직접 활용된다.

> 해설_ POS tagging 자체가 분류나 군집화 작업을 직접적으로 수행하지는 않으며, 주로 자연어 처리 과정에서 품사 정보를 제공하는 역할을 한다.

04 지도학습 모델 선정 시 일반적으로 고려하지 않는 요소는 무엇인가?

① 데이터의 특성
② 분석 목적
③ 자기상관성
④ 변수의 중요도

> 해설_ 자기상관성은 시계열 데이터 분석에서 주로 고려하는 요소로, 일반적인 지도학습 모델 선정 시 핵심 요소가 아니다.

정답 01 ② 02 ④ 03 ④ 04 ③

8회 기출문제

05 데이터 표준화(Standardization)에 대한 설명으로 올바른 것은 무엇인가?

① 데이터를 결합하여 새로운 샘플을 생성하는 작업이다.
② 표준화된 값은 평균이 0, 표준편차가 1이 되며 단위가 제거된다.
③ 데이터에서 잡음을 제거하고 추세를 부드럽게 만드는 작업이다.
④ 데이터의 특성과 주요 패턴을 식별하고 추출하는 작업이다.

> **해설_** 표준화(Standardization)는 데이터의 평균을 0, 표준편차를 1로 변환하여 값들이 무단위로 비교 가능하도록 만드는 작업이므로, 단위가 제거된다.

06 다음 중 하향식 문제 탐색 과정에 대한 설명으로 틀린 것은 무엇인가?

① 문제 탐색은 개인이 생각하는 문제를 간단하게 나열한다.
② 타당성 검토는 경제적, 기술적 타당성을 분석하는 단계이다.
③ 문제 정의는 식별된 비즈니스 문제를 데이터 문제로 변환한다.
④ 해결방안 탐색은 과제 정의 후 해결 방법을 모색하는 단계이다.

> **해설_** 하향식 문제 탐색 과정에서 문제 탐색은 개인의 주관적인 나열이 아니라 조직의 목표와 전략에 따라 주요 비즈니스 문제를 체계적으로 식별하고 탐색하는 과정이다. 단순한 나열이 아니라 구조화된 접근법을 통해 문제를 정의해야 한다.

07 유의미한 변수를 선정하는 작업이 주로 이루어지는 단계는 무엇인가?

① 분석 기획 (Analysis Planning)
② 데이터 준비 (Data Preparation)
③ 데이터 분석 (Data Analysis)
④ 시스템 구현 (System Implementation)

> **해설_** 데이터 분석 단계에서 유의미한 변수 선정을 위해 변수 중요도 평가, 변수 선택 알고리즘 등을 활용하여 최종적으로 모델 성능에 기여하는 변수를 선정한다.

08 다음 중 내부 데이터와 외부 데이터 관리에 대한 설명으로 틀린 것은 무엇인가?

① 외부 데이터를 수집할 때 법률적·제도적 제약 여부를 검토해야 한다.
② 내부 데이터에 개인정보가 포함된 경우, 비식별화 조치를 고려해야 한다.
③ 외부 데이터는 보안을 신경 쓰지 않고 사용할 수 있다.
④ 내부 데이터는 관리 권한이 다른 부서에 있을 경우 협의를 통해 공유 가능 여부를 확인한다.

정답 05 ② 06 ① 07 ③ 08 ③

해설_
- 외부 데이터를 수집할 때는 개인정보보호법, 저작권법 등 관련 법적·제도적 제약을 반드시 검토해야 한다.
- 내부 데이터에 개인정보가 포함될 경우, 비식별화 조치(익명화, 가명화 등)를 통해 데이터 보안을 강화해야 한다.
- 외부 데이터도 내부 데이터와 마찬가지로 보안과 기밀성을 철저히 고려해야 한다.
- 내부 데이터는 부서 간 협의를 통해 공유 가능 여부를 결정하고, 필요한 경우 데이터 접근 권한을 부여받아야 한다.

09 다음 중 Cassandra, MongoDB와 같이 반정형 또는 비정형 데이터를 저장하는 데 주로 사용하는 데이터베이스 유형으로 옳은 것은 무엇인가?

① HDFS(Hadoop Distributed File System)
② NoSQL
③ RDBMS(Relational Database Management System)
④ In-memory DB (In-memory Database)

해설_ Cassandra와 MongoDB는 대표적인 NoSQL 데이터베이스이다.

10 데이터의 수집, 정리, 분석을 포괄적으로 수행하는 IT 기술을 통칭하는 용어는 무엇인가?

① 정보 시스템(Information System)
② 빅데이터 플랫폼(Big Data Platform)
③ 데이터베이스(Database)
④ 빅데이터 생태계(Big Data Ecosystem)

해설_ 빅데이터 플랫폼은 대규모 데이터를 수집, 저장, 처리, 분석하는 데 필요한 모든 기술과 도구를 통합한 시스템이다.

11 다음 중 분산 파일 시스템(Distributed File System)이 아닌 것은 무엇인가?

① HBase
② Ceph
③ GFS(Google File System)
④ HDFS(Hadoop Distributed File System)

해설_
- HBase는 분산 파일 시스템이 아니라, 분산 데이터베이스(Distributed Database)이다.
- Ceph는 오픈 소스 기반의 분산 파일 시스템으로, 데이터 저장소를 클러스터 형태로 구성한다.

정답 09 ② 10 ② 11 ①

8회 기출문제

12 데이터 웨어하우스(Data Warehouse)의 특징으로 옳지 않은 것은?

① 휘발성(Volatile)
② 주제 지향적(Subject-Oriented)
③ 통합적(Integrated)
④ 시계열적(Time-Variant)

> **해설**
> - 데이터 웨어하우스는 비휘발성(Non-Volatile)이다.
> - 한 번 저장된 데이터는 일반적으로 변경되지 않으며, 삭제나 수정 없이 읽기 전용으로 사용된다.

13 비정형 데이터(unstructured data)가 아닌 것은 무엇인가?

① 거래(transaction) 데이터
② 음성 데이터(Audio Data)
③ 영상 데이터(Video Data)
④ 텍스트 데이터(Text Data)

> **해설** 거래 데이터는 정형 데이터이다.

14 다음 중 Key-Value 데이터베이스에 대한 설명으로 틀린 것은 무엇인가?

① 단순한 데이터 모델을 사용하여 복잡한 쿼리 수행에 적합하다.
② 단순한 데이터 모델 덕분에 질의 응답 시간이 빠르다.
③ 관계형 데이터베이스보다 확장성이 뛰어나다.
④ 데이터를 키와 값의 쌍으로 저장하는 방식이다.

> **해설** Key-Value 데이터베이스는 단순한 데이터 모델을 사용하여 복잡한 쿼리(예 : 조인, 다중 조건 필터링 등)를 수행하는 데 적합하지 않다. 복잡한 쿼리를 필요로 하는 경우에는 관계형 데이터베이스(RDBMS)나 Document Store를 사용하는 것이 더 적합하다.

15 다음 중 비식별화 기법에 대한 설명으로 틀린 것은 무엇인가?

① 데이터 마스킹 수준이 높으면 데이터를 식별하거나 예측하기 쉬워진다.
② 비식별 조치 방법은 데이터 유형과 목적에 따라 적절한 기법을 선택하여 활용한다.
③ 가명처리 시 동일한 값으로 반복 대체할 경우, 규칙이 노출되어 원본 데이터를 역추적할 수 없도록 주의해야 한다.
④ 총계처리는 소규모 집단의 속성 정보를 공개할 경우, 해당 집단에 속한 개인을 식별할 수 있는 위험이 있다.

정답 12 ① 13 ① 14 ① 15 ①

해설_ 데이터 마스킹은 데이터를 식별할 수 없도록 변형하는 기법으로, 마스킹 수준이 높을수록 데이터를 식별하거나 예측하기 어려워진다.

16 개인정보보호 관련 법률에 대한 설명으로 틀린 것은 무엇인가?

① 개인정보 파기 시 별도의 사유 고지 의무는 없다.
② 익명정보를 생성할 때 당사자의 동의를 반드시 구해야 한다.
③ 개인정보보호위원회는 개인정보보호 업무를 독립적으로 처리하는 기관이다.
④ 데이터 3법은 개인정보보호법, 정보통신망법, 신용정보법의 개정을 통해 마련된 법적 체계이다.

해설_ 익명정보는 당사자를 식별할 수 없도록 처리된 정보로, 개인정보보호법에 따라 동의 없이도 생성하고 활용할 수 있다.

17 다음 중 데이터 변환에 대한 예시로 틀린 것은 무엇인가?

① 날짜 형식을 YYYY년 MM월 DD일에서 YYYY/MM/DD로 변경하는 작업
② 나이 구간을 청년, 중년 등으로 범주화하는 작업
③ 학년 데이터를 batch로 변환하여 학습 데이터를 분할하는 작업
④ 키 데이터를 평균 0, 표준편차 1로 표준화하는 작업

해설_
• batch로 변환은 일반적으로 대량의 데이터를 일정한 크기의 그룹(배치)으로 나누어 처리하는 방법을 의미한다.
• batch는 머신러닝에서 주로 데이터를 분할하여 학습에 사용하는 용어로, 데이터 변환과 직접적인 관련이 없다.

18 정량적 데이터와 정성적 데이터에 대한 설명으로 틀린 것은 무엇인가?

① 정량적 데이터는 수치로 표현되며 양적 데이터라고도 한다.
② 정성적 데이터는 범주를 나타내는 질적 데이터이다.
③ 정량적 데이터는 범주형 데이터로 변환할 수 있다.
④ 정성적 데이터는 연속형 데이터로 변환할 수 있다.

해설_ 정성적 데이터는 수치적 의미가 없는 범주형 데이터로, 연속형 데이터로 변환할 수 없다.

정답 16 ② 17 ③ 18 ④

8회 기출문제

19 아래 보기에서 비식별화 기법과 세부 기술에 대한 설명으로 옳은 것은 무엇인가?

> 데이터의 순서를 무작위로 뒤섞어 특정 개인이나 개별 데이터 항목을 추론할 수 없도록 하는 기술

① 총계처리 - 재배열
② 데이터 마스킹 - 잡음 추가
③ 가명처리 - 값 대체
④ 데이터 범주화 - 랜덤 라운딩

> 해설_ 총계처리는 데이터를 집계하여 개별 데이터가 드러나지 않도록 하는 비식별화 기법이고, 재배열은 총계처리 과정에서 데이터를 추가로 보호하기 위해 사용하는 세부 기술이다.

20 다음 중 가역 데이터와 불가역 데이터에 대한 설명으로 틀린 것은 무엇인가?

① 가역 데이터는 원본 데이터가 변경될 경우 변경사항을 반영할 수 있다.
② 불가역 데이터는 생산된 데이터로부터 원본으로 환원할 수 없는 데이터이다.
③ 가역 데이터는 일정 수준 원본으로 복원이 가능한 데이터이다.
④ 불가역 데이터는 원본 데이터가 변경될 경우 그 변경사항을 반영할 수 있다.

> 해설_
> - 불가역 데이터는 비식별화된 데이터로, 변환된 후에는 원본으로 복원이 불가능한 데이터를 의미한다.
> - 원본 데이터가 변경되어도 불가역 데이터는 원본과 연결되지 않기 때문에 변경사항을 반영할 수 없다.

2 과목 빅데이터 탐색

21 기술 통계량(Descriptive Statistics)에 해당하지 않는 것은 무엇인가?

① 최대값 (Maximum)
② 중앙값 (Median)
③ 이상값 (Outlier)
④ 분산 (Variance)

> 해설_
> - 기술 통계량은 데이터의 분포, 중심 경향, 변동성을 요약하고 설명하는 데 사용
> - 이상값은 데이터 분석 과정에서 관찰되는 특이치로, 기술 통계량이 아니라 데이터 분석에서의 특수한 데이터 포인트를 의미한다.

22 다음 점수 데이터의 표본 분산(Sample Variance)은?

> 점수 : 60, 70, 80

① 10
② 20
③ 100
④ 200

> 해설_
> - 표본분산은 데이터를 분석할 때 각 데이터가 평균으로부터 얼마나 떨어져 있는지를 나타낸다.
> - $s^2 = \dfrac{\sum(x_i - \bar{x})^2}{n-1}$

정답 19 ① 20 ④ 21 ③ 22 ③

- x_i : 각 데이터 값
- $\bar{x}$: 데이터의 평균
- n : 데이터의 개수

- $\bar{x} = \dfrac{60+70+80}{3} = 70$

- 편차 제곱 계산
  - $(60-70)^2 = 100$
  - $(70-70)^2 = 0$
  - $(80-70)^2 = 100$

  $s^2 = \dfrac{100+0+100}{3-1} = \dfrac{200}{2} = 100$

24 자료의 척도에 대한 설명으로 옳지 않은 것은?

① 나이 : 비율척도
② 성별 : 명목척도
③ 매출액 : 서열척도
④ 온도 : 등간척도

해설_ 매출액은 크기를 비교할 수 있고, 비율 계산이 가능하며 이는 비율척도에 해당된다.

23 오른쪽 꼬리가 긴 분포(Skewed to the Right Distribution)에서 평균(Mean), 중앙값(Median), 최빈값(Mode)의 크기 관계를 올바르게 나타낸 것은?

① 평균 < 최빈값 < 중앙값
② 평균 < 중앙값 < 최빈값
③ 최빈값 < 중앙값 < 평균
④ 최빈값 < 평균 < 중앙값

해설_ 오른쪽 꼬리가 길 경우, 극단적으로 큰 값에 의해 평균이 오른쪽으로 치우쳐 가장 큰 값이 된다.

25 다음 표에서 ㉠, ㉡, ㉢ 에 들어갈 단어를 고르시오.

	H_0가 사실	H_0가 허위
H_0 채택	㉠	㉡
H_0 기각		㉢

① ㉠ : 정확한 판정, ㉡ : 정확한 판정,
  ㉢ : 1종 오류
② ㉠ : 정확한 판정, ㉡ : 1종 오류,
  ㉢ : 2종 오류
③ ㉠ : 정확한 판정, ㉡ : 2종 오류,
  ㉢ : 1종 오류
④ ㉠ : 1종 오류, ㉡ : 2종 오류,
  ㉢ : 정확한 판정

해설_
- 1종 오류(Type I Error) : H_0가 사실인데 H_0를 기각한 경우
- 2종 오류(Type II Error) : H_0가 허위인데 H_0를 채택한 경우

정답 23 ③ 24 ③ 25 ③

8회 기출문제

26 A나라와 B나라가 투표 후 투표율에 대한 표본조사를 실시하였다. A나라에서는 100명을 조사하였는데 71명이 투표했다고 응답하였고, B나라는 200명을 조사 하였는데 134명이 투표하였다고 응답하였다. A,B 나라 모든인원이 투표할 확률을 각각 p_1, p_2 라고 할 때, $p_1 - p_2$ 의 추정값은?

① 0.04
② 0.17
③ 0.31
④ 0.67

> **해설**
> - 표본 비율(p)은 표본에서 특정 이벤트가 발생한 비율로 계산
> - $p = \dfrac{\text{특정 이벤트 횟수}}{\text{표본 크기}}$
> - A나라(p_1) = $\dfrac{71}{100}$ = 0.71
> - B나라(p_2) = $\dfrac{134}{200}$ = 0.67
> - 비율 차이 추정값($p_1 - p_2$) = 0.71 - 0.67 = 0.04

27 다음은 베르누이 확률분포를 따르는 10회의 시행에서 성공 횟수로 가설을 검정하는 상황이다. 귀무가설 H_0 : p = $\dfrac{1}{3}$, 대립가설 H_1 : p = $\dfrac{2}{3}$ 이며, 성공 횟수가 7회 이상일 경우 H_0 를 기각한다고 한다. 제2종 오류를 범할 확률은 얼마인가?

① $\sum_{i=7}^{10} \binom{10}{i} \left(\dfrac{2}{3}\right)^i \left(\dfrac{1}{3}\right)^{10-i}$

② $\sum_{i=0}^{6} \binom{10}{i} \left(\dfrac{2}{3}\right)^i \left(\dfrac{1}{3}\right)^{10-i}$

③ $\sum_{i=7}^{10} \binom{10}{i} \left(\dfrac{1}{2}\right)^i \left(\dfrac{1}{2}\right)^{10-i}$

④ $\sum_{i=0}^{6} \binom{10}{i} \left(\dfrac{1}{2}\right)^i \left(\dfrac{1}{2}\right)^{10-i}$

> **해설**
> - 제2종 오류는 H_1 이 참일 때 H_0 를 채택하는 경우를 의미한다.
> - $p = \dfrac{2}{3}$ 일 때 성공횟수가 7회 미만(0~6회) 경우를 의미한다.
> - 베르누이 확률분포에서 성공 횟수가 X가 i일 확률은 아래와 같이 계산된다.
> - $P(X=i) = \binom{n}{i} p^i (1-p)^{n-i}$
> - 여기서 n = 10, p = $\dfrac{2}{3}$, 1 - p = $\dfrac{1}{3}$

정답 26 ① 27 ②

28 다음 중 차원축소(Dimensionality Reduction)에 특징으로 적절하지 않은 것은?

① 노이즈 제거
② 설명력 증가
③ 특징 추출
④ 데이터 정제

> 해설
> • 차원축소는 데이터를 단순화하지만, 설명력을 증가시키는 것은 아니다.
> • 오히려 차원을 축소하면 일부 정보가 손실되므로, 설명력은 줄어들 가능성이 높다.

29 기초통계량(Summary Statistics)과 그래프를 통해 확인할 수 없는 것은 무엇인가?

① 결측치(Missing Values)
② 이상치(Outliers)
③ 통계적 유의성(Statistical Significance)
④ 데이터 분포(Data Distribution)

> 해설 통계적 유의성은 별도의 통계 검정 절차를 통해 판단해야 한다.

30 다음은 분산분석표(ANOVA Table)의 일부이다. 빈칸에 들어갈 내용으로 옳지 않은 것은?

요인	제곱합(SS)	자유도(df)	제곱평균(MS)	F
회귀	189	1	③ ( )	① ( )
잔차	350	2	② ( )	
합계	④ ( )	3		

① 1.08
② 175
③ 87.5
④ 539

> 해설
> • 분산분석표의 공식
> • $SS_{합계} = SS_{회귀} + SS_{잔차}$
> • 제곱평균 $MS = \dfrac{SS}{자유도}$
> • $F = \dfrac{MS_{회귀}}{MS_{잔차}}$
> • 잔차의 제곱평균($MS_{잔차}$)
> $= \dfrac{SS_{잔차}}{df_{잔차}} = \dfrac{350}{2} = 175$
> • 회귀의 제곱합($SS_{회귀}$) $= 539 - 350 = 189$
> • 회귀의 제곱평균($MS_{회귀}$)
> $= \dfrac{SS_{회귀}}{df_{회귀}} = \dfrac{189}{1} = 189$
> • $F = \dfrac{MS_{회귀}}{MS_{잔차}} = \dfrac{189}{175} = 1.08$

정답   28 ②   29 ③   30 ③

8회 기출문제

31 다음 중 서열척도 변수들 간의 상관관계를 측정할 때 사용하는 값은?

① 피어슨 상관계수(Pearson Correlation Coefficient)
② 스피어만 상관계수(Spearman Rank Correlation Coefficient)
③ 켄달의 타우 계수(Kendall's Tau Coefficient)
④ 자기 상관계수(Autocorrelation Coefficient)

> **해설** 스피어만 상관계수(Spearman Rank Correlation Coefficient) : 서열척도(순서형 변수) 간의 상관관계를 측정할 때 주로 사용하는 상관계수이다.

32 다음은 주성분 분석 결과입니다. 제 2주성분 (PC2)이 전체 분산을 몇 %까지 설명하는가?

Component	PC1	PC2	PC3	PC4
Standard Deviation	2.0564	1.3421	0.8457	0.7563
Proportion of Variance	0.6128	0.2834	0.0892	0.0631

① 28.34%
② 61.28%
③ 8.92%
④ 6.31%

> **해설**
> - 주성분 분석 결과에서 Proportion of Variance는 각 주성분이 전체 분산을 얼마나 설명하는지를 나타낸다.
> - 제 2주성분(PC2)이 전체 분산을 설명하는 비율은 0.2834이므로, 이를 퍼센트로 표현하면 28.34%이다.

33 점추정에 대한 설명으로 틀린 것은?

① 표본분산은 모분산의 불편추정량이다.
② 표본평균은 모평균에 대한 일치추정량이다.
③ 편향(bias)이 0인 추정량을 불편추정량이라고 한다.
④ MSE(Mean Squared Error)는 추정량의 분산과 편향 제곱의 합으로 이루어져 있다.

> **해설**
> - 표본분산을 계산할 때, 표본 크기 n-1 나누어 계산하면 모분산에 대한 불편추정량 된다.
> - 이는 표본평균에 대한 편향을 보정하기 위한 것이다.
> - 표본평균은 편향이 없고, 표본 크기가 커질수록 분산이 줄어들어 모평균에 수렴하기 때문에 일치추정량(Consistent Estimator)이다.
> - 불편추정량은 추정량의 기댓값이 모수와 같을 때를 의미한다.
> - MSE는 추정량의 분산과 편향 제곱의 합으로 구성된다.

정답 31 ②　32 ①　33 ①

34 다음 중 파생변수(Derived Variable)에 대한 설명으로 틀린 것은 무엇인가?

① 시간 데이터로부터 날짜, 시간대, 요일 등 새로운 파생변수를 생성할 수 있다.
② 연속형 변수는 특정 범위로 구분하여 범주형 파생변수를 생성할 수 있다.
③ 독립변수와 종속변수의 교호작용을 이용하여 파생변수를 생성할 수 있다.
④ 적절한 파생변수는 모델의 예측력을 크게 향상시킬 수 있다.

해설
- 종속변수는 모델이 예측하려는 대상이기 때문에, 파생변수를 생성할 때 직접적으로 사용할 수 없다.
- 파생변수는 주로 독립변수 간의 상호작용(교호작용, interaction)을 통해 생성한다.

35 표본 크기가 커질수록 표본평균의 분포가 정규분포에 수렴하는 이론을 설명하는 용어는 무엇인가?

① 중심극한정리
② 표본평균의 법칙
③ 최대우도추정
④ 베이즈 정리

해설_ 중심극한정리란 표본 크기 n이 충분히 클 경우, 모집단의 분포가 어떤 형태이든 상관없이 표본평균의 분포가 정규분포에 가까워지는 현상을 설명하는 통계학의 중요한 이론이다.

36 다음 보기에서 주성분 분석(PCA : Principal Component Analysis)에 대한 설명으로 옳은 것을 모두 고르시오.

(가) 변수들은 정규분포 관계가 있다.
(나) 차원 축소는 변수들 간에 관계가 없어도 효과적으로 수행할 수 있다.
(다) 주성분 분석은 분산이 가장 큰 방향을 찾아 그 축을 기준으로 새로운 주성분을 형성한다.

① 가　　　② 다
③ 가, 다　　④ 나, 다

해설
- 주성분 분석(PCA)은 변수들이 정규분포를 따를 필요는 없다.
- 주성분 분석(PCA)은 변수들 간의 상관관계를 이용하여 분산이 큰 방향(주성분)을 찾고, 이를 기준으로 차원을 축소한다.
- 주성분 분석(PCA)은 분산이 가장 큰 방향(주성분)을 기준으로 새로운 축을 형성한다.

37 음수 데이터에는 적용할 수 없고, 데이터를 변환하여 0~1 사이의 범위로 정규화할 수 있는 방법은 무엇인가?

① Min-Max 정규화(Min-Max Normalization)
② Z-Score 표준화(Z-Score Standardization)
③ Binning(빈닝)
④ Box-Cox 변환(Box-Cox Transformation)

해설_ Box-Cox 변환은 양의 데이터에만 적용 가능하며, 변환 결과가 0~1 사이로 정규화될 수 있다.

정답　34 ③　35 ①　36 ②　37 ④

8회 기출문제

38 다음 중 모델의 편향(Bias)과 분산(Variance)의 관계에 대한 설명으로 옳은 것은 무엇인가?

① 모델이 복잡하면 편향이 커지고, 분산이 작아진다.
② 모델이 단순하면 편향이 작아지고, 분산이 커진다.
③ 편향이 낮고 분산도 낮으면 일반화 성능이 좋은 모델이다.
④ 편향과 분산은 상충관계(trade-off)가 아니다.

> **해설**
> - 모델이 복잡하면 편향(Bias)은 낮고, 분산(Variance)은 높아진다.
> - 모델이 단순할수록 편향(Bias)은 커지고, 분산(Variance)은 작아진다.
> - 편향과 분산은 상충관계(trade-off)에 있다.

39 다음 중 결측값 대치(Imputation)에 대한 설명으로 틀린 것은 무엇인가?

① 평균으로 대치할 경우 데이터의 변동성이 줄어들어 통계량의 표준오차가 과소추정될 수 있다.
② 단순확률대치법은 전체 데이터에서 무작위로 추출한 값을 사용하여 결측값을 대치하는 방법이다.
③ 최근접대치법(KNN Imputation)은 결측값을 해당 데이터와 가장 유사한 이웃(k개의 이웃) 값들의 평균 또는 최빈값으로 대치하는 방법이다.
④ 자기회귀 대치법은 시계열 데이터의 자기상관성을 무시하고 결측치를 무작위로 대치하기 때문에 상관성이 낮아지고 분산이 커질 수 있다.

> **해설**
> - 자기회귀 대치법(Auto-regressive Imputation)은 시계열 데이터의 자기상관성을 활용하여 결측값을 예측하는 방법이다.
> - 이 방법은 데이터의 상관성을 유지하고, 분산을 줄이는 효과가 있다.

40 암 발생률과 재산의 상관관계를 분석하려고 한다. 다른 변수들의 영향을 제외하고 분석할 때 적합한 방법은?

① 군집분석(Cluster Analysis)
② 편상관분석(Partial Correlation Analysis)
③ F분포(F-Distribution)
④ 카이제곱(Chi-Square Test)

> **해설**
> - 편상관분석은 두 변수 간의 순수한 상관관계를 평가하기 위해, 다른 변수들의 영향을 통제한 상태에서 상관관계를 계산하는 기법이다.
> - 예를 들어, 암 발생률과 재산 간의 관계를 분석할 때, 나이, 성별, 지역 등의 영향을 배제하고 순수한 상관관계를 분석할 수 있다.

정답 38 ③ 39 ④ 40 ②

3 과목   빅데이터 모델링

41 다변량분산분석(MANOVA : Multivariate Analysis of Variance)에 대한 설명으로 옳은 것은 무엇인가?

① 독립변수가 1개 이상이고, 종속변수가 1개인 경우를 분석한다.
② 독립변수가 여러 개이고, 종속변수가 1개인 경우를 분석한다.
③ 독립변수가 1개 이상이고, 종속변수가 여러 개인 경우를 분석한다.
④ 독립변수가 1개이고, 종속변수가 여러 개인 경우를 분석한다.

해설_ 다변량분산분석(MANOVA : Multivariate Analysis of Variance)은 1개 이상의 독립변수와 여러 개의 종속변수 간의 관계를 분석하는 기법이다.

42 파라미터(parameter)와 하이퍼파라미터(hyper parameter)에 대한 설명으로 옳지 않은 것은?

① 파라미터(parameter)는 학습을 통해 최적화가 가능하다.
② 파라미터(parameter) 추정을 위해 경사하강법(Gradient Descent)을 이용한다.
③ 하이퍼파라미터(hyperparameter)는 학습 중에 변하지 않는다.
④ 하이퍼파라미터(hyperparameter)의 예시는 은닉층의 개수(Number of Hidden Layers)와 학습률(Learning Rate) 등이 있다.

해설_ 대부분의 하이퍼파라미터는 학습 중에 고정되지만, 학습률과 같은 일부 하이퍼파라미터는 학습 중 동적으로 변경될 수 있다.

43 다중공선성(Multicollinearity)에 대한 설명으로 옳은 것은 무엇인가?

① 다중공선성은 독립변수 간 상관관계로 인해 회귀계수의 분산을 증가시킨다.
② 다중회귀에서 독립변수 간에 완벽한 상관관계가 있으면 다중공선성이 있다고 한다.
③ VIF(분산팽창지수)가 5 이하일 경우 다중공선성의 문제는 심각하지 않다.
④ 회귀분석에서 다중공선성이 높아야 모델이 적합하게 작동한다.

해설_ 다중공선성이 존재하면 독립변수 간 상관관계가 높아져 회귀계수의 분산이 증가하고, 회귀계수의 추정이 불안정해진다.

44 다음 중 샘플링(Sampling)에 사용되지 않는 기법은 무엇인가?

① Metropolis-Hastings 알고리즘
② Gibbs 샘플링
③ Rejection 샘플링
④ EM 알고리즘

해설_ EM 알고리즘은 샘플링 기법이 아니라 최적화 알고리즘이므로 샘플링에 사용되지 않는 기법이다.

정답   41 ③   42 ③   43 ①   44 ④

8회 기출문제

45 경사하강법(Gradient Descent) 및 그 변형 기법에 대한 설명으로 옳지 않은 것은?

① 확률적 경사하강법(Stochastic Gradient Descent)은 전체 데이터 중 일부를 랜덤하게 추출하여 기울기를 계산하는 방법이다.
② 모멘텀(Momentum)은 관성을 사용하여 기울기를 따라 더 빠르게 수렴하고 지역 최소값을 극복할 수 있도록 돕는다.
③ Adaptive Gradient(AdaGrad)는 학습 속도를 변수마다 다르게 조정하여 자주 변화하는 변수의 학습 속도를 높인다.
④ Adam은 확률적 경사하강법과 모멘텀 방식의 장점을 결합하여 학습 속도를 안정화하는 방법이다.

> **해설** AdaGrad는 학습 속도를 변수마다 다르게 조정하지만, 자주 변화하는 변수의 학습 속도를 줄이고, 드물게 변화하는 변수의 학습 속도를 높이는 방식으로 작동한다.

46 다음 빈칸에 공통으로 들어갈 용어로 적절한 것은?

> 시퀀스투시퀀스(seq2seq)에서 인코더를 통해 (   )가 만들어지고 디코더가 (   )를 받아 출력시퀀스가 된다.

① 고유벡터(Eigenvector)
② 컨텍스트 벡터(Context Vector)
③ 어텐션 벡터(Attention Vector)
④ 기저벡터(Basis Vector)

> **해설**
> - 시퀀스 투 시퀀스(Seq2Seq) 모델은 자연어 처리(NLP), 기계 번역, 텍스트 요약 등에서 많이 사용하는 모델 구조로, 입력 시퀀스를 고정된 길이의 벡터로 인코딩하고, 이를 기반으로 출력 시퀀스를 디코딩하는 방식으로 동작한다.
> - 인코더(Encoder) : 입력 시퀀스를 처리하여 컨텍스트 벡터(Context Vector)라는 고정된 크기의 벡터를 생성한다.
> - 디코더(Decoder) : 인코더가 생성한 컨텍스트 벡터를 입력으로 받아 출력 시퀀스를 단계별로 생성한다.

47 서포트 벡터 머신(SVM : Support Vector Machine)에 대한 설명으로 옳지 않은 것은?

① 과적합을 방지할 수 있는 특성을 가진다.
② 학습 속도가 느리고 계산 비용이 높을 수 있다.
③ 초매개변수(C)와 커널(Kernel)의 최적화가 필요 없다.
④ 커널 함수는 여러 개 존재한다.

> **해설** SVM의 성능은 초매개변수(C : 정규화 파라미터)와 커널(Kernel)의 선택에 크게 의존합니다. C는 마진 폭과 오차 허용 범위 간의 균형을 조절하고, 커널 함수는 비선형 데이터의 분류 성능에 큰 영향을 미치기 때문에 초매개변수 최적화가 필수적이다.

정답 45 ③ 46 ② 47 ③

48 의사결정나무(Decision Tree)에 대한 설명으로 옳은 것을 모두 고르시오.

> (가) 의사결정나무는 설명력이 명확하여 해석이 쉽다.
> (나) 의사결정나무는 동질성이 커지는 방향으로 데이터를 분기한다.
> (다) 의사결정나무는 정규성 가정을 필요로 한다.
> (라) 의사결정나무에서는 변수 간 교호작용 효과를 파악하기 어렵다.

① (가), (나)
② (가), (라)
③ (가), (나), (라)
④ (가), (나), (다), (라)

해설
- 의사결정나무는 데이터의 정규성 가정이나 등분산성 가정을 필요로 하지 않는다.
- 의사결정나무는 분기 구조를 통해 변수 간 교호작용 효과를 파악할 수 있으며, 시각적으로도 해석이 용이하다.

49 앙상블 모델(Ensemble Model)에 대한 설명으로 옳지 않은 것은?

① 앙상블 모델은 여러 개의 개별 모델을 조합하여 하나의 예측 결과를 만든다.
② 배깅(Bagging), 부스팅(Boosting), 스태킹(Stacking)은 대표적인 앙상블 기법이다.
③ 앙상블 모델은 항상 단일 모델보다 더 좋은 성능을 보장한다.
④ 앙상블 모델은 여러 모델을 결합하여 과적합을 방지하고 일반화 성능을 높일 수 있다.

해설 앙상블 모델이 일반적으로 단일 모델보다 좋은 성능을 보이는 경우가 많지만, 항상 더 좋은 것은 아니다.

50 동일한 두 개의 공장에서 하나의 공장에 신기술을 적용하여 불량 감소 효과를 확인하고자 한다. 다음 표를 바탕으로 신기술 적용 공정과 기존 공정 간의 상대 위험도(RR)와 승산비(OR)로 가장 적절한 값을 구하시오.

구분	불량여부		합계
	불량	정상	
신기술적용 공정	10	490	500
기존 공정	40	460	500
합계	50	950	1000

① 상대 위험도 : 0.2,
   승산비 : $(0.02 \times 0.92)/(0.08 \times 0.98)$
② 상대 위험도 : 0.25,
   승산비 : $(0.02 \times 0.92)/(0.08 \times 0.98)$
③ 상대 위험도 : 0.3,
   승산비 : $(0.02 \times 0.82)/(0.08 \times 0.98)$
④ 상대 위험도 : 0.25,
   승산비 : $(0.02 \times 0.92)/(0.02 \times 0.98)$

해설
- 상대 위험도(Relative Risk, RR)는 두 집단의 사건 발생 확률 비율을 나타내며, 다음과 같이 계산한다.
- 상대 위험도 = $\dfrac{\text{신기술 적용 공정에서 불량률}}{\text{기존 공정에서 불량률}}$

정답 48 ① 49 ③ 50 ②

8회 기출문제

- 신기술 적용 공정에서 불량률 : 10/500 = 0.02
- 기존 공정에서 불량률 40/500 = 0.08
- 상대위험도 = 0.02/0.08 = 0.25
- 승산비는 두 집단 간의 사건 발생 비율(odds)의 비율을 나타내며, 다음과 같이 계산한다.
- 승산비 = $\dfrac{\text{신기술 적용 공정에서 불량 오즈}}{\text{기존 공정에서 불량 오즈}}$
- 신기술 적용 공정에서 불량 오즈 = 10/490 = 0.02/0.98
- 기존 공정에서 불량 오즈 = 40/460 = 0.08/0.92
- 승산비 = $\dfrac{0.02 \times 0.92}{0.08 \times 0.98}$

51. 나이브 베이즈(Naive Bayes)에 대한 설명으로 옳지 않은 것은?

① 나이브 베이즈는 각 독립변수가 서로 독립적이라고 가정한다.
② 베이즈 정리를 사용하여 종속변수의 사후 확률을 계산한다.
③ 나이브 베이즈는 사전확률과 조건부 확률을 토대로 예측을 수행한다.
④ 나이브 베이즈는 별도의 학습 과정 없이 바로 예측을 수행할 수 있다.

해설_ 나이브 베이즈도 훈련 데이터를 통해 사전확률과 조건부 확률을 추정하는 학습 과정이 필요하며, 이 과정이 끝난 후 예측을 수행할 수 있다.

52. 비모수 검정(Non-parametric Test)에 대한 설명으로 옳지 않은 것은?

① 정규성 가정이 필요하지 않다.
② 이상치에 대한 민감도가 모수 검정보다 덜하다.
③ 일반적으로 모수 검정보다 검정력이 높다.
④ 데이터 순위나 범위를 이용하므로 직관적으로 이해하기 쉽다.

해설_
- 모수검정이 데이터의 분포에 대한 강한 가정을 기반으로 하기 때문에 더 적은 데이터로도 강력한 결론을 도출할 수 있다.
- 반면, 비모수 검정은 이러한 가정이 없기 때문에 더 많은 데이터가 필요하며, 데이터 크기가 작을 경우 검정력이 낮을 수 있다.

53. 앙상블 기법(Ensemble Method)과 관련된 설명으로 옳지 않은 것은?

① Voting은 여러 모델의 예측 결과에 대해 다수결 또는 가중 투표 방식을 사용하여 최종 값을 결정하는 기법이다.
② Bagging은 중복을 허용하여 여러 번 샘플을 뽑아 각 모델을 학습시키고 결과물을 집계하는 기법이다.
③ Stacking은 동일한 샘플을 이용하여 다양한 유형의 모델을 학습시키고, 이들의 예측 결과를 메타 모델에 입력으로 사용한다.
④ Batch는 부트스트랩 샘플 집합을 만들어 배깅에 활용하는 방법이다.

정답 51 ④ 52 ③ 53 ④

해설_ Batch는 주로 딥러닝 및 경사하강법에서 사용되는 용어로, 데이터를 일정 크기로 나누어 학습하거나 예측할 때 사용된다. 배깅(Bagging)에서 사용하는 부트스트랩 샘플링과는 다른 개념이다.

54 결정계수(Coefficient of Determination)에 대한 설명으로 옳은 것은?

① 결정계수 값이 1이면 종속변수의 변동이 독립변수에 의해 모두 설명됨을 의미한다.
② 결정계수 값이 0이면 종속변수의 변동이 모두 독립변수에 의해 설명됨을 의미한다.
③ 결정계수 값의 범위는 -1에서 1까지이다.
④ 회귀모형에 독립변수를 더 많이 추가하면 항상 더 좋은 예측 성능을 보인다.

해설_ 결정계수값이 1이라는 것은 모델이 종속변수의 변동을 100% 설명됨을 의미한다.

55 인공신경망(Artificial Neural Network)에서 과적합 방지(Overfitting Prevention) 방법으로 적절하지 않은 것은?

① 가중치 규제(Weight Regularization)
② 모델 복잡도 감소(Model Complexity Reduction)
③ 매개변수 증가(Increase in Parameters)
④ 드롭아웃(Dropout)

해설_ 매개변수를 늘리면 모델의 복잡도가 증가하여 과적합의 위험이 높아진다.

56 배치 크기(Batch Size)에 대한 설명으로 옳지 않은 것은?

① 배치 크기가 작을수록 더 자주 가중치 업데이트가 이루어져 훈련 속도가 빨라진다.
② 배치 크기는 훈련 속도뿐 아니라 모델의 일반화 성능에도 영향을 주지 않는다.
③ 배치 크기가 너무 크면 메모리 부족 문제가 발생할 수 있다.
④ 배치 크기가 너무 작으면 노이즈가 증가하여 학습 과정이 불안정해질 수 있다.

해설_
- 작은 배치를 사용할 경우, 기울기의 변동성이 커지면서 노이즈가 많아지지만 더 나은 일반화 성능으로 이어질 수 있다.
- 큰 배치를 사용할 경우, 기울기 변동성이 적어 학습 과정이 더 안정적이지만, 과적합(overfitting) 문제가 발생할 수 있다.

57 다음 중 과적합 방지를 위한 규제항 적용 시, 가중치의 제곱합(L2 정규화)을 활용하는 기법은 무엇인가?

① Lasso Regression
② Ridge Regression
③ ElasticNet Regression
④ Logistic Regression

해설_
- 규제는 모델의 복잡도를 제어하여 과적합(overfitting)을 방지하는 기법이다.
- Ridge Regression은 가중치의 제곱합(L2 정규화)을 활용하여 과적합을 방지한다.

정답 54 ① 55 ③ 56 ② 57 ②

8회 기출문제

58 선형회귀(Linear Regression)와 로지스틱회귀(Logistic Regression)에 대한 설명으로 옳지 않은 것은 무엇인가?

① 종속변수가 범주형인 경우 로지스틱 회귀를 사용한다.
② 선형, 로지스틱 회귀 모두 잔차 정규성을 가정한다.
③ 선형회귀 계수 LSE(최소제곱추정)로 추정하면 불편추정량이다.
④ 선형, 로지스틱 회귀 모두 MLE(최대우도추정)로 계수 추정이 가능하다.

> **해설_**
> - 선형회귀는 잔차(오차)의 정규성을 가정한다.
> - 로지스틱 회귀는 종속변수가 범주형 데이터라는 점에서 잔차를 정의하기 어렵고, 잔차의 정규성을 가정하지 않아도 모델 적합성과 추론에 문제가 없다.

59 아래 조건에 따른 인공 신경망 출력층을 계산하시오.

> - 마지막 은닉층에 노드 2개가 있고, 값은 각각 0.4, 0.5이다.
> - 출력층의 가중치는 0.2, 0.1이고, 출력층의 편향(bias)은 0.2이다.

① 0.33
② 0.55
③ 0.45
④ 0.67

> **해설_**
> - 출력층 합 계산
> - $z = (노드1 \times 가중치1) + (노드2 \times 가중치2) + bias$
> - $z = (0.4 \times 0.2) + (0.5 \times 0.1) + 0.2 = 0.33$

60 아래 보기의 거리 수식으로 옳은 것은?

$$d(x,y) = \left(\sum_{i=1}^{n} |x_i - y_i|^p \right)^{\frac{1}{p}}$$

① 마할라노비스 거리(Mahalanobis Distance)
② 유클리드 거리(Euclidean Distance)
③ 맨해튼 거리(Manhattan Distance)
④ 민코우스키 거리(Minkowski Distance)

> **해설_** 민코우스키 거리는 p 값에 따라 다양한 거리 측정 방법을 일반화하는 공식이다.

정답 58 ② 59 ① 60 ④

4 과목 빅데이터 결과 해석

61 오분류표(Confusion Matrix)를 활용하여 평가지표로 적절하지 않은 것은?

		실제값		
		양성	음성	합계
예측값	양성	48	2	50
	음성	12	38	50
합계		60	40	100

① 정확도(Accuracy) : 0.86
② 민감도(Sensitivity) : 0.76
③ 특이도(Specificity) : 0.95
④ 정밀도(Precision) : 0.80

해설
- 민감도 = $\dfrac{48}{48+12} = \dfrac{48}{60} = 0.80$
- 정밀도 = $\dfrac{48}{48+2} = \dfrac{48}{50} = 0.96$

62 교차검증(Cross-Validation)에 대한 설명으로 적절하지 않은 것은?

① 학습데이터와 검증데이터는 중복되지 않는다.
② 시계열 데이터는 임의의 시간순으로 학습데이터와 검증데이터를 나누지 않는다.
③ 선형 회귀분석을 할 때 Leave-One-Out 교차검증(LOOCV)은 학습 시간이 오래 걸리기 때문에 적합하지 않다.
④ 학습데이터에서의 평균제곱오차(MSE) 값은 일반적으로 검증데이터에서의 평균제곱오차(MSE) 값보다 작다.

해설
- K-폴드 교차검증(K-Fold Cross-Validation)에서는 데이터가 서로 다른 폴드로 교대로 학습과 검증에 사용된다.
- 각 폴드는 학습과 검증 데이터로 중복되어 사용된다.
- 시계열 데이터는 시간 순서가 중요한 특성을 가지므로, 데이터를 임의로 섞지 않고 시간 순서에 따라 학습 및 검증 데이터를 나눈다.
- LOOCV는 데이터 하나를 검증데이터로 사용하고 나머지를 학습데이터로 반복하는 방식
- 데이터가 많을수록 반복 횟수가 많아져 시간 복잡도가 높아지고 학습 시간이 오래 걸린다.
- 학습데이터는 모델이 학습하는 데 사용되므로, 해당 데이터에 최적화되기 때문에 오차가 작게 나타난다.

63 ROC 곡선(Receiver Operating Characteristic Curve)과 관련된 설명으로 적절하지 않은 것은?

① ROC 곡선은 FPR(False Positive Rate)의 증가에 따른 TPR(True Positive Rate)의 변화를 나타낸 곡선이다.
② 우수한 곡선일수록 FPR이 낮을수록 높은 TPR을 나타낸다.
③ 랜덤으로 분류하는 것은 ROC 곡선의 대각선에 수렴한다.
④ ROC 곡선의 성능이 우수할수록 AUC(Area Under Curve)가 작아진다.

해설 성능이 우수할수록 AUC 값은 커진다.

정답 61 ②, ④   62 ①   63 ④

8회 기출문제

64 불균형 데이터(Imbalanced Data)에 대한 설명으로 옳지 않은 것은?

① 데이터에 불균형이 있는 경우 최적화된 모델의 학습이 어려울 수 있다.
② 불균형 데이터 집합에서는 단순 정확도보다는 정밀도, 재현율 등의 평가지표를 사용하는 것이 적절하다.
③ 학습 시 모델의 성능은 클래스 개수보다는 클래스 간 샘플 수 차이에 영향을 받는다.
④ 소수 클래스에 대해 언더샘플링이 적절한 방법이다.

해설 소수 클래스에 대해서는 오버샘플링 또는 클래스 가중치 조정이 적절한 방법이며, 언더샘플링은 다수 클래스에 적용하는 기법이다.

65 회귀 대치법(Regression Imputation)에 대한 설명으로 옳지 않은 것은?

① 결측값을 예측하기 위해 회귀분석을 사용하여 대체할 값을 생성한다.
② 데이터의 구조와 패턴을 반영하여 결측값을 보다 정확하게 대체할 수 있다.
③ 독립변수와 종속변수 간의 관계가 약할 경우에도 효과적으로 적용할 수 있다.
④ 결측값이 없는 다른 변수들을 이용하여 결측값이 있는 변수를 예측할 수 있다.

해설 회귀 대치법은 독립변수와 종속변수 간에 강한 관계가 있을 때 더 효과적으로 작동하므로, 관계가 약할 경우 예측 정확도가 떨어진다.

66 지역별 매출과 수익을 시각화하는 데 가장 적절한 방법으로 짝지어진 것은?

① 매출 : 버블 차트, 수익 : 코로플레스 맵
② 매출 : 코로플레스 맵, 수익 : 버블 차트
③ 매출 : 카토그램, 수익 : 버블 차트
④ 매출 : 등치선도, 수익 : 카토그램

해설
- 코로플레스 맵은 지역별 데이터를 색상으로 표현하는 지도 기반 시각화 기법이다.
- 지역별 매출과 같이 특정 값이 지역에 따라 달라지는 경우, 코로플레스 맵을 사용하면 매출의 분포를 한눈에 파악할 수 있다.
- 카토그램은 지역의 크기를 데이터 값에 비례하도록 변형하여 표현하는 지도이다.

67 다음 중 분석 결과 활용 계획에 대한 설명으로 옳지 않은 것은 무엇인가?

① 분석 결과를 효과적으로 활용하기 위한 내·외부 교육 훈련 방안을 포함할 수 있다.
② 분석 결과 활용 계획은 분석 모형 리모델링 후 수립하는 것이 적절하다.
③ 분석 결과 활용 효과를 측정하기 위한 성과 지표를 마련해야 한다.
④ 분석 결과의 유효성을 유지하기 위해 지속적인 모니터링이 필요하다.

해설 분석 결과 활용 계획은 분석 모형 리모델링 이전에 수립되어야 한다.

정답 64 ④ 65 ③ 66 ② 67 ②

68 데이터 시각화(Data Visualization) 과정의 순서로 옳은 것은 무엇인가?

① 데이터 획득 → 데이터 구조화 → 데이터 마이닝 → 시각화 모델 선택 → 시각화 표현
② 데이터 획득 → 데이터 구조화 → 시각화 모델 선택 → 시각화 표현 → 데이터 마이닝
③ 데이터 획득 → 데이터 구조화 → 데이터 마이닝 → 시각화 모델 선택 → 시각화 표현
④ 데이터 구조화 → 데이터 획득 → 데이터 마이닝 → 시각화 모델 선택 → 시각화 표현

해설
- 데이터 획득(Data Acquisition) : 첫 번째 단계는 분석에 필요한 데이터를 수집하는 과정
- 데이터 구조화(Data Structuring) : 수집한 데이터를 분석에 적합한 형태로 정리하고 변환하는 단계
- 데이터 마이닝(Data Mining) : 데이터를 탐색하고 중요한 패턴을 발견하거나 통계적 기법을 적용
- 시각화 모델 선택(Visualization Model Selection) : 데이터를 효과적으로 전달하기 위해 적절한 시각화 방법(모델)을 선택
- 시각화 표현(Visualization Representation) : 선택한 시각화 모델을 활용하여 데이터를 시각적으로 표현하는 단계

69 다음 중 국회의원 선거에서 지역 면적이 아니라 지역구에 당선된 국회의원 수에 따라 시각화할 때 가장 적합한 시각화 도구는?

① 카토그램(Cartogram)
② 단계구분도(Choropleth Map)
③ 픽토그램(Pictogram)
④ 트리맵(Treemap)

해설 카토그램은 지역의 데이터 값에 따라 지도의 크기나 모양을 변형하여 시각화하는 도구로 지역구에 당선된 국회의원 수에 따라 지도의 크기를 변형해야 하므로, 카토그램이 적합한 시각화 도구이다.

70 모자이크 플롯(Mosaic Plot)에 대한 설명으로 옳지 않은 것은?

① 변수에 속한 값의 분포를 시각적으로 표현할 수 있다.
② 두 개 이상의 범주형 변수 간의 관계를 나타낼 수 있다.
③ 열의 너비는 해당 범주에 속한 데이터의 비율에 비례한다.
④ 모자이크 플롯은 연속형 데이터를 나타내는 데 효과적이다.

해설 모자이크 플롯이 범주형 데이터에 사용되며, 연속형 데이터에는 적합하지 않다.

정답 68 ③ 69 ① 70 ④

71. 다음은 2008년부터 2013년까지 병원에 방문한 고객 데이터의 상자그림이다. 다음 중 옳은 설명은?

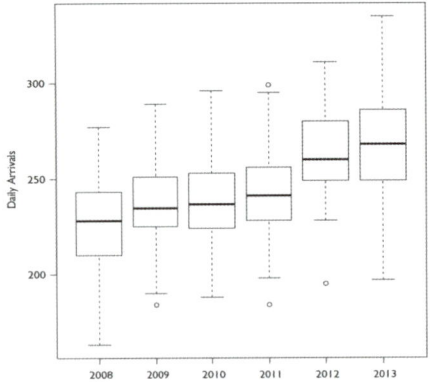

① 2011년에는 이상값이 존재한다.
② 2008년부터 2013년까지 일일 도착 수의 중앙값은 지속적으로 감소했다.
③ 2012년에 박스의 길이(사분위 범위)가 가장 짧아 일일 도착 수의 변동성이 가장 작다.
④ 2012년의 중앙값이 가장 크다.

해설 상자그림에서 이상값은 박스(사분위 범위) 밖에 위치한 점으로 표시된다.

72. 다음 중 (가) 지역별 코로나 발생률과, (나) 월별 코로나 발생률을 각각 표현하기에 가장 적합한 인포그래픽 도구로 짝지어진 것은 무엇인가?

① (가) 지도 인포그래픽, (나) 타임라인 인포그래픽
② (가) 비교 인포그래픽, (나) 타임라인 인포그래픽
③ (가) 지도 인포그래픽, (나) 통계 인포그래픽
④ (가) 목록 인포그래픽, (나) 프로세스 인포그래픽

해설
(가) 지역별 코로나 발생률 : 지도 인포그래픽은 각 지역의 데이터를 색상, 크기, 모양 등으로 시각화하여 한눈에 지역 간 차이를 비교할 수 있도록 돕는다.
(나) 월별 코로나 발생률 : 타임라인 인포그래픽은 시간에 따른 변화를 시각적으로 표현하여 월별 코로나 발생률과 같은 시간 흐름 데이터를 효과적으로 전달할 수 있다.

73. 다음 중 회귀 모형의 예측 정확도를 측정하는 평가 지표에 대한 설명으로 옳지 않은 것은 무엇인가?

① MAPE(Mean Absolute Percentage Error)는 예측값과 실제값 사이의 절대적인 비율 오차를 평균하여 예측 정확도를 측정하는 지표로, 값이 작을수록 예측 정확도가 높음을 의미한다.
② RMSE(Root Mean Squared Error)는 예측값과 실제값 간의 오차를 제곱하여 평균한 후 루트를 취한 값으로, 큰 오차에 민감하게 반응하여 예측 정확도를 평가한다.
③ MAE(Mean Absolute Error)는 예측값과 실제값의 차이를 절대값으로 변환하여 평균한 값으로, 오차가 작을수록 예측 정확도가 높음을 의미한다.
④ R-squared는 예측값과 실제값 간의 오차를 제곱하여 평균한 값으로, 오차가 작을수록 예측 정확도가 높음을 의미한다.

해설 R-squared는 예측값과 실제값의 오차가 아니라, 모델이 종속변수의 변동을 얼마나 설명하는지를 나타내는 지표이다.

정답 71 ① 72 ① 73 ④

74 이진 변수(Binary Variable)에 대한 설명으로 옳지 않은 것은 무엇인가?

① 이진 변수는 두 가지 값만을 가질 수 있는 변수로, 일반적으로 0과 1로 표현된다.
② 성별(남, 여), 출석 상태(출석, 미출석) 등 두 범주로 구분되는 변수는 이진 변수에 해당한다.
③ 이진 변수는 로지스틱 회귀와 같은 이진 분류 모델에서 자주 사용된다.
④ 원-핫 인코딩(One-Hot Encoding)은 연속형 데이터를 이진 벡터로 변환하는 기법이다.

해설_ 원-핫 인코딩(One-Hot Encoding)은 범주형 데이터를 이진 형식의 벡터로 변환하는 방법이다.

75 다음 중 Positive로 예측한 대상 중에서 실제로 Positive인 비율을 뜻하는 것은 무엇인가?

① 재현율 (Recall)
② 정확도 (Accuracy)
③ 정밀도 (Precision)
④ 특이도 (Specificity)

해설_ 정밀도(Precision)는 Positive로 예측한 값 중 실제 Positive인 비율을 의미한다.

76 다음 중 부스팅(Boosting) 알고리즘에 대한 설명으로 옳지 않은 것은?

① 여러 개의 약한 학습기를 순차적으로 학습시키고 예측하여 성능을 개선한다.
② GBM(Gradient Boosting Machine)은 가중치 업데이트에 경사하강법을 이용하여 오차를 최소화한다.
③ XGBoost는 GBM을 개선한 방식으로, 병렬 처리를 통해 GBM보다 더 빠른 속도를 제공한다.
④ LightGBM은 기존 트리 방식과 유사하게 Level-wise 방식으로 트리를 성장시킨다.

해설_ LightGBM은 기존의 Level-wise 방식이 아닌 Leaf-wise 방식으로 트리를 성장시키며, 이를 통해 더 깊고 불균형한 트리를 생성하여 학습 속도를 빠르게 하고, 더 나은 성능을 제공한다.

77 합성곱 신경망(CNN)의 주요 구성 요소에 해당하지 않는 것은 무엇인가?

① 합성곱 계층 (Convolution Layer)
② 풀링 계층 (Pooling Layer)
③ 완전 연결 계층 (Fully Connected Layer)
④ 순환 계층 (Recurrent Layer)

해설_ 순환 계층은 RNN(순환 신경망)에서 사용하는 계층으로, CNN의 주요 구성 요소가 아니다.

정답 74 ④ 75 ③ 76 ④ 77 ④

8회 기출문제

78 다음 중 CNN에서 필터(커널)의 역할에 대한 설명으로 옳은 것은?

① 입력 데이터를 분류하기 위해 사용된다.
② 입력 데이터의 특정 위치에 대해 확률값을 계산한다.
③ 입력 데이터의 국소적 특징을 추출하는 데 사용된다.
④ 입력 데이터의 크기를 줄이는 데 사용된다.

해설_ 필터(커널)는 CNN에서 입력 데이터의 작은 영역(Local Region)에 대한 특징을 추출하는 역할을 한다.

79 다음 중 딥러닝 모델에서 과대적합(overfitting)을 해결하기 위한 방법으로 옳지 않은 것은?

① 드롭아웃(Dropout)을 적용하여 뉴런 일부를 랜덤하게 제거한다.
② 조기 종료(Early Stopping)를 사용하여 검증 손실이 증가할 때 학습을 멈춘다.
③ 데이터 증강(Data Augmentation)을 통해 학습 데이터의 다양성을 증가시킨다.
④ 학습 데이터 크기를 줄여 모델의 복잡도를 낮춘다.

해설_ 학습 데이터 크기를 줄이면 일반화 성능이 저하될 수 있어 과대적합 해결 방법으로 적절하지 않다.

80 아래 그림은 1970년부터 2015년까지의 출생률(Crude Birth Rate)과 주택 가격 지수(House Price Index) 데이터이다. 시계열 데이터에 대한 옳은 설명은?

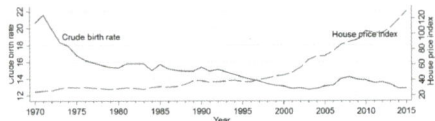

① 출생률은 1980년대 후반부터 꾸준히 증가하는 경향을 보인다.
② 주택 가격 지수는 2000년대 이후 급격히 상승하는 경향을 보인다.
③ 출생률과 주택 가격 지수는 서로 강한 양의 상관관계를 보인다.
④ 출생률과 주택 가격 지수 모두 2010년 이후 하락하는 경향을 보인다.

해설_ 시계열 데이터에서 출생률은 전반적으로 하락하고, 주택 가격 지수는 2000년대 이후 급격히 상승하는 경향을 보인다.

정답 78 ③ 79 ④ 80 ②

2025 단·축·키 빅데이터 분석기사 필기 3과목, 4과목

초판 2쇄 인쇄 | 2025년 01월 24일
초판 2쇄 발행 | 2025년 01월 24일

지 은 이 | 김 계 철
발 행 인 | 김 계 철
발 행 처 | (주)에이아이 에듀
　　　　　 서울특별시 강남구 영동대로 602, 6층 제이102(삼성동)
　　　　　 전화 070-4007-1867
　　　　　 홈페이지 www.adsp.co.kr
　　　　　 이메일 emhu8640@gmail.com
등록번호 | 제2022-000048호

※ 잘못된 책은 교환해 드립니다.
※ 이책은 저작권법에 의해 보호를 받는 저작물이므로 무단전재와 복제를 금합니다.